KB082248

원자를 만지다

전자

1권

원자를 만지다: 전자. 1권

발 행 | 2024년 02월 05일
저 자 | 유종훈
펴낸이 | 한건희
펴낸곳 | 주식회사 부크크
출판사등록 | 2014.07.15.(제2014-16호)
주 소 | 서울특별시 금천구 가산디지털1로 119 SK트윈타워 A동 305호
전 화 | 1670-8316
이메일 | info@bookk.co.kr

ISBN | 979-11-410-7055-7

www.bookk.co.kr

원자를 만지다

전자

1권

유종훈 지음

가르침을 주신 분들께

머리글

만약 내가 더 멀리 볼 수 있다면, 그것은 거인들의 어깨 위에 서 있기 때문일 것입니다. 아이작 뉴턴은 로버트 후크에게 보낸 1676년의 편지에서 그의 광학 발견을 정중하게 알렸다. 뉴턴이 그의 편지에 썼던 글귀는 과학 그리고 문명이 실제로는 전에 있었던 것에 조금씩 끊임없이 점점 더해져 이루어진다는 사실에 바탕을 둔 내용이었다.[1)]

이 책은 약 2,400년 전 데모크리토스의 원자론부터 100년 전 보어의 원자모형을 거쳐서 최근 양자 얽힘에 이르기까지, 과학자들이 그려온 원자들의 진화 모습을 원래 논문들에 근거해서 깊숙이 추적한다. 과학이 우리 삶에서 매우 독특한 위치에 놓여서, 일상생활과 오랫동안 밀착되어 어우러져 이어진 과정을, 맨눈에 보이지 않는 원자들을 대상으로 이야기한다. 분광 기술, 반도체, 레이저, 자기공명 영상, 양자컴퓨터 등의 원자 시대에 들어서며, 우리는 자연에서 매우 작은 물체를 이해하고 미시 세계에 가까이 접근하는 새로운 생각의 틀을 이제는 갖추기 시작한다.

세상은 우주이고 세상에 있는 사물과 현상이 자연이다. 우주는 공간과 시간, 그 안에 있는 내용물을 모두 포함한다. 우주는 라틴어의 "유니버스"에서 유래했고 '모두', '전체', 또는 '집합'을 뜻한다. 인간의 행위로부터 생긴 사물과 현상은 제외하고, 생명체를 포함하여, 순전히 신 또는 우주 스스로 창조한 것만 자연에 속한다.

우주에서 작은 것부터 큰 것까지 무엇이 있는지, 그것들이 오늘날 어떻게 작동하는지, 과거에 어떻게 작동했는지, 미래에 어떻게 작동할는지 과학은 찾아내려고 몰두한다. 과학은 관찰과 실험을 통해서 우주를 배우는 과정이고, 우주에서 무슨 일이 일어나고 있는지 설명하기 위해서 적극적인 사고와 함께 증거를 즐겨 사용한다. 실험은 이론과 함께 지식을 쌓아 올리는 토대를 마련하여 과학에서 중요한 역할을 맡는다.

약 200년 전 시작한 산업혁명 이후, 동아시아에서 우리는 과학과 기술을 주로 유럽과 미국으로부터 제공받으며, 지식을 쌓고 계발하는 일에 많은 노력을 기울여 왔다. 과학 지식의 성장과 발달에서 항상 뒤따랐던 방식은 우리말 없이 외국어, 특히 영어와 한자로 된 도서, 교재, 논문 등을 읽으며 학문과 경험을 전달받는 형태였다. 이에 대해서 중국 출신의 미국 물리학자 샹켕 마(1940-1983) 교수는 *"기초 과학을 모국어로 가르쳐야 한다."* 주장하여 1977년과 1981년에 타이완 국립 칭화대학교에서 강의를 진행했고, 중국어로 쓴 『통계역학』 교과서를 출판했다.

외국어 일반 단어가 과학 용어로 사용되면, 그 의미가 바로 전달되지 않아 이해 속도가 뒤떨어지고 난해도가 증가하며, 과학이 다른 학문보다 생소하거나 까다롭게 느껴져서, 학생과 일반인은 그것을 오히려 적성 탓으로 연관 짓기도 한다. 최근에 들어오면서는 과학 용어를 순수한 우리글로 고치는 회의가 정기적으로 소집되고 있으며, 저자도 그런 노력을 따라서 우리글 표기를 뒤쫓는다.

이 책의 내용은 대학교 원자물리학 학부 교과서의 일부분이다. 그러나 저자는 독자들 모두에게 이 책의 내용을 완전히 이해하게 하려는 목표를 감히 갖고 있지 못했다. 자연은 아주 작은 미시적 크기의 물질에 매우 애매하고 익숙하지 않은 방법으로 작동되고 있어서, 인간이 *"도대체 어떻게 돌아가고 있는 거야?"* 말할 정도로, 처음부터 완전히 이해할 수 없도록 설계되어 있었다. 그러나 일상생활에서 매일 일어나는 익숙한 일들을 설명하는 여러 기본 개념(고전 물리학)이 막상 그 적용 범위를 좁혀서 미시 세계로 들어갔을 때는, 결국 실패한다는 것을 양자역학은 절대적이고 명확하게 보여 주었다.

브라이언 그린 교수는 '미시 세계'를 이해하는 필수 조건으로, 하나를 덧붙였다.[2)]

원자와 그 이하의 크기에서 자연을 이해하고 설명하기 위해서는, 우리 생각과 추리뿐만 아니라 언어까지도 반드시 바꿔야 한다.

과학자들의 연구가 설령 실패하더라도 그들의 생각과 경험이 모두 모아져서 다른 과학자들에게 전달되고 마침내 성공으로 이어진다는 진리는 앞으로도 끊임없이 계속된다. 그리고 성공한 과학자들은 함께 연구했던 동료들과 한편 서로 겨루었던 경쟁자들을 오직 대신하여 목표를 이루어냈을 뿐이라면서 영광을 겸허하게 받아들일 것이다.

2024년,
햇빛 아래 원자를 바라보며.

〈차례〉

00 서론

그리스 시인과 철학자 루크레티우스(기원전 99-55)는 순전히 추측이었겠지만 마치 실제로 보이는 듯 신기할 정도로 정확하게 ‘원자’의 존재를 그의 뛰어난 작품 『데 레룸 나투라(사물의 본성에 관하여)』에서 3)기술했다.

햇빛이 실내로 들어와 어둠을 비추면, 수많은 작은 입자들 여러 길에서 뒤섞이고, 허공에서 쉬지 않고 끝없이 움직이며, 어디나 만남과 헤어짐이 끊임없이 펼쳐진다.

햇빛 아래 이어지는 입자들이 추는 춤은, 물질에 감춰진 비밀과 움직임을, 사뿐히 나무끼며 바깥으로 불러낸다.

많은 이들 볼 수 있는 힘찬 충돌 보이지 않고, 입자들은 오가는 길 방향을 바꾸면서, 언제나 아무렇게나 이곳저곳 지나간다.

정처 없이 떠도는 입자들이 추는 춤은, 저절로 흔들리는 원자들의 자리에서, 언제나 너울너울 처음처럼 비롯된다.

맨 먼저 원자들이 그들 스스로 동요하고, 그다음에 원자들의 힘 가장 가까운 근처에서, 작게 뭉친 물체들이 움직이기 시작한다.

눈에는 보이지 않는 원자들의 충돌에, 작게 뭉친 물체들은 아무데나 달아나고, 이어서 조금 더 큰 물체들을 되받아서 공격한다.

원자들의 움직임이 점점 더 쌓이면, 우리들 눈높이에 가까이 다가와서, 보이지 않는 충돌이었지만 물체들이 비틀대며, 우리는 햇빛 아래에서 그들 모습 지켜본다.

루크레티우스가 묘사했던 공기에서 작은 먼지들의 움직임은, 1827년, 스코틀랜드 식물학자 로버트 브라운(1773-1858)이 물 위에 떠 있는 클라키아 풀첼라 식물의 꽃가루 알갱이를 관찰하던 중에 발견한 '브라운 운동'의 한 모형이었다. 루크레티우스가 맨눈에 보았던 공기 중 먼지 입자의 움직임은 고스란히 브라운이 현미경에서 관찰한 물 위 꽃가루 알갱이의 운동으로 바뀌어 자세하게 [4] 기술되었다.

초점길이가 32 분의 1인치(7.9/1000 밀리미터)인 이중 볼록렌즈 현미경이 사용되었고,...... 실험은 1827년 6월에 처음 시작되었다. 물에 담긴 입자들의 형태를 조사하는 동안, 나는 그들 중 많은 것들이 실제로 움직이는 광경을 관찰했다. 그들의 움직임은 유체에서 수시로 상대 위치뿐만 아니라 가끔씩 입자 자체의 형태 변화로도 나타났다. 입자의 한쪽 중앙에서는 오목 또는 곡선의 형태가 되풀이되었고, 반대쪽에서는 볼록 또는 부풀어진 형태가 동반되어 나타났다....... 그들의 움직임은 유체 흐름이나 증발 때문에 발생하지 않고 입자 자체에 속한 특별한 성질이었다. 움직이는 입자들 중에서 가장 작은 것, 내가 "활성 분자"라고 이름 붙인 것들은 크기가 2만 또는 3만 분의 1인치(0.84 또는 1.27 마이크로미터)였다.

브라운이 관찰했던 꽃가루 알갱이들의 움직임은 액체 분자들의 불규칙한 열운동 결과였다. 1905년, 알베르트 아인슈타인은 액체에 담긴 수많은 작은 입자들이 용매(물)에 포함된 용질(산소)의 분자들과 다르지 않다고 가정했고, 브라운 운동에서 드러난 입자들의 상대 위치 변화로부터 분자 크기(아보가드로 수)가 정확히 측정된다고 그의 5)논문에서 밝혔다.

분자-운동 이론에 따르면, 액체에 떠있는 매우 작은 물체들은 분자들의 열운동으로 인하여 움직임이 점점 더 심해지고 현미경을 사용함으로써 쉽게 관찰되어 원자 크기의 정밀한 측정이 실제로 가능하다. 본 논문에서 논의되는 작은 물체들의 움직임은 소위 "브라운 분자 운동"과 동일하다....... 일정 시간 동안 이동한 입자들의 평균 거리(제곱평균제곱근)는 유체 온도와 점성도, 입자 크기, 아보가드로 수, 기체 상수에 의해서 결정된다. [1908년, 프랑스 물리학자 장 바티스트 페렝은 일정 시간 동안 입자들이 이동한 평균 거리를 관찰하여 아보가드로 수를 실제 값의 10퍼센트(0.4/6.03) 오차 범위 내에서 확인했다].

루크레티우스가 보았던, 그리고 브라운이 관찰했던 유체에서 입자들의 운동은 원자와 분자가 실제로 존재한다는 징조였다.

만약 지구대격변이 일어나서 과학 지식이 모두 파괴되고 오직 한 문장만 다음 세대에 전달된다면, 어떤 과학의 진리가 가장 짧은 글에 가장 많은 정보를 담아서 잘 전달될 수가 있을까? 리처드 파인만 교수는 대답했다.6)

여러분이 그것을 무엇이라고 부를지는 잘 모르지만, 그것은 모든 물체가 원자들, 지속적으로 주위에서 움직이고 조금 떨어져서 서로를 밀치거나 끌어당기는 매우 작은 입자들로 구성된다는 '원자 가설' 또는 '원자 사실'이라고 저는 믿습니다. 이 한 문장에서 여러분

은 약간의 상상력과 사고력을 발휘한다면, 우주에 관한 엄청난 양의 정보를 알게 될 것입니다.

그리스 철학자 데모크리토스(기원전 약 460-370)는 원자를 설명했다.

모든 물체는 원자들이 모여서 구성되고, 원자보다 더 잘게 나눌 수 없으며, 원자들 사이에는 빈 공간이 있고, 원자들은 파괴할 수 없으며, 항상 움직이고, 크기와 모양이 다른 원자와 원자 종류가 무한히 많다.

01 원자를 찾아서

"세상은 원자와 빈 공간 외에 아무것도 존재하지 않는다. 다른 것들은 모두 의견일 뿐이다."7)
-데모크리토스 (그리스 철학자).

1857년 겨울, 베토벤의 고향 독일 본에서 물리학자이고 내과의사인 헤르만 폰 헬름홀츠(1821-1894)는 『음악 화성和聲의 생리학적인 근거』의 제목으로 8)강연회를 가졌다. 그는 전문 음악인은 아니었지만 당시 다른 독일 지식인들처럼 상당한 수준의 실력을 갖춘 피아니스트였다.

과학자로서 음악 악기에도 많은 관심을 가져서 그의 강연은 자연스럽게, 인간사고思考에서 가장 확연하게 상반돼 보이지만 오히려 숨어서 가깝게 밀착되어 서로를 떠받치는 수학과 음악의 이야기로 이어졌다.

그는 질문을 던졌다.

"조화된 음의 진동수가 작은 정수로 이루어진 비율을 갖는다는 것은 이미 인정된 사실입니다. 왜 그럴까요? 작은 정수들의 비율은 조화 음과 무슨 관계를 가질까요?"

숨을 고른 후에 그는 설명했다.

"이것은 피타고라스가 남긴 오래된 수수께끼이며, 여태까지 풀리지 않고 있습니다."

그리고 그는 스스로 대답했다.

"현대 과학이 그 해답을 찾을 수 있을지 앞으로 지켜봐야 할 것입니다."

음악 악기는 그리스 수학자 피타고라스(기원전 570-495)가 살았던 시대보다 훨씬 더 일찍부터 연주되었다. 피타고라스는 세 가지 관찰에 근거해서 「수數이론」을 작성했다. 그중 하나는 음들이 일정한 규칙에 따라 잘 어울리는 조화 음과 수학의 관계였다.

리라와 닮은 고대 그리스 현악기의 경우, 똑같은 종류의 두 줄을 제각기 튕겨서 나오는 소리는 길이 비율에 따라서 '어울림음' 또는 '안 어울림음'이 되기도 했다. 줄이 하나인 일현금의 발견자이기도 했던 피타고라스는 현 길이의 비율이 2 대 1(옥타브), 3 대 2(완전5도), 4 대 3(완전4도)과 같이 1, 2, 3, 4의 낮은 정수들로 구성될 때 음이 가장 아름답게 들린다고 주장했다. 그는 두 음音의 간격인 음정을 낮은 정수의 비율로서 표시했고, 3 대 2의 비율, 즉 완전5도의 음정을 반복하여 옥타브 안에 늘어놓아서 음계를 구성했다.

자연 세계의 구조를 단순히 정수들로 특정 짓는 '숫자 양식樣式'은 피타고라스 수학에서 거의 신앙처럼 나타났다. 피타고라스의 '삼조'라고 부르는 직각삼각형의 세 변은 모두 양의 정수들로 이루어졌다. 그리고 2점은 선을, 3점은 평면을, 4점은 물체를 각각 정의했고, 현실에 있는 모든 것들이 정수와 기하학으로 채워졌다. 엠페도클레스(기원전 약 490-430)의 사원소인 흙, 공기, 불, 물은 소위 플라톤의 고체인 정4면체, 정8면체, 정20면체, 정6면체 모양의 구조였다.

그뿐만 아니었다. 피타고라스의 숫자 양식은 음악과 기하학을 넘어서 원자에까지 범위를 넓혔다. 프랑스 화학자 앙투안 라부아지에(1743-1794)는 '질량 불변의 법칙'을 사용하여 물질의 구성을 성분 백분율로 나타내는 논리적 결정을 내렸었다. 그때 라부아지에가 측정했던 일산화탄소와 이산화탄소에서 산소가 각각 57.1과 72.7 퍼센트씩 포함되어 있다는 사실에는 피타고라스의 숫자 양식에 관한 무슨 내용이 담보되어 들어가 있었을까?

피타고라스의 숫자 양식은 가시적인 원자모형을 현대 과학으로부터 제공받는다. 피타고라스가 직삼각형을 이루는, 그리고 조화음을 내는 현의 길이와 관련된, 정수들에 담긴 비율을 찾았던 방법으로 과학자들은 원자들에서 정수들의 관계를 땀 흘려 파헤친다.

원자의 속성은 곧 정수의 속성이라는 듯, 이미 2500년이 지난 사고思考이지만 피타고라스의 정수들은 오늘날 우리에게 또다시 마술을 보여준다.

1.1 물질을 보다

예술가들이 산청山青 또는 녹청綠青의 물감으로 사용하는 데 주저하지 않았던 [9]'기본 탄산구리'는 공작새를 닮았다고 해서 이름이 붙여진 공작석孔雀石에서 채취된다. "말라카이트"라는 이름으로 불리기도 하는 공작석은 세밀한 손질을 거쳐서 에메랄드처럼 보석으로 가공된다.

뉴욕에 있는 자유의 여신상뿐만 아니라 베를린 대성당과 같이 오랜 건축물 지붕을 보면 이끼가 끼어있는 듯이 녹청으로 뒤덮여져 역사를 마주 대하는 것처럼 장엄함이 느껴진다. 그 건축물들은 원래 구리로 장식되어서 햇빛에 반짝거렸지만 세월이 지남에 따라 공기 중에서 산화되고 대기에 포함된 이산화탄소와 황산과도 반응하여 색상이 붉은 구리에서 녹청으로 바뀌었다.

산소가 포함된 화합물인 산화물에서 일어나는 화학 반응을 관찰하기 위해서, 프랑스 화학자 조제프 루이 프루스트(1754-1826)는 제조 시료와 자연 시료, 두 가지의 기본 탄산구리를 준비했다. 제조 시료는 100파운드의 구리가 황산이나 질산에서 용해된 다음, 탄산나트륨이나 탄산칼륨에서 침전되어, 181파운드의 녹청색 기본 탄산구리가 인공人工 방법으로 준비되었다. 조사 결과에 따르면, 두 시료는 원소 성분들에서 차이가 없었고 동일한 질량 비율을 이루며 결합돼 있었다. [1파운드는 0.45킬로그램이다].

1799년에 출판된 〈화학 연보〉의 [10]논문에서 프루스트는 기본 탄산구리의 실험을 설명했다.

—수산화칼륨에서 1분 동안 끓이면, 181파운드였던 기본 탄산구리가 125파운드로 줄어들면서 검정 산화물이 증류기 바닥에 별도로 남았고, 나머지는 46파운드의 탄산과 10파운드의 물로 배출되었다.

—검정 산화물은 산화 염산에서 용해되어 산소가 기포로 다 없어졌으며, [11]산소와 구리의 비율이 25/100를 넘지 않았다.

—181의 기본 탄산구리는 100의 구리, 25의 산소, 46의 탄산, 10

의 물로 이루어졌다.

기본 탄산구리는 수화물이 전혀 섞이지 않으면 색상이 그 비율만큼이나 항상 일정했다. 훌륭한 말라카이트 보석 분위기가 나는 색조를 띠어서 햇빛에 반짝이는 밝은 초록의 사과를 연상시켰다. 색상과 달리 광채를 주기 위해서는 그 준비 방식에 어느 정도 주의를 기울일 필요가 있었다. 색상의 균일성이 특정 밀도에 따라서 달라지기 때문에 끓는 물에서 침전시키거나 침전된 용기를 햇볕에 놓아두어야 했다. 이렇게 해서, 부피가 줄어들고 입자들이 모여 형성된 결정분말은 도자기 그릇에서 씻은 다음 건조되었다.

자연산 기본 탄산구리를 질산에 녹여서, 인공 방법으로 제조한 것과 동일하게 같은 양의 검정 산화구리를 얻는다면, "화합물의 형성에서 우리를 위해 저울을 들고 그의 의지에 따라서 속성을 맞추는 '보이지 않는 손'을 인식해야 한다."라고 프루스트는 주장했다. 자연은 가까운 지구 표면에서나 인간의 손이 닿지 않는 깊숙한 곳에서나 차별 없이 접근하여 똑같이 작동했다.

…자연과 기술이 낳은 진정한 화합물은 영원히 변하지 않고 이미 정해진 '일정 성분비'의 속성을 반드시 지녀야 한다.

"자연은 항상 무게를 재고 있다."라는 독일 화학자 게오르크 에른스트 슈탈(1659-1734)의 말과 같이, 자연은 성분비의 모든 조합을 허용하는 '선택 법칙'의 사용 권한을 더 이상 화학자에게 넘겨주지 않았다!

프루스트는 질문했다.

그렇다면, 자연산 기본 탄산구리가 사람이 솜씨를 들여 제조한 모조품과 전혀 다르지 않다고 믿는 것은 잘못된 생각일까?
천연 탄산음료와 특정 지역에서 생산된 탄산음료 사이에는 실제로 어떤 차이가 있을까?
사실 아무런 차이가 없었다. 그러나 자연에서 혼돈에 의해 성분비의 조합이 일정하지 않도록 미리 정해졌더라면, 구리와 같은 금속화합물에서는 유별나게 다른 여러 상태들이 왜 나타날까?
—아라곤산産 말라카이트는 질산에서 탄산을 배출하고 1백 분의 일에 해당하는 모래흙을 남겼다. 자연산 기본 탄산구리는 제조한 것과 백 중 아흔아홉은 동일했다. 제조한 것에는 없던 석회 성분이 1낟알에도 못 미치는 정도로 자연산에는 약간만 포함되어 있었다. [낟알은 17세기 말까지 사용된 질량 단위로, 1낟알은 0.0648그램에 해당한다].
—적당한 온도로 가열된 100낟알의 말라카이트에서 검정 산화물 71낟알이 생겼고, 그중에서 불순물로 2낟알이 제외되면 69낟알만 순수한 산화물로 남았다. 말라카이트에서 얻은 69낟알의 산화물은 제조한 것과 백 중 아흔아홉에서 일치했다. 사실 이 두 산화물 사이에는 아무런 차이가 없었다. 자연이든 인간이든, 누가 어디서 언제 어떻게 만드는지 상관없이, 산화가 이루어지는 정도는 항상 동일했다.

프루스트는 스페인 북동부에 위치한 아라곤 지방에서 채광한 말라카이트로부터 산화구리를 추출하여 '일정 성분비 법칙'을 발견하는 근거를 제공했다. 로마시대 이전부터 지정학과 문화에서 오랜 역사를 간직한 아라곤 지방은 중세 이후 이사벨라 여왕의 카스티야와 함께 근대 스페인을 이루는 초석이 되었고, 이슬람과 기독교의 혼합된 예술로 발전해서 번성했던 무데하르 건축양식이 유네스코 문화유산으로 등재되어 한층 도시 전통을 이어준다. 작열하는 태양 아래 하얀 빛살이 붉은 땅과 어우러져, 산맥과 강과 하늘을 한꺼번에 녹청으로 물들이듯, 아라곤의 말라카이트는 고전의 신비스러움을 절로 떠올린다.

금속 산화물의 물감 사용은 길게는 기원전 만 오천년 전으로 거슬러 올라가서, 노랑과 빨강의 산화철, 초록의 규산알루미늄, 갈색의 산화망가니즈를 사용했던 흔적이 일찍이 동굴벽화에서 드러났다. 석기시대에서 청동기시대로 넘어오는 중심이 되었던 구리는 도구와 장식을 만들기 위해 인류가 사용했던 가장 오래된 금속이었다. 구리는 평상시에 붉은 빛 갈색을 띠지만 습기를 만나면 산화가 이루어졌고, 구리와 산소의 결합 비율에 따라 산화구리가 다르게 형성되었다.

프루스트는 두 가지 유형의 산화구리를 그의 실험에서 확인했다. 구리와 산소의 질량 비율이 산화제1구리에서 86.2와 13.8 퍼센트, 산화제2구리에서 80과 20 퍼센트로 일정하게 고정되어 있었다. 화합물에서 원소들이 동일하게 포함되지만, 질량 비율은 서로 다른 조합에 따라 일정하게 고정된다는 사실이 여러 물질에서 관측되었다. 화합물을 구성하는 성분비가 일정하게 고정되지 않고, 연속으로 분포되어 나타나는 것은 프루스트에게 불가능해 보였다. …화합물을 구성하는 성분 원소들의 질량 비율은 자연에서 미리

찍어 놓은 듯이 항상 일정했다.

원소 주기율표까지 이미 완성된 현대 화학의 입장에서 보면, '일정 성분비 법칙'은 당연한 사실이지만 화합물의 개념조차 제대로 서있지 않았던 18세기 말에는 상황이 전혀 달랐다. 프루스트가 '일정 성분비 법칙'을 정리해서 서술한 내용은 산화철을 분석해서 1794년에 발표한 『프러시안 블루에 관한 연구』의 [12]논문에서 처음 언급되었다. 그는 질문했다.

철과 산소의 결합이 두 양兩 극단(0.27과 0.48) 사이의 모든 비율에서 이루어진다면, 산화물들도 모두 다르게 생성되어야 할까?

철에서 관찰된 결과에 근거하면, 두 양 극단 사이 조합 비율에서 형성된 산화물들은 모두 불안정하다는 사실이 증명되었다. 철은 두 가지 '일정 성분비'에 맞춰서 산소와 결합한다는 자연 법칙을 따랐다. 주석, 수은, 납과 같은 여러 금속들, 그리고 거의 모든 가연성 물질에서도 이 자연 법칙은 똑같이 적용되었다.

프루스트의 [13]논문은 출판 이후 격렬한 논쟁에 휩싸였다. 프랑스 화학자 클로드 루이 베르톨레(1748-1822)가 '일정 성분비 법칙'의 반대 의견으로 '불일치론'을 주장했던 것이었다.

…성분 원소들의 질량 비율을 일정하게 정하지 않고 임의로 조합해도 화합물 구성은 얼마든지 가능하다.

그 당시는 화합물과 혼합물의 구별조차 제대로 이루어지지 않았던 시기여서 불일치론의 주장이 가능했다. 당시의 관습대로 [14]용액도 다른 화합물처럼 두 개 이상의 원소를 화학 방식으로 조합해서 새롭게 구성된 물질이라고 판단되었기 때문에, '일정 성분비 법칙'에 반대하는 '불일치론'의 개념을 설명하기에 안성맞춤이었다. 베르톨레는 질량 비율이 연속해서 변하는 일부 조합 물질들을 '가변可變 비율 용액'으로 명명했고, 진정한 화합물로 간주했다. 이와는 대조적으로, 프루스트는 일정하게 고정된 비율로 구성된 조합 물질만 화합물로 인식했다.

화합물이 형성되는 과정에서 성분비가 일정하게 나타나는 것은 프루스트 이전부터 이미 관측되었다. 1774년에 영국 화학자 조지프 프리스틀리(1733-1804)는 렌즈로 모은 태양 광선을 산화수은에 쪼여서 별도로 배출된 일정한 양의 '탈 플로지스톤 공기', 즉 나중에 이름이 붙여진 '산소'를 [15]발견했다. 이와는 별도로 시기적으로 늦었지만, 헨리 캐번디시가 1783년에 완료한 실험을 라부아지에가 반복했고, 일정 양의 '불타는 공기(수소)'와 '탈 플로지스톤 공기(산소)'로부터 화학 반응 과정을 거쳐서 같은 양의 물을 만들었다.

프랑스 대혁명 이후 동전에 쓰이는 구리의 모자라는 분량을 메우기 위해서 교회들이 사용하지 않는 종鐘들로부터 구리를 추출하는 방법이 폭넓게 연구되었다. 교회의 종은 구리와 주석의 합금으로 이루어져 오랫동안 공기에 노출돼 산화되었기 때문에, 구리만 추출하기 위해서는 산화주석을 쉽게 제거하는 기술이 별도로 필요했다. 1792년, 프랑스 화학자 베르트랑 펠티에(1761-1797)는 주석이 일정한 양의 산소와 결합해서 주석 산화물이 나타나고, 두 배의 산소와 결합하면 또 다른 주석 산화물이 형성된다는 사실을 [16]

발견했다. 주석과 산소가 결합해서 두 종류의 산화주석을 구성하고, 특히 두 번째 산화주석은 첫 번째에 비해서 주석과 산소의 질량 비율이 두 배로 늘어났다.

영국 화학자 험프리 데이비(1778-1829)는 전기화학이라는 새로운 분야를 개척했지만, 일찍부터 친하게 지내던 데이비스 길버트(1767-1839)의 소개로 토마스 베도스(1760-1808)가 세운 작은 병원에서 실험실을 책임지는 감독관(전공의 수준에 해당하는 직책) 일을 시작했다. 베도스 박사는 병원에서 환자 치료에 사용되는 기체와 그 효과를 관리하는 '기체 의학' 권위자였다. 1799년 3월, 질병 치료에서 기체의 역할을 조사하기 위해서, 짧은 기간만 운영할 목적으로 「의료 기체 연구소」가 브리스톨에 설립되었다.

데이비는 화학자였지만 다재다능했다. '곰 세 마리' 동화의 원작자였던 로버트 사우디(1774-1843), 윌리엄 워즈워스(1770-1850), 새뮤얼 테일러 콜리지(1772-1834)와 함께 문학적인 표현을 빌리면, "낭만주의 부활"의 사회운동을 이끌었던 영국의 대표적 과학자였다. 가까운 친구였던 콜리지는 말했다.
"그 시대에 가장 훌륭한 화학자가 아니었더라면, 그는 시인이 되었을 것이다."[17]

[18]감독관 일을 시작하기 일 년 전, 데이비는 새뮤얼 라담 미칠(1764-1831)의 [19]'전염이론'에 주목했다. 미칠 박사는 조지프 프리스틀리가 발견한 [20]탈脫 플로지스톤 질소공기(산화이질소)를 연구했고, 인체에 침입한 세균이 혈액을 감염해서 발생하는 패혈증을

산화이질소가 유발한다고 주장했다. 데이비는 즉시 전염이론을 실험해 보기로 했다. 산화이질소에 동물 상처를 드러내기도 했고, 동물들을 아예 담가보기도 하면서 자신은 공기를 약간 섞어서 들이마시기도 해보았지만 눈에 띄는 이상異狀을 찾아보기가 어려웠다. 이에 관련된 확증을 찾기 위해서 여러 차례 실험이 더 필요했지만 당시에는 충분한 양의 기체를 마련할 수 없었다.

「의료 기체 연구소」 감독관으로 자리를 옮긴 데이비는 앞으로 진행할 실험을 찾던 중에 산화이질소를 만드는 여러 방법을 정리해 놓은 프랑스 화학자 베르톨레의 논문을 읽었다. 그중 하나가 질산암모늄을 가열하는 방법이었고, 증기기관을 발명해서 유명해진 영국의 발명가 제임스 와트(1736-1819)의 도움을 받아서 장치가 완성되었다.

실험을 새로 시작한 데이비는 1년이 넘는 기간 동안 산화이질소의 물리, 화학, 생물 특성을 조사했고, [21]그 결과를 1800년 7월 『산화이질소 또는 탈 플로지스톤 질소공기와 호흡에 관한 화학 및 철학 연구』라는 제목의 책으로 출판했다. 그는 산화이질소를 준비하는 과정과 화학 분석을 통해서 특성을 설명했다.

—200낟알의 질산암모늄을 유리 증류기에 주입하여 알코올램프로 열을 가해서 천천히 분해했다. 처음 나온 기체는 무시했고, 나중에 분해된 기체를 수은이 담긴 병에 담았다.

—산화이질소는 발화 온도 이하에서는 성분들이 바뀌지 않는 기체였다. 산소와 질소로 구성된 가장 친밀한 조합이었다. 성질은 산酸의 성질에 가깝고, 매우 높은 온도에서 불에 잘 타는 가연성可燃性

물질에 의해 분해가 이루어졌다. 물에서는 기체 부피의 두 배에서, 대부분의 인화성 액체에서는 기체 부피의 절반만 있어도 용해되었다. 알칼리와 결합하여 염鹽을 형성했다. 산화이질소 100낟알은 질소 68.06낟알과 산소 31.94낟알로 구성되었고, 화씨 55도(섭씨 13도)의 온도와 30기압의 조건에서 75.17낟알이 [22]100세제곱인치의 부피를 차지했다.

「의료 기체 연구소」에서 활동하는 동안 데이비는 산화이질소 외에 다른 질소 산화물들의 성분도 분석했다. 산화이질소는 질소 68.06퍼센트와 산소 31.94퍼센트, 일산화질소는 질소 44.05퍼센트와 산소 55.95퍼센트, 이산화질소는 질소 29.90퍼센트와 산소 70.10퍼센트를 각각 포함한 것으로 측정되었다.[23]

1801년 3월, 데이비는 산화이질소 연구를 끝마치고, 브리스톨에서 런던 「왕립연구소」로 떠났다. 1802년, 데이비는 가느다란 백금 선에 전류를 흘려보내 소위 '활 방전'을 일으켜서 짧은 시간 동안 전등을 밝혔다. 1808년, 그가 사용했던 배터리는 전극 판의 수가 2,000짝이었고 총면적이 80제곱미터였으며, 꽤 오랫동안 활 방전을 지속해서 강연에 참석했던 청중들을 놀라게 했다.[24] 1812년, 삼염화질소 실험 중에 일어났던 사고로 데이비는 상해를 입었고, 서점 견습생으로 특히 화학에 관심이 많았던 21살의 마이클 패러데이를 실험실 조수로 채용했다. 1820년, 데이비는 〈왕립학회〉 회장으로 선출되었다.

1.2 원자론의 시작

피타고라스가 음악에서 남겼던 낮은 정수 비율의 수수께끼가 2,300년 후에 화학에서 프루스트에게 던져졌지만 이를 해결한 과학자는 따로 있었다. 1803년 10월 21일, 영국 화학자 존 돌턴(1766-1844)은 〈맨체스터 문학 및 철학 학회〉에서 『물과 다른 액체에서 기체 흡수』의 [25]논문을 발표했다. 논문의 마지막 부분인 "물과 다른 액체에서 기체 흡수 이론"에는 구 모양의 물 입자들을 바닥에서부터 차곡차곡 쌓아서 채운 피라미드 형태의 사각뿔 그림과 함께, 현대 과학에서 [26]"가장 중요한 문장 중 하나"라고 알려진 글이 적혀 있었다.

물체를 구성하는 '가장 작은 입자들'의 상대 무게를 자세히 조사하여 답을 얻는 것은, 내가 아는 한, 완전히 새로운 연구 주제이다. 나는 이 연구에서 최근 괄목할 만한 성과를 거두었다.

논문에서 이어지는 다음 쪽에는, 물체를 구성하는 '가장 작은 입자들'의 상대 무게를 열거한 20개의 원소와 17개의 화합물 목록표가 삽입되어 있었다.

현대 화학의 세계 공통어는 화학 방정식이고, 화학 방정식의 구성 요소는 원자들이었다. 화학 방정식은 분자 수준에서 반응물을 생성물로 전환해서 나타냈고, 화학 변화를 정량적인 용어로 표시했다. 그로부터 92년이 지난 뒤에 맨체스터 대학교의 헨리 로스코 교수는 데모크리토스 이후 돌턴이 발견한 원자를 언급했다.

“시간의 시험을 견뎌냈다.”

화학 결합의 사실을 세밀하지는 않았지만 원자 이론에 기초해서 처음 해석했던 과학자는 존 돌턴이었다.

1781년, 15세의 돌턴은 그 당시 인구 5천명의 양모羊毛 무역 중심지였던 27)켄달에서 학생들을 가르쳤다. 직책은 보조교사였다. 1785년에 인쇄된 안내장에는 학교 과목으로 영어, 라틴어, 그리스어, 불어, 작문, 상업회계 계산, 수학이 적혀 있었다. 켄달에서 지냈던 12년은 돌턴의 지식 축적에서 가장 중요한 시기였다. 그의 인생에서 영향을 크게 끼친 영국의 자연철학자 존 고프(1757-1825)를 만났기 때문이었다. 고프는 세 살이 되기 전에 천연두를 앓고 시각을 잃었다. 고프의 학생이었고, 영국의 다재다능한 철학자이고 역사가이고 과학자였던 윌리엄 휴얼은 그에게 칭송을 아끼지 않았다.

-앞을 볼 수 없지만 매우 뛰어난 고전학자이고, 수학자이고, 식물학자이고, 화학자였다.

22세의 돌턴이 친구에게 썼던 28)편지에서도 고프를 향한 존경심을 엿볼 수 있다.

-그는 라틴어, 그리스어, 불어를 완벽하게 터득한 분이셨다. 6년 전에는 라틴어와 그리스어를 전혀 알지 못했지만,...... 그의 가르침 덕분에 나는 많은 것을 배웠다. 그는 수학의 모든 분야를 골고루 잘 이해하셨고,...... 자연철학에는 그렇게 익숙하지 않았는데도 불구하고,...... 놀라운 통찰력으로 눈의 구조, 빛과 색의 성질을 추리

해 내셨다. 그분은 천문학, 화학, 의학에 매우 능통했다.

고프는 돌턴에게 매일같이 날씨 일기를 써보라고 권했다. 1787년 3월 24일부터 돌턴은 날씨 일기를 쓰기 시작했다. 1793년 고프의 추천으로, [29]'영국 비非국교도'를 위한 학교인 [30]「맨체스터 학교」에서 돌턴은 수학과 자연철학을 가르쳤고, 「왕립 연구소」 교수였던 토마스 가넷(1776-1802)의 강의를 듣고 화학 전문가가 되었다. 1800년, 그는 「맨체스터 학교」를 떠났고, 대신 수학 학교를 만들어서 수학, 실험철학, 화학을 가르쳤다. 1803년, 그의 형 조나단에게 쓴 편지는 마침내 화학 연구의 시작을 [31]알렸다.

-시간이 날 때마다 화학과 철학 연구에 몰두하느라고,...... 매우 바쁘게 지내고 있다.

1801년부터 1804년까지 돌턴은 질소와 산소 기체에서 나타나는 화학 반응을 실제로 시험했다. 1802년 11월 12일, 〈맨체스터 문학 및 철학 학회〉에서 『대기를 구성하는 기체 또는 탄성 유체의 성분 비율의 실험 연구』의 제목으로 질소 산화물의 실험 결과가 발표되었고, 1805년에는 논문으로 출판되었다. 논문에서 기술된 돌턴의 해설은 질소 산화물에서 '배수 비례'의 이치를 꿰뚫어 보는 지혜로서 지금은 널리 인정받고 있다.

돌턴은 질소 산화물을 얻는 과정을 설명했다.[32]

—열을 전혀 가하지 않고, 구리 또는 수은에 같은 양의 물로 희석된 이산화질소를 부어서 일산화질소가 수집되었다.

—첫 번째 시험. 36부피의 일산화질소가 포함된 지름 3.1인치와

길이 5인치의 유리관 안으로 100부피의 공기가 수용되었다. 몇 분 후, 79 또는 80 부피의 질소만 유리관 안에서 확인되었다. 산소나 일산화질소는 발견되지 않았다.[33]
—두 번째 시험. 물 위의 넓은 용기에 72부피의 일산화질소를 담은 다음, 그 안으로 100부피의 공기가 수용되면서 얇은 공기층이 형성되도록 흔들어 주었다. 다시 79 또는 80 부피의 순수한 질소만 안에서 확인되었다.
—세 번째 시험. 72부피보다 적은 양의 일산화질소를 담은 그릇에 100부피의 공기를 집어넣었더니 산소가 여분으로 남았고, 72부피보다 많은 양의 일산화질소를 담았더니 일산화질소가 여분으로 남았다.

시험 결과는 산소와 일산화질소가 항상 일정한 비율로 결합된다는 사실을 분명하게 보여 주었다. 첫 번째 시험에서, 100부피의 공기(20부피 산소, 78부피의 질소, 기타 2부피)에 포함된 20부피의 산소와 36부피의 일산화질소가 1 대 1.8의 비율로 결합하여 36부피의 이산화질소가 새로이 이루어졌다. 두 번째 시험에서는, 20부피의 산소와 72부피의 일산화질소가 1 대 3.6의 비율로 결합하여 36부피의 삼산화이질소가 새롭게 형성되었다.

첫 번째와 두 번째 시험에서, 두 가지 다른 화학 반응을 통해 산소와 일산화질소는 1 대 1.8과 1 대 3.6의 비율로 각각 차이나게 결합이 이루어졌다. 일정 양의 산소에 대해 일산화질소는 1.8 대 3.6 또는 1 대 2의 배수 비율로 구성돼 새로운 물질을 만들었다.

돌턴은 결론을 내렸다.

—조사된 결과는 시험 과정의 이론을 정확하게 짚어서, 올바르게 가리키고 있다. 산소 원소가 일산화질소의 특정 양(1 대 1.8) 또는 그 두 배(1 대 3.6)와 결합할 수 있지만 중간의 양(예를 들면, 1 대 2.7)과는 결코 결합이 가능하지 않다.

질소 산화물 시험 과정을 통해서 돌턴은 프루스트가 주장했던 '일정 성분비'의 관계를 확인했다. 그리고 원자론을 이끄는 핵심 단계로서 '배수 비율'의 관계를 마침내 발견한다.

1.3 돌턴의 원자 가설

화학 반응을 거쳐서 화합물이 형성될 때, 원소 성분이 차지하는 질량 비율은 왜 일정하게 미리 정해져 있을까? 왜 특정한 화합물은 성분 '가' 2개와 성분 '나' 1개로만 구성되어야 하며, 성분 '가' 2.1개 또는 1.9개와 성분 '나' 1개로 이루어져서는 안 될까? 원소들이 약간 다른 성분비로 결합될 수 없는 까닭은 무엇일까?

음식 조리법에서처럼 성분 비율이 조금씩 바뀔 수가 없는 이유는 무엇일까? 원소들이 서로 일정하게 결합해서 새로운 물질을 만드는 방법은 자연에서는 운명처럼 태고 적부터 정해져 있을까?

…작은 알갱이들이 여러 개 모여서 물질을 구성한다는 것은 사실일까?

이 질문은 이미 2,300년 전 데모크리토스에 의해서 제시되었던 적이 있었다.

소금의 주성분인 염화소듐에서 염소와 소듐의 질량 비율은 1.54이다. 즉, 39.3그램의 소듐과 60.7그램의 염소가 결합하여 100그램의 염화소듐을 형성한다. 질량 비율이 조금만 달라져도 염화소듐은 만들어지지 않는다. 이는 음식에 약간의 양념이 덜 또는 더 들어간다고 해서 그 음식 맛이 크게 달라지지 않는 주방에서 요리하는 조리법과는 매우 다르다. 조리법이 어느 정도 자유재량이 허용되는 권장 사안이라면 '일정 성분비 법칙'은 언제든지 지켜야 하는 강제 사안이다.

프루스트는 탄산구리, 주석 산화물, 황화철 등의 화합물을 조사하여 백분율로 구성 성분을 표시했었다. 34)주석 산화물에서 주석과 산소의 질량 비율이, 35)산화제1주석에서 87.0 대 13.0, 36)산화제2주석에서 78.4 대 21.6이었다. 구리 산화물에서도 구리와 산소의 질량 비율이 37)산화제1구리에서 86.2 대 13.8, 38)산화제2구리에서 80 대 20이었다.

프루스트의 측정 방식인 백분율 대신, 주석의 양을 일정하게 고정했다면 산소의 양은 어떻게 나타났을까?

돌턴은 백분율로 측정된 프루스트의 실험 자료를 활용했다. 주석의 양을 일정하게 1로 고정하면, 산소의 양은 산화제1주석에서 13.0/87.0인 0.149, 산화제2주석에서 21.6/78.4인 0.276으로 계산되었고, 14.9 대 27.6 또는 거의 1 대 2의 정수 비율로서 나타났다.

돌턴은 39)데이비의 질소 산화물 자료도 조사했다. 데이비 자료에 따르면, 질소와 산소의 무게가 이산화질소에서 29.50과 70.50

퍼센트, 일산화질소에서 44.05와 55.95 퍼센트, 산화이질소에서 63.30과 36.70 퍼센트를 각각 차지했다. 산소의 무게를 1로 고정하여 질소의 무게를 계산한다면, 이산화질소에서 29.50/70.50인 0.418, 일산화질소에서 44.05/55.95인 0.787, 산화이질소에서 63.30/36.70인 1.72였다. 즉, 0.418 대 0.787 대 1.72, 거의 1 대 2 대 4의 낮은 정수의 비율로 나타났다.

이미 존재하는 실험 자료로부터 '배수 비례'의 관계를 다른 과학자들이 찾아내지 못했던 사실은 그렇게 놀랄만한 일이 아니었다. 자료를 주의 깊게 들여다보며 화합물에서 상관관계를 조사하고 판단하는 것이 쉽지 않기 때문이었다. 라부아지에는 이산화탄소에서 탄소와 산소가 각각 28과 72 퍼센트의 무게를 차지한다고 관측했고, 프랑스의 물리학자와 화학자였던 니콜라 클레멩(1779-1841)과 [40]샤를 베르나르 데조르메(1777-1862)는 일산화탄소에서 탄소와 산소가 각각 44와 56 퍼센트를 차지한다고 분석했다.

백분율로 측정된 탄소 화합물의 두 관측에서 '배수 비례'의 관계는 뚜렷하게 나타나지 않았다. 그러나 탄소 무게를 1로 고정한다면, 산소 무게는 일산화탄소에서 56/44인 1.27, 이산화탄소에서 72/28인 2.57이어서, 단번에 1 대 2의 '배수 비례'의 관계가 드러났다.

1807년, 스코틀랜드 화학자 토마스 톰슨(1773-1852)의 추천으로 에든버러와 글래스고에서 강연을 마치고 돌아온 돌턴은, 1808

년 5월 [41]『화학 철학의 새로운 체계』의 1권 1부를 시작으로, 1810년과 1827년에 1권 2부와 2권 1부를 각각 출판했다. 돌턴이 발견한 원소들의 상대 무게와 입자 구성의 개념은 화합물에서 일어나는 화학 반응을 설명하기 위해서 원자 이론으로 발전했으며, 현대 화학의 기틀을 마련했다.

『화학 철학의 새로운 체계』는 원자 이론의 화학에 대한 첫 번째 응용이었다. 화합물에서 원소들의 구성을 물리적으로 기술했고, 원자의 존재를 현상론적으로 미루어 이끌어 냈다. 1권 1부의 『제2장 물체의 구성』에서, 돌턴은 물질을 구성하는 '가장 작은 입자'라는 어휘를 '원자'의 낱말과 함께 책에서 공식적으로 사용했다.

—물체는 탄성 유체, 액체, 고체의 세 종류로 분류된다....... 가장 대표적인 예가 물이며, 증기, 물, 얼음의 세 가지 상태로 구분된다.......

—일정한 크기의 모든 물체는, 그것이 액체이든 고체이든 상관없이 '가장 작은 입자'들, '원자'들로 구성된다.

—원자들은 주어진 환경에 따라 약하게 또는 강하게 끌어당기는 힘으로 함께 묶여서 물질을 이룬다. 증기에서 물로 변하는 분산 상태에서 원자들을 모우기 위해서는, 소위 응집 인력 또는 화학 친화력이 있어야 하고,...... 화학 친화력은 질량에 비례하고,...... 화합물은 '배수 비례'의 구성 원리를 따른다.

한 물체를 구성하는 '기초 입자'들이 모두 똑같은 모양, 무게 등의 특성을 갖는지 대답을 찾는 것은 매우 중요해 보였다. 그 입자들이 다양하다고 생각할 만한 근거는 아직 찾기 어려웠다. 물의 경우, 원소들은 모두 동일해 보였다. 수소는 수소끼리, 산소는 산소끼리 별 차이 없이 존재했다. 닮지 않은 입자들이 모여서 한 종류의 균일한 물질을 형성한다고는 생각조차 할 수 없었다.

물 입자들이 서로 무게가 다르다면, 중력 차이를 만들어서 질량 중심이 물 한가운데에 놓일 수 없었다. 아직까지 그러한 현상은 보고된 적도 없었다.

—균질의 물체를 구성하는 '기초 입자'들은 무게, 모양 등에서 모두 동일하다. 물 입자들이 서로 동일한 것처럼, 수소 입자들도, 산소 입자들도 한 원소의 범위에서 모두 동일하다.

돌턴은 화합물을 이루는 분자와 그 성분 원소인 원자를 구분 없이 '기초 입자'라고 표기했다. 1권 1부 『제3장 화학 합성』에서는 화학 반응 과정 중 일어나는 변화를 원자들의 분리와 결합 효과라고 설명했다.

—화학 분석과 합성은 입자들을 분리하거나 합치는 과정, 그 이상도, 그 이하도 아니다. 물질의 생성이나 소멸은 화학 기능에 포함되지 않는다. 새로운 행성을 태양계에 집어넣거나 또는 이미 존재하는 행성을 제거하는 것처럼, 수소 입자를 새로 만들거나 제거하려고 시도할는지 모르지만, 우리는 응집 입자들을 분리하거나 또는 떨어져 있는 입자들을 서로 합치게 할 따름이다.

돌턴은 경험을 통해서, 상대 무게의 연구가 원자 성질을 이해하는 일에 매우 유익하다는 사실을 알게 되었다. 같은 원소를 구성하는 원자들은 모두 동일하지만, 데모크리토스의 주장처럼, 더 이상 [42]파괴할 수 없다고 믿었다. 돌턴의 『화학 철학의 새로운 체계』 1권 2부의 부록에는 원자들의 수소에 대한 상대 무게, 즉 수소 무게를 1로 놓고 작성한 원소들의 무게가 포함되었다. 20개의 원소와 17개 화합물의 상대 무게가 [43]기록되었다.

① 수소 1, ② 질소 5, ③ 탄소 5, ④ 산소 7, ⑤ 인 9, ⑥ 불소 13, ⑦ 마그네슘 20,...... ⑬ 철 38, ⑭ 아연 56, ⑮ 구리 56, ⑯ 납 95, ⑰ 은 100, ⑱ 백금 100, ⑲ 금 140, ⑳ 수은 167, ㉑ 물(산소 1개와 수소 1개[수소 원자 2개를, 수소 기초 입자 1개]) 8, ㉒ 암모니아(질소 1개와 수소 1개[수소 원자 3개를, 수소 기초 입자 1개]) 6, ㉓ 일산화질소(질소 1개와 산소 1개) 12,...... ㉖ 산화이질소(질소 2개와 산소 1개) 17, ㉗ 이산화질소(질소 1개와 산소 2개) 19, ㉘ 이산화탄소 19,...... ㉝ 알코올(탄소 3개와 수소 1개) 16, ㉞ 삼산화이질소(이산화질소 1개와 일산화질소 1개) 31,...... ㊲ 설탕(알코올 1개와 이산화탄소 1개) 35.

목록표에서 잘못 기록된 원소 원자량이 자주 목격되었다. 예를 들면, 수소 원자 1개(원자량 1)와 산소 원자 1개(원자량 7)가 물 분자 1개(원자량 8)를, 수소 원자 1개(원자량 1)와 질소 원자 1개(원자량 5)가 암모니아 분자 1개(원자량 6)를 구성한다고 표기되었다.

이러한 잘못은 한 원소의 단일 원자와 다른 원소의 단일 원자가 1 대 1 짝을 지어 분자가 구성된다는 돌턴의 생각에서 비롯되었다. 그렇지만 그는 질소 산화물이나 이산화탄소와 같은 화합물의 경우에는 예외 조항을 두기도 했다.

화합물의 올바른 해석은, 3년 후에 이탈리아 물리학자와 화학자 아메데오 아보가드로(1776-1856)가 원자 대신 분자의 용어를 사용하면서 비로소 가능해 진다.

…분자는 물질에서 물리 및 화학 성질을 모두 유지하는 가장 작은 입자이며, 한 개 이상 같은 또는 다른 원자들로 이루어진다.

돌턴은 실험 결과를 바탕으로 수소에 대한 원소들의 상대 무게를 조사했고, 구성 원자 수를 결정하는 규칙을 고안했으며, 그만의 고유한 방식으로 '원자론'을 제안했다. 그 당시 돌턴의 방식은 물리적인 원자량 수치에 정확히 도달할 수는 없었지만, 화학적 방법으로 물질의 구성을 설명하는 데는 그 사용이 가능했다. 돌턴은 여러 화합물을 조사하면서, 한 원소가 다른 원소와 결합할 때 그 구성 비율이 여러 화합물에서 항상 낮은 정수로 표시되는 것을 발견했다. 이를 통해서 '배수 비율'의 관계에 의해 화학 물질이 가장 작은 단위의 정수배로 이루어진다고 가정되었고, 물질을 이루는 가장 작은 단위로서 원자의 존재가 제안되었다.

모든 원소는 원자라고 부르는 아주 작은 낱개의 입자들로 구성된다.

한 원소를 구성하는 원자들은 모두 같고, 동일한 질량을 갖는다.

다른 원소를 구성하는 원자들은 서로 다르고, 각각 고유한 특성을 지닌다.

화학 변화는 낮은 정수의 '일정 성분비'에 의해 원자들이 결합되거나 분해되는 과정을 포함하고, 화학 변화 중에는 원자들이 새로이 생성되거나 완전히 소멸되지 않는다.

물질을 구성하는 가장 작은 입자, 원자에 관한 돌턴의 이론은 비록 완전하지는 않았지만, 여러 원소들이 결합된 화합물들을 비교적 잘 설명했고, 원자론적 관점에서 화학 결합의 방식을 표시해 주는 '일정 성분비'와 '배수 비례'의 법칙을 자연스럽게 드러내 밖으로 널리 알렸다.

스웨덴 내과의사 출신의 화학자 옌스 야코브 베르셀리우스(1779-1848)는 그 당시에 알려진 모든 원소들의 질량을 누구보다도 정확하게 측정했고, 화합물의 원소들과 화학 반응 사이에서 정량적인 관계를 설명하는 화학량론의 권위자였다. 그는 수백 개의 화합물 자료를 분석하여 '일정 성분비 법칙'의 수많은 예들을 파헤쳤다. '일정 성분비 법칙'의 타당성을 화학자들은 더 이상 의심하지 않았고, 그 법칙을 배경으로 발전한 '돌턴 원자론'을 한편으로는 받아들이게 되었다.

1813년 〈철학 연보〉에서 발표된 베르셀리우스의 [44]『화학 성분비의 근거와 성분에 관련된 요인들』의 논문에서, 돌턴 원자론의 시작을 읽을 수가 있다.

—두 종류 이상의 원소가 결합하는 화합물에서, 한 원소의 일정 질량과 결합하는 다른 원소의 질량 비율은 1, 2, 3, 4,...... 즉, 정수의 배수로 구성된다는 관측이 추가되었다. 도대체 이렇게 정수배로 나타나는 까닭은 무엇일까? 이 질문에 대한 대답이야말로 화학에서 중요한 기초 이론으로 발전해야 한다.

—가장 가능성이 높고 그동안 경험에 잘 부합되는 대답은 원자나

분자들이 1 대 1, 1 대 2, 1 대 3, 또는 1 대 4와 같이 정수의 정해진 비율로 결합되어 물체들을 구성한다는 것이다. '일정 성분비'와 '배수 비례'의 법칙은 이러한 확실성과 근거의 결과로서 나타난다. 그럼에도 불구하고 이와 같이 간결하고 타당성이 높은 "새로운 생각"이 인정받지 못했고, 아직까지 제안조차 이루어지지 않았다는 사실이 매우 이상하고 놀라울 따름이다. 그 새로운 생각의 가설을 세우기 위해 노력한 최초의 인물은 영국 철학자 존 돌턴이다.

—최근 험프리 데이비 경卿이, 윌리엄 히긴스가 1789년에 출판했던 책에서 유사한 가설을 세웠다고 내게 알려왔지만, 나는 그러한 자료를 본 적이 없었고 단지 데이비를 통해서만 그러한 상황을 예측할 따름이다.

—그동안 알고 있던 '미립자微粒子' 이론을 짧게 설명하려고 한다. 나는 '미립자' 또는 물체를 구성하는 '가장 작은 조각'을 의미하기 위해 '원자'의 낱말을 사용할 것이다. 가장 작은 조각은 더 이상 작게 나눌 수 없다는 것을 뜻한다. 물질을 끝없이 나눌 수 있는지는 논의하지 않겠지만, 역학力學적으로 원자를 더 이상 나눌 수 없고, 원자의 파편이 존재하지 않는다는 의견에 동의한다. 그리고 원자는 구형이고 같은 크기를 갖는다고 생각한다.

—돌턴은 원소와 화합물들에 대해서 상대 무게를 결정하려고 시도한 첫 번째 과학자였다. 험프리 데이비는 돌턴의 원자 이론을 채택하지 않았지만, '일정 성분비' 학설, 돌턴의 '원자'와 '배수 비례'는 받아들였다.

1815년, 영국 화학자 윌리엄 프라우트(1785-1850)는 그 당시 원소들로부터 측정된 원자량이 수소의 배수로 나타나는 것을 관찰했고, 수소 원자야말로 다른 원자들을 구성하는 기본 입자라는 가설을 내놓았다. 그는 수소를 "처음 물질(프로타일)"이라고 불렀다.[45]

1822년 돌턴은 왕립학회 회원이 되었으며, 1826년 왕립학회에서 수여하는 '왕립 훈장'을 수상했다.[46]존 고프의 권고로 1787년 3월 24일 시작했던 날씨 일기는 57년 동안 계속되었고, 1844년 7월 27일 평소처럼 끝을 맺었다.
- 오늘 비가 조금 내림.

02 음극선을 보다

“양극으로 가는 물질을 음이온, 음극으로 가는 물질을 양이온, 이 물질들을 다함께 이온이라고 부르기를 제안합니다.”
-마이클 패러데이 (영국 물리학자와 화학자, [47]왕립학회 철학 회보, 1833년 12월 31일).

1831년 8월 29일, 오늘도 마이클 패러데이(1791-1867)는 새로운 실험을 준비하고 있었다. 전기에서 자기磁氣가, 거꾸로 자기에서 전기가 새로 생겨나는 과정을 꼼꼼하게 설계했다.
- 두께가 7/8인치이고 바깥지름이 6인치인 연철 고리[도넛 모양]가 마련되었다. 연철 고리의 한쪽에는 코일 3개가 감겨 있었는데, 코일은 한 개당 길이가 24피트이고 굵기가 1/20인치인 구리선이었으며, 제각기 절연되어 있었다. 3개의 코일은 한 개 또는 두 개 또는 세 개를 함께 연결해서 사용되었고, ‘고리 1’로 구분되었다. 한편 연철 고리의 반대쪽에는, ‘고리 1’과 동일하고 전체 길이가 60피트인 2개의 코일이 각각 절연되어 감겨 있었고, ‘고리 2’로 구분되었다. [1인치는 2.54센티미터이고, 1피트는 30센티미터이다].
- ‘고리 1’의 코일은 한 변의 길이가 4인치인 정사각형 금속판 10짝의 볼타 전지에 연결되었고, ‘고리 2’에서 코일 한 개만 선택되어 구리 도선으로 이어져서 3피트 떨어진 나침반 위를 지나가도록 연결되었다.
- ‘고리 2’에 연결된 도선 끝에 납작한 원형 코일을 연결하여 나침

반 바늘 남서쪽을 향하는 '자기 자오선' 평면에 맞춰서 나침반과 함께 놓았다. 납작한 코일과 나침반은 연철 고리로부터 약 3피트(90센티미터), 전지로부터 약 1피트(30센티미터) 떨어져 있었다.

-'고리 1'의 도선이 전지에 연결되었다. 즉시 납작한 코일은 나침반 바늘을 강하게 끌어 당겼다. 나침반 바늘은 몇 차례 진동한 다음 원래 위치로 돌아와서 정지했다. 이어서 전지에 연결된 '고리 1'의 도선이 끊어졌다. 곧 납작한 코일은 나침반 바늘을 강하게 밀었고, 몇 차례 진동한 다음에 전과 동일한 위치에서 정지했다.

-(1) 고리 1의 도선이 전지에 연결되었을 때, 나침반 바늘은 한쪽으로 기울어진 다음에 곧, 마치 실험 장치가 더 이상 작동하지 않는 것처럼 원래 위치로 되돌아와서 정지했다.

-(2) 고리 1의 도선이 전지에서 끊어졌을 때, 나침반 바늘이 다시 어지럽게 떨었지만 (1)의 경우와는 반대 방향으로 기울어진 다음에 곧 원래 위치로 되돌아와서 정지했다.

-'고리 1'의 코일 3개를 하나로 이어서 전지에 연결했다. 나침반 바늘은 전보다 훨씬 더 강하게 떨었다.

-효과는 분명했고, 일시적이었다. 그러나 연결을 끊었을 때 전과 같은 효과가 되풀이되며 대신 반대 현상이 일어나는 것은 좀 더 명확하게 설명돼야 했다.

-'고리 1'의 도선을 전지에 연결했을 때, 나침반 바늘이 납작한 코일 쪽으로 향한다는 사실은, 마치 '고리 2'에 연결된 납작한 코일이 '고리 1'의 일부인 것처럼, '고리 1'과 '고리 2'에서 전류가 같은 방향으로 지나갔다는 것을 의미했다.

- 그러나 전지에 연결된 도선을 끊었을 때, 나침반 바늘은 마치 전류가 반대 방향으로 지나가는 것처럼 움직였다.

패러데이는 도넛 모양 연철 고리의 왼쪽과 오른쪽에 각각 코일을 감아서 왼쪽에서 전류가 자기장을, 오른쪽에서 자기장이 전류를 유도한다는 사실을 증명했다. 왼쪽 코일이 전지에 연결돼 전류가 흐를 때, 연철 고리는 자석으로 변하여 오른쪽 코일에서 전류를 유도했다. [‘고리 1’에서 전류가 유도하는 자기장의 세기는 전류와 단위 길이당 코일의 감은 수에 비례한다. 한편 ‘고리 2’에서 자기장이 유도하는 전류는 코일 감은 수와 자기장 세기와 고리 단면적에 비례하고 코일 저항에 반비례한다. 만약 ‘고리 1’이 볼타 전지에 연결되어 전류가 0.1초 동안 0에서 1 암페어까지 증가한다면, 유도 자기장은 0에서 약 9.95 가우스까지 더해진 다음에 멈추고, ‘고리 2’에서는 유도 전류가 0에서 약 4.38 밀리암페어까지 0.1초 동안 흐르다가 그친다].

오른쪽 코일의 전류는 따로 연결된 코일에서 다시 자기장을 유도했고, 함께 놓인 나침반 바늘을 ‘매우 잠깐’ 한쪽으로 기울게 만들었다. 한쪽으로 기울었던 나침반 바늘은 몇 차례 앞뒤로 빠르게 떨다가 원래 위치로 되돌아와서 움직임을 멈췄다. 왼쪽 코일이 전지에서 끊어져 전류가 흐르지 않을 때는, 나침반 바늘은 지난번처럼 움직였지만 이번에는 전과 반대쪽으로 ‘매우 잠깐’ 기울었다가 원래 위치로 되돌아와서 움직임을 멈췄다.

패러데이는 이 실험을 바탕으로 왼쪽 코일 주변에서 유도된 자기장 변화가 오른쪽 코일에서 전류를 유도하는 원인이 된다는 사실을 보여 주었다. 그는 또한 자석을 움직이거나, 전자석에 전지를 연결하거나 또는 끊거나, 심지어는 지구 자기장에서 도선을 움직여서 전류를 유도할 수 있다는 사실을 증명했다. 그리고 몇 달이 지나지 않아서 그는 최초의 전기 발전기를 만들었다.

패러데이는 그의 '놀라운 발견'을 대중에게 처음 공개했을 때 질문을 받았다.

"그것은 무슨 소용이 있을까요?"

사실, 그가 발견한 것은 자석 근처 동그란 도선 하나에서 적은 양의 전류가 원인 없이 발생한다는 이상스러운 호기심이었다.

'무슨 소용이 있을까?' 생각하며 패러데이는 거꾸로 질문자에게 물었다.

"새로 태어난 아이는 무슨 소용이 있을까요?"48)

패러데이 유도 법칙은 전류가 자기장을 생성하고 반대로 자기장이 변화하여 전류를 생성하는 방식을 설명한다. 자기장이 전기 회로와 서로 작용하여 전류를 흐르게 만드는 기전력을 미리 계산하도록 자연이 마련한 전자기학의 기본 법칙으로서, 패러데이 유도 법칙은 변압기, 유도기, 전동기, 발전기, 솔레노이드 응용에서 기본 원리로 작동한다.

2.1 전기를 알다

마이클 패러데이가 전기분해를 처음 시험했을 당시 과학자들 사이에서는, 전류가 들어가고 나오는 양兩 끝이 분해 물질의 성분들로부터 거리를 두고 작용하며, 전기가 여러 가지 다른 형태로 존재한다는 공통된 견해가 널리 퍼져 있었다.

1832년 12월 15일, 〈왕립학회 철학 회보〉에 제출된 『전기실험 연구』의 3번째 연속 논문인 "여러 다른 종류로부터 전기 식별"에서 패러데이는 다섯 가지 종류의 전기를 조사했다.[49]

—다른 방법으로 만들어진 여러 종류의 전기를 구별하고, 정체를 밝혀야 한다는 나의 믿음에는 변함이 없다.

—볼타 전지, 공기에서 방전된 일반 전기, 자기 유도 전류, 동물의 전류, 열전기의 5가지 전기가 조사되었다.

조사된 5가지 종류의 전기는 특성에서 차이를 보이지 않았다. 패러데이는 결론을 내렸다.

"전기는 그 근원이 무엇이든 본질에서 동일하다."

패러데이는 전기화학 분해 과정에서 벌어지는 사실을 바르게 표현하고, 결과를 제대로 전달하는 용어의 선택에서 큰 어려움에 부닥쳤다. 그는 전기분해에 관련된 실험을 설명하기 위해서 새로운 용어가 절실하게 필요했다.

그중에서도 '양陽'과 '음陰'의 접두어를 갖고, '당기다'와 '밀다'의 의미를 포함한 '끝'의 용어가 반드시 있어야만 했다. 예를 들면, 일반 어법으로 "양陽끝이 산소, 산을 끌어당긴다거나 양陽끝 표면에서 그 두 물질의 발생이 결정된다." 또는 "음陰끝이 수소, 가연성 물질, 금속, 염기에 같은 방법으로 작용한다."에서와 같이 '양끝' 또는 '음끝'의 낱말은 그 당시에 통용되고 있던 용어였다.

패러데이는 전기분해에서 산소나 산 또는 수소나 염기의 발생이 결정되는 곳이 '양끝' 또는 '음끝'이 아니라 분해 물체의 안에서라고 생각했다. 산소와 산은 분해 물체의 '음성 끝부분'에서, 수소와 금속 등은 물체의 '양성 끝부분'에서 나타난다는 것이 그의 판단이었다. 그는 그 문제를 친구들, 의사이고 신학 작가인 휘트록 니콜(1786-1838)과 존 돌턴의 스승 존 고프의 다재다능한 학생이었던 철학자이고 역사가이고 과학자인 윌리엄 휴얼(1794-1866)과 신중하게 의논했다. 그리고 그들의 도움과 동의를 받아서 앞으로 사용할 용어들을 패러데이는 새롭게 정의했다.

1833년 12월 31일, 〈왕립학회 철학 회보〉에 제출된 『전기실험 연구』의 [50]7번째 연속 논문인 "전기화학 분해"에서 새로운 용어들이 마련되었다.

—'끝'의 용어에 그리스어로 "길"을 뜻하는 '전극(영어 "일렉트로드")'의 사용이 제안된다. 그러므로 그 용어는 전류의 길에서 분해 물체와 맞닿아 있는 물질 또는 오히려 경계면을 의미한다.

—만약 지구 자기장이 지구를 통과하는 전류 때문이라고 가정되면, 전류는 반드시 일정한 방향으로 통과한다. 현재 사용하는 어법에 따르면 그 방향은 태양이 움직이는, 동쪽에서 서쪽이어야 한다. 전기분해에서 분해 물체를 통과하는 전류가 모두 한 방향을 향하고, 지구에 존재한다고 가정된 전류와 평행하도록 설정된다면, 전기가 들어오고 나가는 물질의 표면은 항상 변함없는 기준이 되고 지속적으로 동일한 힘의 관계를 보여줄 것이다. 이러한 관점에서 동쪽을 향해 "양陽극(영어 애노드)", 서쪽을 향해 "음陰극(영어 캐소드)"

의 이름이 제안된다. [그리스어로, 애노드는 해가 떠오르는 길, 캐소드는 해가 지는 길이다].

—그러므로 양극(애노드)은 전류가 분해 물체로 들어가는 표면이고, 분해 물체의 '음성 끝부분'이다. 산소, 염소, 산 등이 발생하는 장소이기도 하다.

—음극(캐소드)은 전류가 분해 물질을 떠나는 표면이고, 분해 물체에서 '양성 끝부분'이다. 가연성 물질, 금속, 알칼리, 염기가 발생하는 장소이기도 하다.

—많은 물체들은 전류에 의해 직접 분해되고, 물체들을 이루던 원소들은 자유로워진다. 이러한 물질을 "전해질(영어 일렉트로라이트)"이라고 부르는 이름이 제안된다. 그리스어로 전해질은 "전기에서 자유로운"을 뜻한다.

—분해 물체에서 양극(애노드)으로 가는 물질을 "음이온(애니온)", 음극(캐소드)으로 가는 물질을 "양이온(캐시온)", 그리고 그들을 함께 "이온"이라고 부르는 이름이 제안된다. 그리스어로 음이온(애니온)은 "올라가는 것", 양이온(캐시온)은 "내려가는 것"을 각각 뜻한다.

—그러므로 염화납은 전해질이고, 전기분해를 거쳐서 염소는 음이온(애니온)으로 납은 양이온(캐시온)으로 각각 분리된다.

그 당시 패러데이를 비롯하여 많은 과학자들은 전류가 양성(+) 부분에서 음성(-) 부분으로 방향을 따라서 진행한다는 관례적인 합의를 묵묵히 받아들이고 있었다.

2.2 전기 방전 실험

밀폐된 유리관 속 양극과 음극 사이에서 전기 흐름을 관찰하는 실험은 포함된 기체의 압력을 조금씩 낮추면서 전기 현상들도 새로이 밝혀지기 시작했다. 패러데이가 발견한 '유도 법칙'의 덕분으로, 유도 코일의 개발이 빠르게 진행되어서 전기 공급이 급격하게 증가했고, 진공 펌프도 그 한계를 새로운 영역으로 계속 끌어 올리고 있었다.

1836년 6월 21일, 패러데이는 난로 연통에서 솟아오르는 뜨거운 공기에 약 2센티미터의 놋쇠 막대를 갖다 대었다. 놋쇠 막대는 전기 회로에 양극 쪽으로 연결돼 있었고, 막대 위에서 주위를 환하게 밝히는 부드럽고 은은한 '불빛'이 나타났다. 이어서 전기 공급이 줄어들었고, 곧 은은한 '불빛'은 가라앉으며 솔(또는 브러시) 모습의 빛으로 대신 바뀌었다.

같은 날, 여러 종류의 기체(공기, 산소, 수소, 질소)를 채우고 불꽃, 솔, '불빛' 모양으로 전기 방출이 발생하는 '방전' 장치가 만들어졌다. '불빛'은 부드럽고 은은하고 안정된 모습으로 전기가 기체를 환하게 달구면서 오랫동안 지속되었고, 방전은 전기를 잃거나 전기가 이동하는 현상이었다.

공모양의 유리용기 왼쪽과 오른쪽에서 가느다란 놋쇠 막대가 약 1센티미터 안으로 삽입되었고, 유리용기 아래에는 기체 배출용 꼭지가 연결되었다. 유리용기는 두께가 얇았지만 기체를 배출하기에 충분할 정도로 견고했고 배출 꼭지가 단단하게 조여 있었다.

—왼쪽 막대는 전원에 연결돼 양극으로, 오른쪽 막대는 접지로 각각 사용되었다. 일반 공기와 압력 하에서 불꽃, 솔, '불빛' 방전은 금속 막대 끝 부분에서 나타났다.
—공기 압력이 2/3 대기압이고 두 놋쇠 막대 끝 간격이 7.5센티미터 떨어져 있을 때, 대기압이었을 때보다도 더 빨리 솔과 '불빛' 방전이 나타났다. 은은한 '불빛'이 양극 표면을 1밀리미터 두께로 덮었고, 짧은 솔 모양이 음극에서 보였다.
—막대 간격이 10센티미터 떨어지자 두 막대 끝에서 나타난 은은한 '불빛'은 아름다움을 들날리며 점차 유리벽 쪽으로 옮겨갔다. 그 은은한 '불빛'은 막대 표면뿐 아니라 공기나 공간을 통해서 방출된 결과였다.
—막대 간격이 1.9센티미터이고 수은 76센티미터 압력(대기압)에서 불꽃 방전이 일어났다. "한 순간 일어나는" 불꽃은 산소에서 하얗고 밝았으며, 수소에서는 자주색이고 아름다웠다.
—은은한 모습의 '불빛' 방전은, 막대 크기, 막대 사이 거리, 막대 모양, 막대와 유리벽 사이 거리, 유리 용기의 크기, 기체 종류, 기체 압력, 기체 온도, 전압, 전극 물질에 따라 달라졌다.

기체(공기, 산소, 수소, 질소) 압력이 줄면서, 20 또는 25 센티미터 크기의 솔 방전은 점점 금속 막대 양 끝으로 끌어당겨져 전기 흐름을 형성했다. 그리고 공간을 가로지르며 점점 더 두껍고 뿌옇고 부드럽게 변하면서 마침내 은은한 '불빛'으로 완전히 바뀌었다.

1836년 6월 25일, 패러데이는 먼저 사용했던 장치를 변경하여 방전 실험을 계속했다. 장치는 유리용기 위쪽에서 놋쇠 막대가 삽입되어 지름 6.25센티미터인 금속 공이 그 끝에 달려 있었고, 아래쪽으로 배기펌프와 연결된 놋쇠 바닥 한가운데에 지름 2.85센티미터인 금속 공이 놓여 있었다. 위쪽 금속 공은 전원과 연결되어 양극이나 음극으로, 아래쪽 금속 공은 접지로 사용되었다.

—위쪽 금속 공이 양극으로 연결되었고, 대기압 공기에서 두 전극 사이 간격이 6.35센티미터 이하로 유지될 때까지 불꽃 방전이 일어났다. [그 당시에는 불꽃 방전의 길이로 공급 전압의 크기를 대신 표시했다].

—공기 압력이 줄어들며, 수은 11센티미터 압력(대기압의 15퍼센트)에서, 솔 방전이 갑자기 멈추었고, 부드럽고 은은한 '불빛'이 위쪽 양극 금속 공 아래에 나타났으며, 아래쪽 음극 금속 공은 어두움에 덮여 있었다. 두 금속 공 사이에서는 전기 흐름 또는 아무런 모습도 눈에 띄지 않았다.

—가장 낮은 압력인 수은 1센티미터 압력(대기압의 1.3퍼센트)에 도달했다. 마침내 음극 금속 공 위에도 은은한 '불빛'이 나타났다. 그리고 양극으로부터 뻗어 나온 '불빛'과 음극 '불빛' 사이에 어두컴컴한 '암흑 공간'이 자리 잡고 있었다. 그 폭은 약 1.6밀리미터였다.

기체 압력이 낮아지면서 다른 방전들은 다 사라지고 은은한 '불빛'만 남았다. 여러 방전들 중에서도 은은한 '불빛'은 가장 안정되고 오랫동안 전기가 기체를 달구며 지속되는 전기 배출의 특별한 형태였다. ‘불빛’, 솔, 불꽃의 순서대로 방전 밝기가 강해졌고 안정성과 지속성은 줄어들었으며, 방전에 필요한 공기 압력은 높아졌고 두 금속 막대 사이 거리는 가까워졌다.

적은 양만 남은 기체에서 높은 전압이 공급되면 전하를 바깥으로 내보내는 전기 방출로 인하여 기체의 절연 성질이 파괴된다. 마치 도선에서 전류가 흐르는 것처럼 전하 통로가 새로 생겨서 유리관 속 기체를 전기로 달구며 환하게 밝히는 은은한 ‘불빛’이 눈앞에 펼쳐진다. 은은한 ‘불빛’은 “부드럽고 한결같은 빛”을 의미하고, 빛을 내는 물질의 온도가 그렇게 높지 않아서 화염 없이 보인다는 뜻의 영어 단어, “글로우”를 대신하여 이 책에서 이름이 붙여졌다.

패러데이는 방전 실험에서 음극과 양극 앞을 각각 환하게 밝히는 부드럽고 은은한 ‘불빛(글로우)’, 그리고 그 사이에서 어두컴컴한 ‘암흑 공간’을 발견했다. 1838년 2월 14일, 『전기실험 연구』의[51]13번째 연속 논문이 〈왕립학회 철학 회보〉에 제출되었다. ‘폭발적인 방전’의 형태로서 불꽃, 솔, ‘불빛’ 방전이 자세하게 기술되었다. 부드럽고 은은한 모습의 ‘불빛’은 그 형태가 매우 독특하고 아름다우며, 공기가 도체와 직접 그리고 근처에서 접촉하여 끊이지 않고 빠르게 전기가 채워져서 꽤 오랫동안 지속되었다.
—‘불빛’ 방전은 적은 양의 공기를 참으로 좋아했다. 수은 11센티미터의 압력(대기압의 15퍼센트)에서, 지름 6.35센티미터인 양극 놋쇠 공을 지름 5센티미터의 둥근 ’불빛‘이 덮고 있었다.

유리관에서, 양극 놋쇠 공이 작게(지름 3.2센티미터) 만들어져 설치되고 기체 압력이 더 낮게 유지되어 아름다운 장관이 펼쳐졌다. 은은한 '불빛'은 양극 공을 둘러싸고 밝기가 점점 더해져서 화려하게 야광처럼 빛났다.

—찬란한 '불빛'은 낮은 등불처럼 서 있었다. 그 높이가 1.3센티미터에 달해서, 마치 공 위에 떠있는 왕관과 같았다.

—음극 '불빛'은 보통 압력에서 잘 생기지 않았지만, 희박한 공기에서는 오히려 쉽게 나타났다.

은은한 '불빛'은 거의 모든 기체(공기, 질소, 산소, 수소, 석탄기체, 탄산, 염산기체, 황산기체, 암모니아)에서 보였고, 테레빈유(생 송진에서 수증기 증류를 통해서 얻은 성분)에서는 매우 작고 어둡게 나타났다. 패러데이는 은은하게 비추는 부드러운 '불빛'을 설명했다.

"그 '불빛'은 공기의 지속적인 충전이나 방전의 결과이다. 충전은 '불빛'의 장소에서 오는 전류와 동행하고, 방전은 '불빛'의 장소로 가는 전류와 함께 한다."

매우 적은 양의 공기만 남아 있는 공 모양의 얇은 유리용기 안에 지름이 0.76센티미터인 두 개의 놋쇠 막대가 준비되었다. 처음에는 두 놋쇠 막대 끝이 닿아 있다가 조금씩 떨어지면서 방전이 시작되었다.

—음극 막대 끝에서 부드럽고 은은한 '불빛'이 나타났고, 양극 막대 끝은 어두움에 휩싸였다.

—두 막대 끝 사이 간격이 늘어나자, 보랏빛 흐름 또는 뿌연 '불빛'이 양극 막대 끝 위에 나타나서 음극 막대를 향해 쭉 뻗어 나

갔다.

—간격이 멀어질수록 양극 '불빛'의 흐름은 길어졌지만 결코 음극 '불빛'과는 합류하지 않았다. 언제나 그 사이는 짧은 '암흑 공간'이 차지하고 있었다.

—'암흑 공간'의 길이는 1.27에서 1.56 밀리미터였고, 음극 막대 끝으로부터 항상 같은 위치와 범위에 있었다. 음극 '불빛'은 한번 나타나면 변하지 않고 항상 똑같은 모습이었다.

막대 끝이 떨어지면서, 양극에서 보이던 뿌연 '불빛'은 줄어들기도 하고 늘어나기도 하지만, 음극 '불빛'과 '암흑 공간'은 변하지 않고 항상 같은 상태를 그대로 유지한다는 사실은 뜻밖의 결과였다.

'불빛'과 '암흑 공간'에서 일어나는 현상을 서술하는 일에 그쳤고, 근본 원인은 제대로 밝혀내지 못했지만, 안정되고 은은한 '불빛' 방전을 관찰했던 패러데이의 실험은 매우 놀라웠고 다른 과학자들에게 많은 영감을 불어넣었다.

전극에 접근한 기체가 전기를 띤 입자들로 전환되고, 그들이 모여서 전하의 흐름을 만들며, 다시 기체를 충전하여 또 다른 전하들을 외부로 내보내서, 마치 기체가 천천히 타들어가듯 부드럽고 은은한 '불빛'이 환하게 밖을 비춘다고 패러데이는 그 과정을 나누어 설명했다.

그는 유리관 안에서 방출되는 '불빛'에 자기장이 미치는 영향을 자연 법칙의 범위 내에서 확인하려고 애썼다. 사실 평생에 걸쳐서 자기장이 빛에 미치는 영향을 알고 싶어 했다. 1849년 3월 19일에 작성된 패러데이 '일기'에는 다음 글이 적혀 있다.

- 그것이 자연 법칙에 잘 부합된다면, 그보다 더 황홀한 일은 없을 것이다. 이 실험이야말로 자연이 영원하고 완전하다는 사실을 확인하는 최고의 시험이 될 것이다.

패러데이는 실험실에서 일어난 일들을 매일 기록하여 마치 일기처럼 작성한 실험 공책을 남겨서 세상의 과학자들로부터 깊은 감동을 자아냈다. 실험실 일들을 적었고, 실험뿐만 아니라 생각과 의문을 자세히 기록하여 남겼기 때문에 "패러데이 일기" 또는 "실험 공책"이라고 부른다. 1867년 11월 4일 왕립 연구소 운영위원52)회의록 내용이다.

- 패러데이 교수가 6권의 2절지 실험 공책과 2권의 4절지 공책, 그리고 묶지 않은 서류들을 왕립 연구소에 기증했다.

패러데이가 작고한 다음, 운영위원들 요구에 따라서 함께 묶이지 않았던 서류들까지 제본되어 2절지 여덟 권과 4절지 두 권이 '일기'로 만들어졌다. '일기'의 총분량은 4천 쪽이 넘었고, 1820년부터 1862년까지 42년 동안 패러데이 실험실에서 일어났던 일들을 낱낱이 담고 있었다. 거의 모든 내용을 패러데이 자신이 직접 손으로 썼고, 타인이 작성한 내용은 매우 적었으며, 그나마 그것도 패러데이가 연구한 일들이었다.

두드러진 특징은 모든 내용을 순서대로 질서 있게 잘 정리해서 서술했다는 점이었다. 그의 왕립 연구소 전임자였던 험프리 데이비의 실험 공책과는 아주 다른 차이를 보였다. 패러데이 실험 공책에는 항상 날짜가 표시되었고, 모든 단락마다 번호가 순서대로 매겨졌다. 종이는 한 장도 빈 공간으로 놓아두지 않았고, 오른쪽 아래 가장자리에 잉크를 사용해서 자유롭게 그린 실험 기구들의 그림은 출판된 논문보다도 더 꼼꼼하게 그려져서 깊은 인상을 주었다.

패러데이가 남겼던 '원본의 글'은 사건 기록을 설명하는 논문이나 일기가 아니었고, 실제로는 '실험 공책'이었다. 실험실 일들을 계속하면서 습관이 되어 버렸고, 일기처럼 일일이 공책에 적었다. 공책에 적은 글들은 모두 과학에 관련된 내용이었다. 실험실 바깥 일도 그의 연구와 연관되면 모두 포함되었다. 실험 기기의 세부 사항과 그림, 수치와 정보는 논문을 작성하는 일에도 도움이 됐겠지만, 당시의 경험과 생각과 느낌을 담은 일기의 의미를 넘어서 어느 것과도 견줄 수 없는 이상理想 자체였다. 개인 자료로서 뿐만 아니라 미래에 참고 문헌으로서 모든 과학자들이 유용하게 사용하기를 미리 예상했었던 것처럼 기술되었다.
…지금은, 세계 실험실 어디에서나 실험 공책을 쓰고 있는 학생들 모습을 쉽게 찾을 수가 있다.

패러데이 일기는 200년 전에 사용했던 실험 장치와 방법을 후세대에 전해 주는 실험실의 정보 조각들로서, 보석처럼 번쩍거리며 공책 안을 가득 채우고 있었다. 마치 지난날을 눈으로 직접 보는 듯해서 오늘날 물리학자, 화학자, 공학자 마음을 한없이 설레게 한다. 예를 들면, 패러데이 '유도 전류'에 관련하여, "맨 도선을 무명천으로 둘러싸서 절연이 잘 이루어지도록 했다."의 대목을 목격한다. 그는 중요한 대목에서는 두 줄로 밑줄을 그어서 강조했고, 만족스러운 실험에서는 주석을 달아 놓았다.

-매우 좋은 실험.

그의 실험과 과정을 통해 당시의 생각과 개념이 드러나고 추론도 가능했다. 과학 역사에서 그의 실험 공책보다 더 완벽하고 교훈이 되고, 과학에 근거한 사고思考의 발전을 위해서 귀중한 "암호해독 열쇠"를 남겨준 과학자는 찾아보기가 힘들다. 패러데이의 실험 공책은 영국의 '마그나 카르타' 등과 함께 '유네스코 세계기록유산'에 등재되어 있다.

국가와 산업에 기여한 공로가 누구보다 컸던 만큼, 패러데이는 사회를 향한 책임도 그만큼 뒤따른다고 생각했다. 국가와 사회에 여러 가지 봉사와 연구를 수행하면서도, 영국 정부로부터 크리미아 전쟁에서 사용될 화학무기 생산에 관련된 조언을 해 달라는 요구에는, 윤리를 이유로 들어서 참여를 [53]거절했다.

아인슈타인은 그의 공부방 벽에 아이작 뉴턴, 제임스 클러크 맥스웰, 마이클 패러데이 사진을 함께 걸어 놓았다. 패러데이는 영국인들이 가장 사랑한 과학자들 중 하나였다. 마거릿 대처(1925-2013) 전 총리는 영국 왕립학회 연설에서 그를 칭송했다.

"그가 연구한 일의 가치는 런던 증권 거래소의 모든 주식을 합한 액수보다도 높다."

패러데이는 스스로 발견한 '음극 불빛'과 '암흑 공간'의 가치가 기체 방전이 지닌 단순하고 확실한 특성에 있으며 이러한 사실에 근거해서, 관련된 분야에서 전개될 연구의 중요성을 이미 예측하고 있었다.

"다른 조건들과 연결되어 양극과 음극에서 일어나는 방전의 결과는 우리가 현재 상상하는 것 이상으로 전기 과학의 철학에 큰 영향을 미칠 것이다."[54]

기체에서 부드럽고 은은한 '불빛'을 관찰했던 패러데이의 실험은 진정한 의미에서 앞으로 펼쳐지는 광선 실험의 시초였다!

2.3 진공관 실험

날씨가 추워서 난방을 사용하거나 더워서 냉방을 유지하려면 집안에 있는 문, 창틀과 같이 공기가 드나드는 틈새를 잘 밀봉해서 막아줘야 한다. 식품을 저장하는 용기를 만드는 경우에도, 공기를 미리 빼내고 밀봉이 제대로 이루어져야 안에 있는 식품이 상하지 않고 오랫동안 보관될 수 있다. 정밀도가 많이 요구되는 기술에는 그만큼 더 높은 진공 기술이 필요하다. 현대 기술에서 극極 초超 진공은 이제 대기압의 약 1조 분의 1에 해당하는 압력을 유지하고, 반도체 장치, 고高자기장 초전도 자석, 주사走査터널 현미경, 입자 가속기, 양자 컴퓨터, 인공 태양, 우주 탐사와 같은 미래 첨단 과학의 발달을 위해 사용된다.

진공 기술은 과학 발전과 그 역사를 함께 지속해 왔다. 대기로 둘러싸인 지구 환경에서 공기는 어떤 수단으로든지 자연에 영향을 미친다. 공기라는 전달 물질이 있어서 소리가 전달되기도 하지만, 진공관 안에서는 전하 흐름을 방해하기도 한다. 공기 양이 많으면 전류가 그 안에 포함된 원자 또는 분자에 부딪혀서 운동에너지를 잃어버리기 때문이다.

진공에 관련해서, 프랑스 국적을 가졌지만 생애 절반을 네덜란드에서 지낸 르네 데카르트(1596-1650)는 공기를 없애고 물질이 존재하지 않는 공간을 만드는 실험의 가능성을 처음 언급했다. 1643년 이탈리아의 에반젤리스타 토리첼리(1608-1647)는 수은 기압계를 발명하여 진공의 시작을 알렸다. 1660년 영국의 [55]로버트 보일(1627-1691)이 공기의 성질을 살피기 위해 설계하고 그의 조수인 로버트 후크(1635-1703)가 제작한 피스톤 펌프는 6토르(대기압의 1천 분의 8)의 압력을 처음으로 달성했다.

보일의 피스톤 펌프가 등장한 이후 약 이백 년 동안 진공 기술은 그렇게 크게 나아지지 않았다. 낮은 기체 압력이 그다지 필요하지 않았고 마땅한 사용처도 없었다. 1704년에 영국 과학자 [56]프랜시스 혹스비(1660-1713)는 피스톤 두 개를 함께 사용하여 1.9토르(대기압의 1천 분의 2.5)의 진공을 2분 동안 유지했다. 그로부터 150년 동안 진공 기술은 제자리에서 크게 벗어나지 못했다. 기술의 한계라고 여겨졌던 1토르를 넘어야 하는 어려움이 있었고, 진공 수요가 그렇게 높지 않았던 것도 이유였다.

1851년부터 진공 기술의 발전 속도는 달라지기 시작했다. 그동안 넘지 못했던 1토르의 진공 장벽도 깨졌다. 150년 전 혹스비 펌프와 유사하게 만든 진공펌프를 사용해서 영국의 [57]존 프레드릭 뉴만이 0.5토르(대기압의 1만 분의 7)의 진공을 달성했다.

1851년은 영국 런던에서 '제1회 만국 박람회'가 개최된 해였다. 만국 박람회는 그 당시 산업혁명과 맞물려서 혁신적인 기술이 여러 분야에서 출현하는 계기가 되었다. 진공 기술도 그중 하나였다. 기체 방전을 포함하여 전기 현상을 연구하는 실험이 늘면서 높은 수준의 진공 기술이 한층 더 필요했고, 수요 또한 크게 늘어났다. 기술에서도 큰 진전이 이루어졌다. 진공 펌프에서 공기 누출과 같이, 피스톤이 안고 있던 문제가 마침내 해결되었다.

독일 유리 기술자 하인리히 가이슬러(1814-1879)는 수은 펌프와 유리관, 그래서 '가이슬러관'이라고 부르는 진공 기술을 탄생시켰다. 그는 기압계나 온도계와 같은 유리 기구를 만드는 아버지의 영향으로, 어려서부터 유리를 다루는 기술을 익혔다. 1852년, 그는 작업장을 직접 운영하며 기구들을 만들었고, 독일 본 대학교에서 실험 장치를 만드는 기술자 일을 시작했다.

가이슬러가 본 대학교에서 만들었던 기구들은 주로 물리학 연구에 관련되었지만, 이외에도 화학, 의학, 광물학 연구를 위해서 많이 사용되었다. 그가 기구들을 만들어 주었던 고객명단에는 독일 수학자와 물리학자 율리우스 플뤼커(1801-1868), 비공식적으로 "유기화학의 창시자"라고 알려진 독일 화학자 유스투스 폰 리비히(1803-1873), '플뤼거 수축법칙'을 만든 독일 생리학자 에두아르트 플뤼거(1829-1910)와 같이 쟁쟁한 과학자들이 포함되어 있었다.

가이슬러는 과학기구, 특히 "진공관의 장인匠人"이라는 호칭을 받았는데, 그 시작은 율리우스 플뤼커와 함께 일하면서부터였다. 그 시기는 플뤼커가 기체에서 발생하는 방전에 흥미를 갖고 연구를 막 시작한 무렵이었다. 플뤼커에게는 무엇보다도 패러데이가 일찍이 사용했던 방전 장치보다 성능이 한층 더 향상된 유리관과 유도코일이 필요했다.

유도 코일은 패러데이가 최초로 그 현상을 발견했지만 불꽃 방전을 일으키는 강력한 코일은 1836년 아일랜드 과학자 니콜라스 칼렌(1799-1864)이 처음 만들었다. 이후 유도코일 기술은 더욱 향상되었고, 1851년, 독일 기술자 하인리히 룸코르프(1803-1877)가 30센티미터 이상 불꽃 방전을 일으키기 위해 구리 도선을 길게 감아서 감전과 합선을 방지하는 유리통 안에 집어넣은, '룸코르프 코일'을 만들어서 특허를 인정받았다. 룸코르프 코일은 저전압 직류를 고전압 펄스로 바꾸는 일종의 변압기였다.

1855년, 가이슬러는 수은 피스톤 펌프를 사용해서 0.1토르(대기압의 1만 분의 1)의 진공에 도달하는 진공관을 만들었다. 코일, 펌프, 유리관은 마침내 기체에서 일어나는 방전 연구의 기술적인 돌파구가 되었고, 빠르게 물리학 실험의 표준 장비가 되었다. 이 장치들을 실험에 사용함으로써 이미 관찰된 효과를 신뢰할 수 있게 만들었고, 다음 단계에서 새로운 조사는 중요한 발견으로 이어졌다. 독일 수학자이고 물리학자인 율리우스 플뤼커가 바로 이런 일을 해낸 첫 번째 과학자였다.

플뤼커는 뒤셀도르프 왕립 김나지움에서 대학 준비과정을 마친 뒤 대학교에 진학했다. 그 당시 독일은 여러 대학교에서 다른 전공과목들을 이수하는 전통을 갖고 있었다. 플뤼커도 하이델베르크에서 역사 언어학과 고대 역사를 공부했고, 본 대학교에서 수학, 천문학, 물리학, 화학을 배웠으며, 파리 대학교에서 기하학을 전공했다. 그는 파리에서 장바티스트 비오, 오귀스탱 루이 코시, 실베스트르 라크루아, 시메옹 푸아송에게서 강의를 들었고, 1823년, 카를 프리드리히 가우스의 학생이었던 크리스티안 루드비히 게를링의 지도로 마르부르크 대학교에서 박사학위를 받았다. 그는 파리에 남아서 라플라스와 라그랑주의 분석역학과 포앵소의 기하역학을 공부했고, 그 중요성을 깨닫게 되었으며, 이 때 쌓은 기하학과 역학의 경험이 앞으로 전개될 그의 연구에 큰 영향을 미친다.

1825년 4월, 플뤼커는 파리를 떠나 본에 도착해서 수학과 물리학을 포함한 하빌리타치온(교수 자격학위) 강의를 학장 앞에서 시험받았고, 한국의 강사에 해당하는 "사강사私講師(프리바트도슨트)"로 임용되었으며, 2년 후에 『분석 기하학』 1권을 출판했다. 그는 1828년에 본 대학교와 1833년에 베를린 대학교에서 부교수(엑스트라오르디나리우스), 그리고 할레 대학교에서 2년 동안 부교수로 지낸 다음, 1836년에 다시 본 대학교 수학과 정교수(연구소장까지 겸하는 직위)가 되어서 돌아왔다.

본에서 플뤼커는 주로 해석 및 사영射影 기하학 책을 썼고, 이와 관련하여 연구를 진행했다. 1835년에 일반 좌표계에서 선형 함수를 사용하는 『해석 기하학계』를 소개했고, 1839년에 『대수학 곡선 이론』에서 대수학 곡선 위 특이점 수에 관련된 '플뤼커 공식'을 보고했으며, 1846년에 『새로운 해석학 방법에 의한 공간 기하학계』를 발표했다.

플뤼커의 연구는 베를린에서 종합학교를 설립하여 운영하던 스위스 수학자 야코프 슈타이너(1796-1863)와 충돌하면서 돌연 중단되었다. 당시에 유행하던 슈타이너의 종합 기하학에 밀려서, 플뤼커의 해석 기하학은 강한 저항에 부딪혔다. 슈타이너는 스위스 교육자 하인리히 페스탈로치(1746-1827)의 학생이었고, 베를린에서 독일 수학자 아우구스트 레오폴트 크렐레(1780-1855), 노르웨이 천재 수학자 닐스 헨리크 아벨(1802-1829)의 뒷받침을 받아 1826년에는 〈크렐레 논문집〉이라는 수학 정기간행물의 출간을 맡기도 했다.

1847년, 플뤼커는 본 대학교에서 물리학과 교수(연구소장까지 겸하는 직위)가 되어 학과를 옮겼다. 플뤼커가 선택한 첫 번째 연구는, 그동안 항상 존경했던 패러데이의 연구 방식을 따라, 수학을 사용하지 않고 실험에 의존해서 결과를 얻은 다음, 그 속에 숨어있는 자연 법칙을 찾아서 고체 결정, 액체, 기체, 좀 더 자세하게는 '물질의 자기磁氣 성질'을 조사하는 내용이었다.

1857년, 플뤼커는 패러데이가 20년 전에 보았던 유리관 속 기체에서 일어나는 방전 실험으로 눈을 돌렸다. 패러데이에게는 룸코르프 코일과 같이 높은 전압을 만드는 전력공급 장치도 충분하지 않았고, 공기 압력을 10토르(대기압의 1백 분의 1) 정도 유지하는 진공 펌프가 고작이었다. 마침 운이 좋게도 플뤼커 곁에는 뛰어난 진공 기술자 가이슬러가 있었다. 가이슬러가 만든 유리관은 0.1토르의 진공(대기압의 1만 분의 1)을 쉽게 달성할 수 있었고, 그와 같이 낮은 공기 압력에서도 전기 방전을 일으키기에 충분한 전압을 공급하는 룸코르프 코일까지 갖추고 있었다.

…유리관 압력이 매우 낮아짐에 따라서 기체가 좋은 절연체라고 알려진 사실과 상관없이 두 전극 사이를 전류가 통과했다.

기체에서 방전이 이루어졌고 부드럽고 은은한 '불빛'은 유리관을 가득 채웠다. 패러데이가 20년 전에 보았던 바로 그 '불빛'이었다. 유리관 압력이 최소치로 내려가면 그 안을 전류가 통과하기 위해서 아주 높은 전압이 필요했다. 전압 대부분은 기체 저항에 소모되었다. 매우 적은 양만 두 전극 표면에서 전류를 이어 받고, 그리고 나중에 알게 되었지만 음극에서 전하를 뽑아내는 일에 사용되었다.

…기체 저항은 기체의 화학 성질과 압력, 유리관 지름, 두 전극 사이에서 흐르는 전류 양에 달려 있었다.

기체 방전 실험을 처음 시작했을 때 분홍이었던 부드럽고 은은한 '불빛'은 유리관 안에서 공기를 빼내어 압력이 점차 줄어들면서 보랏빛으로 변한 다음, 그동안 누구도 볼 수 없었던 새로운 광경이 눈앞에서 펼쳐졌다.

플뤼커에게는 마음에 담아둔 실험 하나가 따로 있었다. 방전으로 유리관 안을 환하게 밝히는 은은한 '불빛'이 자기磁氣 힘을 받아서 변화하는 과정을 관찰하는 실험이었다.

플뤼커는 유리관 안에서 '불빛'을 관찰한 후에, 패러데이의 왕립 연구소 전임자였던 험프리 데이비가 언급한 1821년 실험을 기억해 냈다.[58]

"두 탄소 막대 사이에서 일어난 전기 불꽃이 근처에 놓아둔 자석을 따라서 굽은 선으로 휘어졌다."

플뤼커는 유리관 안에도 일종의 전하 흐름이 있다고 믿었다.

"은은한 '불빛' 또한 자석에 영향을 받으면 유사하게 휘어져 나타나야 한다."

실험을 위해서 가이슬러가 여러 유리관과 기체를 준비했다. 플뤼커는 말했다.

"가이슬러가 준비한 유리관은 비교할 수 없을 정도로 아름답다. 나는 그것을 '가이슬러관'이라고 부르겠다."

진공관은 그 안에서 공기가 거의 모두 배출되고, 높은 전압이 공급되는 음극과 양극이 유리벽을 통해 밖으로 연결된 밀봉 장치이다.

험프리 데이비 실험에서와 같이, 플뤼커는 전류가 자석을 따라 휘어지는 기체 방전 실험을 설계했다. 그중에서도 가장 흥미로운 것은 자기장에서 벌어지는 '음극 불빛'이었다.

가이슬러관 안에는 약간의 기체가 포함되었고, 백금으로 만든 양극과 음극이 설치되었다. 실험을 거듭하면서 기대하지 않았던 현상들이 일어났다. 방전으로 생긴 은은한 '불빛'이 여럿으로 나누어지는가하면, 음극 쪽에서 분해되어 물결처럼 흔들거렸고, 양극 너머 매우 작은 '점'으로 이어지며 눈부시게 반짝이는 아름다운 '초록 빛'을 뿜어내기도 했다. 가이슬러관 종류에 따라서 그 안을 밝히는 은은한 '불빛'의 색상도 달라졌다. 짙은 색으로 보이기도 했지만 프리즘을 사용한 분석에서는 색상별 그래서 파장별로 구분되는, 빛띠의 분광선들이 관찰되었다.
—은은한 '불빛'의 색상은 매우 섬세해서 흐린 날에 밝은 보랏빛이었다가, 촛불 주위에서는 장밋빛 빨강으로 변했다.

수소 기체를 약간 포함한 가이슬러관에서 여러 어두운 띠들이 모양을 이루었다.
—폭이 2밀리미터이고 길이가 400밀리미터인 유리관에서, 마치 색동 문양처럼 밝고 어두운 줄무늬가 수직으로 교차되어 갈라진 층계層階 형상이 만들어 졌다.
—줄무늬는 두 전극 사이에서 밝고 어두운 400개의 띠들이 교대로 반복되었고, 캄캄한 '암흑 공간'은 전에 관측되었던 대로 따뜻한 전극 쪽에서만 나타났다. [음극을 따뜻한 전극이라고 불렀다].
—폭이 더 넓은 유리관에서는 어두운 줄무늬 띠의 두께가 5밀리미터로 늘어났고, 따뜻한 전극으로 꼭지가 향하는 원뿔 형태여서 마치 방전이 그 방향을 향하는 것처럼 보였다.
—유리관 폭이 좁아지면서 줄무늬 띠 두께도 줄어들었고, 따뜻한 전극을 따라서 원판들이 나란히 나열했다.

방전에서 생긴 은은한 '불빛'에 자석이 미치는 효과가 관찰되었다. 플뤼커는 유리관 안에 전하들이 포함돼 있다고 확신했다. 전하와 '불빛'의 관련성을 조사하기 위해서는 자석이 사용돼야 했다. 플뤼커의 실험이 뛰어났던 점은 바로 방전 실험에서 자석 효과를 관찰했다는 데 있었다.

—말굽 모양을 한 전기자석은 두께가 4센티미터, 폭이 13센티미터, 길이가 20센티미터였고, 유리관에 수직과 수평의 두 방향으로 그 중앙에 놓여서, 방전에서 생긴 '불빛'에 자기 힘이 미치는 효과가 조사되었다.

—길이가 270밀리미터, 양 끝의 폭이 12밀리미터, 중앙이 볼록 튀어나와 그 폭이 52밀리미터인 타원체 모양의 유리관 중앙에 자석이 놓였다. 유리관은 인광 물질을 약간 포함했고, 두 백금 전극이 양 끝에서 안으로 밀어 넣어져 밀봉된 채 고정돼 있었다.

방전이 시작되자 붉은 빛이 출렁거리며 유리관 안을 물들였다. 줄무늬의 층계 형상이 뚜렷이 나타났고, 앞에는 휘어져 구 모양을 띠었으나 중앙으로 가면서 점점 평평한 형태로 바뀌었다. 전류의 방향을 바꾸면서 자석 때문에 일어나는 현상도 달라졌다. '불빛'은 활 모양으로 유리관 중앙 윗부분을 가로지르며 나타났다. 층계 형상은 더 가늘어 졌고, 어두운 줄은 더 증가하여 뚜렷해 졌다.

—브로민을 약간 포함한, 길이 200밀리미터이고 폭이 10밀리미터인 유리관에서, 연필 굵기의 빨강과 보라의 은은한 '불빛'이 한쪽 끝에서 다른 쪽 끝까지 쭉 뻗어 나갔고, 드문드문 흩어져서 '초록빛'이 에워쌌다.

—말굽자석을 수평으로 놓아서 양 끝 사이에 유리관 중앙을 맞추었다. 전류가 한 방향으로 흐르는 동안 은은한 '불빛'은 전과 같은 모습을 지닌 채 밑으로 끌어 내려져 유리관 아랫부분을 가로질렀다. 색상도 바뀌었다. 아래는 밝은 청록, 위는 뿌연 빨강 빛으로 물들여져 나타났다.

지름이 35밀리미터이고 속이 빈 두 개의 유리 공에, 길이가 250밀리미터이고 폭이 10밀리미터인 유리관이 연결돼서, 가이슬러관이 준비되었다. 바늘 모양을 한 백금 전극이 유리 공 중앙까지 나와 있었고, 전기자석이 수평으로 놓여서 양 끝 사이에 유리관 중앙이 맞춰 졌다.
—자석이 제거되면, 음극 유리 공 안에서 뿌연 보라 빛이 사방으로 흩어졌고, 물감으로 얇게 덧칠 한 듯 흐린 '초록 빛'이 표면을 감싸 안았다.
—자석이 놓이면, 흩어졌던 보라 빛이 반달 원반의 형태로 다시 모아져서 유리관에 닿았고, 그 중앙은 음극을 통과했다. 반달 원반 빛의 다른 반대쪽은 유리 공 곡면을 따라서 반짝거리는 '초록 빛'이 좁은 띠를 만들며 아름답게 에워쌌다. 반달 원반의 빛은 음극에 가까워질수록 빨강에서 밝은 보라로 바뀌었고, 층계 형상은 음극과 유리관 사이에서 점점 아래로 내려갔다.

음극에서 사방으로 퍼져 나가는 빛에 자석이 미치는 영향은 매우 괄목할 만했다. 자석 양 끝을 덮고 있는 마분지 위에 작은 쇳가루를 뿌려 펼쳐 놓으면, 자기 곡선 또는 자기력선을 따라 배열되는 쇳가루처럼, 음극에서 사방으로 퍼져 나가며 자석에 이끌리는 빛줄기는 마치 광선처럼 비쳤다. 플뤼커는 음극에서 퍼져 나와 자석에 이끌리는 빛을 "자기 광선"이라고 불렀다. 하지만 그 자기 광선이 무엇인지에 대해서는 아무런 설명도 뒤따르지 않았다.

플뤼커는 음극 끝 한 점만 제외하고 모든 면을 녹은 유리로 덮었다. 그리고 그 한 점에서 나오는 빛줄기를 확인했다.
—바늘 끝 한 부분만 남겨 놓고 음극 전체를 녹은 유리로 덮어씌우면, 전에 보였던 자기 광선 대부분은 없어졌고, 가느다란 선 하나가 대신 빛을 이루었다.

음극 전체에서 나오던 빛이 한 점에만 모아지는 만큼, 아주 가느다란데도 불구하고 눈으로 식별이 가능했다.
—한 점에서 나온 빛은, 비록 낮은 기체 압력인데도 불구하고, 가느다란 선 위에 모두 실려서 어두운 유리관 안을 세차게 가로질렀다.

유리관에 나타난 '초록 빛'은 아름답고 신비스러웠다. 처음에는 '초록 빛'이 다른 색상과 대비對比되어서 그렇게 보였을 뿐이라는 의견이 제시되기도 했다. 하지만 그런 의견은 그렇게 오랫동안 이어지지 않았다. '초록 빛'이 유리 자체에서 나오는 '형광'의 결과라는 사실 이외에는 따로 제시할 만한 답을 찾기 어려웠다.
…'초록 빛'은 유리에 들어있는 듯 보였다. 방전에서 생긴 은은한 '불빛'과 다르게 유리벽에 붙은 채 나타나서, 유리 자체와 관련이 있다고 판단되었다.

'초록 빛'을 설명하기 위해서는 자석이 필요했다. 자석의 힘으로 '초록 빛'이 유리벽에서 떨어지는지 확인되어야 했다. 자석이 수직으로 세워지고 양 끝 사이에 유리관 중앙이 맞춰져서 한 바퀴 회전되면, '초록 빛'도 따라서 음극 근방으로부터 멀어졌다가 다시 가까워졌다.
…자기력선에 이끌려 항상 유리벽과 만나는 자리에서 '초록 빛'은 모아졌다.

자석이 움직일 때마다 유리벽과 만나는 자기 광선의 좌표는 이동했고, '초록 빛'도 그 이동해 간 좌표에서 새롭게 돋아났다.

'초록 빛'이 어디서 시작하는지는 확인되었지만 그 빛을 자극한 실체는 알려지지 않았다. 그리고 따뜻한 전극(음극)을 구성한 금속 물질이 유리벽으로 옮겨간 것이 확인되었다. 단단한 백금 전극의 경우에도 이 현상은 여전히 나타났다. 따뜻한 전극 근처 유리벽에 생긴 거무스레한 얼룩은 유리관 안에 있던 여러 물질과 백금이 모여서 만들어낸 결과물이었다.
—음극으로부터 백금 입자들이 떨어져 나와서 유리 공 내부 표면에 들러붙었다. 처음에는 거무스레한 모습이었지만, 점점 심해져서 마치 거울과 같이 광택 나는 얇은 막이 입혀졌다. 화학 분석에 따르면, 그 막은 백금 입자들이 쌓여서 이루어졌다.

플뤼커는 높은 전압이 공급된 방전에서 음극이 녹으며 증발한 입자들이 자기 광선을 이룬다고 생각한 적이 있었다. 그렇지만 불소를 약간만 안에 담은 유리관에서 음극 입자들이 별로 쌓이지 않았는데도 불구하고, 여전히 '초록 빛'은 아름다웠고 자석으로부터 크게 영향을 받았던 것으로 나타났다. 플뤼커는 자기 광선이 음극 입자들로 이루어졌다는 결론에 도달할 수 없었다. 대신 '초록 빛'이 생기는 이유를 설명했다.

…수수께끼처럼 아름다운 '초록 빛'은 유리 자체에서 방출되어 사방으로 퍼져 나온 형광의 결과였다. 자석 방향에 따라서 자기 광선과 만나는 '초록 빛'의 위치도 함께 바뀌었다.

이 부분이야말로 플뤼커의 실험에서 가장 잘 계획되고 중요한 핵심 내용이었다.

가이슬러관 안에서 은은한 '불빛'의 자석 실험과 유리관 벽에서 나온 '초록 빛'의 발견은 많은 과학자들을 흥분시키기에 충분했다. 1857년 12월 27일, 『희박기체 전기 방전에서 자석의 작용』의 59) 논문이 독일 논문집 〈물리학 연보年譜〉에 제출되었고, 영국 논문집 〈철학 잡지〉에서 영어로 번역되어 60)재출판 되었다.

플뤼커의 실험은 그의 제자였던 독일 물리학자 요한 빌헬름 히토르프(1824-1914)가 이어받았다. 히토르프는 '초록 빛'을 자극한 "눈에 보이지 않는" 자기 광선의 존재를 찾는 방법에 대해서 곰곰이 생각했다.

"만약 방전이 시작되면서 '음극으로부터 보이지 않는 흐름'이 어두운 전체 '암흑 공간'을 뚫고 결국 유리관 벽에 '초록 빛' 형광을 만든다면, 그것을 방해하기 위해서 작은 물체를 장해물로 세워 놓고 '초록 빛' 형광 속에서 그림자의 존재를 확인하면 된다."

물론 히토르프의 생각은 음극에서 나오는 '흐름'이 직선을 따라 양극으로 진행한다는 가정에서 출발했다.

그는 'ㄱ'자字 형태의 진공관을 사용했다. ^{1}ㄱ$_{2}$의 진공관에서 1에는 음극, 2에는 양극을 설치해서 방전이 어디에서 시작되는지 살펴보았다. 실험 결과는 예상대로 나왔다. 음극에서 나오는 가느다란 빛은 직선을 따라서 움직였고, 반대편 유리벽에 부딪쳐 방출되는 '초록 빛' 형광이 확인되었다.[61]

—빛은 끝없고, 가늘고, 곧고, 무게도 안 나가고, 빳빳한 끈 모습의 흐름을 보이며, 여전히 한쪽 끝은 음극에 닿은 채로 상태를 유지했다.

이어서 장해물을 세워둔 실험에서는, 유리관 벽 '초록 빛' 형광에 장해물의 그림자가 나타났고, 자석이 움직이는 대로 '초록 빛'만 따라서 이동했다. 히토르프는 결론을 내렸다.

…'초록 빛' 형광을 만드는 흐름은 틀림없이 음극으로부터 출발해서 자석이 없으면 양극을 향한다.

…직선으로 진행하던 흐름의 경로가 자기 힘을 받아서 곡선으로 휘어진다면, 그 흐름은 '움직이는 전하 또는 전류'이다.

플뤼커가 보았던 유리관 벽에 생긴 거무스레한 얼룩은 음극에서 튀어나온 백금 입자들이 쌓여서 이루어진 것으로 밝혀졌다. 백금 입자들로 덧칠된 유리벽은 일종의 "강하게 튀어나온 입자들의 효과(스퍼터링)"로 만들어진 결과였다. 17세기부터 시작한 진공 펌프와 전력 공급 기술은 가이슬러관의 예에서 보았듯이 기체 방전으로 이어졌고, 그 후부터는 반도체 응용처럼 얇은 반도체와 금속막을 쌓아 올리는 박막증착薄膜蒸着 기술에도 사용된다.

플뤼커는 방전 실험 이후, 1863년, 슈타이너가 작고한 후에 다시 수학으로 돌아와서 선線 기하학에 관련된 [62]『공간 요소로서 직선 처리법에 기초한 새로운 공간 기하학』이란 주제로 연구를 지속했다. 나중에 러시아 출신 독일 수학자 헤르만 민코프스키(1864-1909)가 시간과 공간을 함께 조합한 '[63]4차원 다양체'를 발표하지만, 43년 전에 이미 나타났던 '플뤼커의 선들의 공간'과는 아무도 비교조차 하지 않았다. 점들의 공간이 3차원이었듯이 선들의 공간은 이미 4차원이었다.

2.4 음극선을 보다

가이슬러관에 사용된 수은 펌프는 피스톤 펌프보다 훨씬 더 향상된 효율과 진공상태를 유지했지만, 값이 비싸고 다루기 어려웠으며 공기 배출에 시간이 너무 오래 걸렸다. 밸브 조작과 수은 양量 조절에 세심한 주의가 더 필요했다. 이러한 수은 펌프의 문제점은, 1873년, 독일 출신의 영국 화학자 헤르만 슈프렝겔(1834-1906)이 유리관 안에 포함된 공기를 계속해서 배출할 수 있도록, 매우 간단한 수은 순환 구조를 고안하여 마침내 해결되었다.

1870년대 초 영국 화학자 윌리엄 크룩스(1832-1919)는 그의 조수 찰스 기밍엄과 함께 1밀리 토르(대기압의 1백만 분의 1)의 진공이 유지되는, 소위 "크룩스관"이라고 불리는 진공관을 새로 [64]

개발했다. 크룩스관은 기본에 있어서 가이슬러관의 모습을 지녔고, 슈프렝겔 수은 펌프의 기능을 개선시켜서 만들어졌다. 그 후에 [65] 기밍엄은 작동이 더 우수한 크룩스관을 만들어서, 거의 "완벽에 가까운" 진공, 1십만 분의 2토르(대기압의 1억 분의 2.6)의 압력을 달성했다.

성능 면에서 가이슬러관보다 뛰어났던 크룩스관은 안에 포함된 공기 양이 훨씬 줄어서, 보라와 빨강으로 화려하게 수놓았던 부드럽고 은은한 '불빛'(글로우) 방전을 더 이상 보이지 않았다. 대신 '크룩스 암흑 공간'이 빛기둥을 감추면서 어두움을 넓게 퍼트렸다. …환하게 밝히는 은은한 '불빛'을 양쪽으로 밀어내며 어두운 공간이 조금씩 커지다가 온통 암흑에 빠지면, 양극 근처 어두움 뒤에 '초록 빛'이 내려앉아, 빛 잔물결 되어 반짝거리며 주위를 맴돌았다.

전류가 음극에서 시작해서 양극으로 흘러들어가 그 이웃 유리관 벽에 부딪쳐 '초록 빛' 형광을 만드는 것이 분명해 보였다.

크룩스는 매우 새롭고 진보된 실험을 좋아해서, 실험용 진공관을 여러 유형으로 다양하게 설계했다. 그중에서도 알파벳 문자 '브이'의 네 글자가 서로 수직을 이루며 십자 형태로 결합한 상징물, 중세 기사들이 사용했던 "몰타 십자"가 가장 유명했다. 그는 음극에서 양극으로 전하들이 진행한다는 사실을 보여주기 위해서 몰타 십자를 음극 앞에 놓아 장해물로 사용했다. 방전 장치가 전원에 연결되었을 때, 어둠을 지나 진공관 끝에서 반짝거리는 '초록 빛'을,

중앙에서 가로막고 서 있는 몰타 십자의 그림자가 뚜렷이 나타났다.

자석을 근처에 놓아서, 음극을 출발한 전류가 자기 힘을 받아 한쪽으로 휘어진, 편향 효과가 몰타 십자를 빗겨간 '초록 빛'을 통해서 확인되었다. 이어서 공기가 거의 다 사라지고 완벽에 가까운 진공관에서 색상 변화와 효과가 세밀하게 조사되었다. 압력이 낮아지면서, 그동안 관찰되지 않은 또 다른 "암흑 공간"이 음극 근처에서 새로 발견되었다. 크룩스는 '암흑 공간'을 정확하게 설명했다.

…'암흑 공간'은 전류가 기체 분자들과 충돌하여 은은한 '불빛'을 [글로우를] 형성하기까지, 자유롭게 이동해 간 영역이다.

당시에 물리학자들은 전류(전기 흐름)가 무엇인지 여전히 알지 못했고, 진공관 안에서 음극으로부터 양극까지 이동하는 '실체'에 관련해서는 더욱 설명할 수 없었다. 전류는 임의로 양극에서 나와 음극을 통과한다고 가정되었을 뿐이었다.

…`음극에서 나와 양극을 통과하는 전류´는 완전히 새로운 전기 흐름의 개념이었다.

크룩스는 '음극에서 양극으로 통과하는 전류'의 본질에는 아무런 대답도 하지 않았다. 단지 직선으로 이동하며 유리관 벽에 그림자를 만들었다는 사실 하나 만으로, 그것은 '광선'이라고 불릴 수 있었다. 1876년, 독일 물리학자 오이겐 골트슈타인(1850~1930)은 음극에서 나오는 광선이라는 뜻으로 이 전류에 "음극선"이라는 이름을 붙였다.66)

"음극선은 음극에서 나와 양극을 통과하는 전기 흐름이다."

크룩스는 음극선을, 기체에 남은 분자들이 음극에 접근하여 전하를 띠고 즉시 상호 반발력이 작용해서 이루어진 '분자 흐름'이라고 생각했다. 전기가 공급된 음극 가까이 분자들이 닿아서 격렬한 진동을 일으키면, 전극 표면뿐만 아니라 주위 기체에까지 크게 영향을 미친다는 것이 그의 판단이었다. 분자들의 영향은 기체 밀도가 높으면 오직 전극으로부터 짧은 거리에서만 유효했지만, 밀도가 낮으면 먼 거리까지 가능했다.

기체 양이 점차 줄어들어 진공관이 드문드문 암흑으로 채워진다면, '암흑 공간'의 길이는 "분자들이 나아가는 과정에서 거듭된 충돌들 사이 평균 거리", 곧 분자들의 '평균 자유 거리'를 가리킨다는 것이 크룩스의 설명이었다.

…'암흑 공간'과 '평균 자유 거리'는 기체 압력에 반비례한다.

분자 충돌이 드물어서 '암흑 공간'은 어두웠고, 잦아져서 '불빛' 공간은 밝았다.

크룩스가 발견한 '암흑 공간'은 패러데이 '암흑 공간'과 구별되어서 "크룩스 암흑 공간"이라고 불린다. 패러데이의 방전관은 대기압의 1퍼센트에 해당하는 압력까지 공기를 배출해 줄였지만, 크룩스의 진공관은 대기압의 1만 분의 1 퍼센트에 해당하는 진공이 유지되어 방전 과정이 매우 세밀하게 관찰되었다.

나중에 그 현상들이 모두 밝혀지지만, 방전관에서 음극으로부터 순서대로 1) '애스턴 암흑 공간', 2) '음전기 불빛', 3) '크룩스 암흑 공간', 4) '음극 불빛', 5) '패러데이 암흑 공간', 6) '양전기 불빛 기둥', 7) '양극 암흑 공간', 8) '양극 불빛'이 양극에 붙어서 나타난다. ['애스턴 암흑 공간'은 프랜시스 윌리엄 애스턴이 발견한다].

1879년 1월 15일 『분자 광선과 경로』의 제목으로 개최된 〈왕립학회 베이커 강연〉에서 크룩스는 그의 실험을 설명했다.[67] 여러 진공관이 사용되었고, 그중 하나는 찌그러트린 공 모양의 유리관 안에 두 알루미늄 전극이 설치되어 있었다. 음극이 지름 10밀리미터의 원판이었고, 양극이 도선의 형태였으며, 슈프렝겔 펌프가 연결되어 공기 배출로 이어졌다. [그 외에도 백금 도선 전극, 지름이 22밀리미터인 반원통형 음극, 원판 양극이 사용되기도 했다].

음극 근처에 나타난 '암흑 공간'의 폭은 기체 압력과 종류, 음극 온도, 그리고 전류 세기에 따라서 각각 달라졌다. 공기에 비해 수소에서 가장 길었고, 탄산 기체에서 가장 짧았다.[68]
—수은 4밀리미터(대기압의 1천 분의 5.2)의 기체 압력에서, '암흑 공간'의 폭이 음극으로부터 1밀리미터 이하였고, 기체 압력이 줄어듦에 따라 조금씩 더 늘어났다.
—수은 3밀리미터(대기압의 1천 분의 3.9)의 기체 압력으로 줄어들면, 음극으로부터 4밀리미터 떨어진 거리까지 '암흑 공간'의 폭이 확대되었다.
—수은 0.078밀리미터(대기압의 1만 분의 1)의 기체 압력에서, '암흑 공간'은 폭이 적어도 8밀리미터였고, 공을 찌그러트려 놓은 타

원구의 모양이었다.
—더 낮은 기체 압력에서는 경계가 불분명해지면서 '암흑 공간'이 점점 더 진공관 전체를 뒤덮었다.

공기가 대부분 배출되면, '암흑 공간'은 진공관을 다 채울 만큼 넓어져서 전체가 어둡고 캄캄했지만, 자세히 들여다보면 음극에서 보랏빛 초점이 작은 자태를 거의 감추며 희미하게 숨을 쉬고 있었다.
—초점에서 뻗어 나온 광선이, 유리벽에서 선명하게 잘 정의된 '초록 빛'의 한 점에 도착했다.

공기가 더 배출되면, 반짝거리는 '초록 빛'의 형광으로 양陽극 뒤편이 가득 메워졌다.
—1백만 분의 4 대기압 이하에서 더 이상 부드럽고 은은한 '불빛'이 일어나지 않았고, 1백만 분의 0.9 대기압에서 '초록 빛'이 가장 잘 나타났고, 1백만 분의 0.15 대기압에서 방전이 거의 사라졌고 '초록 빛'만 가까스로 남았으며, 1억 분의 6 대기압에서 전하 흐름, 즉 음극선이 전혀 생기지 않았다.

기체가 덜 빠진 진공관에서 그 안을 밝히는 은은한 '불빛'과 전혀 다른 모습을 보이는 반짝거리는 '초록 빛'의 특징을 크룩스는 자세하게 소개했다.
'초록 빛'은 진공관 안쪽 공간이 아닌, 전하 흐름의 끝 유리관 벽에서 나타났고,
방향과 세기에서 양陽극 위치에 따라 큰 차이를 보이지 않았고,

진공관 안에 포함된 질소, 수소, 이산화탄소 등의 기체 종류와 아무런 상관이 없었고,
음극으로부터 연결된 직선 경로에 장해물을 놓았을 때 그 뒤편에서 그림자가 선명하게 나타났다.
…`초록 빛′은 전하 흐름, 음극선이 유리벽을 때려서 만들어낸 효과였다.

플뤼커가 자석을 설치하여 은은한 '불빛'이 한쪽으로 휘어지는 현상을 관찰했었던 것처럼, 크룩스도 유리관 근처에 자석을 놓아서 자기장 효과를 조사했다. 유리벽에서 반짝거리는 '초록 빛'을 만든 전하 흐름은 자기장에 매우 민감하게 반응했다.
—자석의 한쪽 끝을 변화하거나 아주 작은 영구자석을 근처에 놓았을 때, 장해물의 그림자는 오른쪽 또는 왼쪽으로 꼬이며 다르게 나타났고, 전하 흐름이 휘어지는 정도는 자석 세기에 비례했다.

플뤼커와 크룩스는 각자의 실험에서 전기 흐름, 곧 음극선이 자기장에서 한쪽으로 휘어지는 효과를 이미 확인했지만, 전기장에서 관찰하는 데는 실패했다!

크룩스는 그의 논문 결론에서 적었다.
—진공관에서 일어나는 현상들은 물질이 새로운 세계, 즉 빛의 미립자 이론이 존재하고, 빛이 직선으로 진행하지 않는 그렇지만 우리가 결코 그 안에 들어갈 수 없고, 다만 외부에서 관찰하고 실험하는 일에 만족해야만 하는, 제4의 상태에서 존재할 수 있다는 것을 물리과학계에 알렸다.

그는 음극선을 “분자 또는 방사 광선”으로서, “제4의 상태”라고 부르기를 희망한다고 언급했다.

독일 물리학자들의 의견은 달랐다. 오이겐 골트슈타인은 음극선이 1십만 분의 1 대기압에서 약 90센티미터까지 충돌 없이 진행하지만, 실제 분자들은 이 정도 압력에서 0.6센티미터 거리만 자유로이 통과한다고 주장했다.

…음극선은 분자들이 아니라 빛과 같은 파동이다.

음극선은 그 실체가 확인되지 않았다. ‘음극으로부터 전기 흐름’, ‘음전기 분자’, ‘음전기 원자’, ‘물질의 제4의 응집 상태’, ‘복사輻射 물질’과 같이 여러 이름으로 불렸다.

“음극에서 나오는 광선”의 이름이 붙여졌던, 음극선이 빛의 한 형태인 파동일지도 모른다고 의심을 받는 것도 어쩌면 당연했다. 파동은 빛과 같이 중력의 영향을 받지 않는다고 생각되었는데, 음극선도 너무 빨리 움직였기 때문에 거의 중력을 감지할 수 없어서, “파동일지도 모른다.”라는 유추가 충분히 가능했다. [빛도 다른 물질들처럼 중력에 의해서 힘을 받는다는 사실은, 1919년, 알베르트 아인슈타인(1879-1955)이 일반상대성 원리를 발표할 때 알려진다].

앞으로 거의 20년 동안 “음극선이 분자와 같은 입자들일까, 또는 빛과 같은 파동일까?”의 문제는 상당한 논쟁거리로 남는다. 독일 물리학자들은 파동의 편에서, 영국 물리학자들은 입자의 편에서 각각 맞서 있었다. 음극선이 파동인지 또는 입자인지 결정하는 방법에는 두 가지가 있었다. 음극선이 전기장과 자기장에서 힘을 받아 한쪽으로 휘어지는 편향성을 확인하면 증명이 가능했다.

…음극선이 전하를 띤 입자들로 이루어져 있다면, 전기장과 자기장에서 힘을 받아 한쪽으로 휘어지는 곡률 반경이 빛보다 훨씬 더 분명하게 구별돼야만 했다.

03 원자를 열다

"만약 정량의 기초 입자들, 원자들이 모여서 물질을 구성한다는 가설을 인정한다면, 마치 원자들처럼, 정량의 기초 전하들이 모여서 음전기와 양전기를 구성한다는 결론에 도달할 수밖에 없다."
-헤르만 폰 헬름홀츠 (독일 물리학자와 내과의사, 『패러데이 강연』, 왕립연구소 화학회, 1881년 4월 5일).

실험은 반복된 경험 절차를 거쳐서 인과관계에 통찰력을 제공하고, 불확실성을 해결하는 방식 또는 작업이다. 실험은 특정한 요소들을 조정하여 발생한 결과를 분석하고, 새로운 가설을 검증하여 스스로 도와주거나 부정한다. 그리고 실험은 새로운 가설에서 반응이나 현상을 일으키는 작용의 과정을 찾아내기도 하지만, 단순히 대답만 하거나 이전 결과를 확인하는 데 그치기도 한다.

과학에서 실험은 중요한 역할을 맡는다. 이론을 시험하고 과학지식을 쌓아 올리는 토대를 마련한다.
…모든 지식의 시험은 실험이고, 실험은 과학 사실을 심판하는 유일한 도구이다.69)

지식의 근원은 무엇인가? 시험을 요구하는 자연 법칙은 도대체 어디에서 출발하는가? 실험이 단서를 제공도 하지만, 단서를 끌어내어 펼치는 상상력에서 시작하여 추론하고 추측하는 일을 거쳐서 이론이 태어난다.

이론은 이성적인 판단으로 형성된 개념을 뜻하고, 과학에서 연구 결과나 자연 현상을 일반화하여 이루어진다. 실험은 기존 이론을 증명하고 보완하며, 새로운 이론을 찾아내고, 이론의 구조 또는 수학 공식을 만들도록 넌지시 깨우쳐주지만, 별도로 결과를 해석하고, 이론에 포함된 '실체'의 존재를 확인한다.

과학은 의미 그대로 우주를 참되게 설명하는 일에서 목표를 추구하지만, "해석 방법에 관계없이, 과학이 설명하는 우주가 사실인가?" 또는 "과학의 성과를 어떻게 설명해야 하는가?"라는 질문에는, 과학 이론에 포함된 '관측 가능' 또는 '관측 불가능'한 실체의 존재에 초점을 맞춘다. 70)과학 사실주의는 관측이 불가능한 사물, 속성, 과정도 타당하다고 주장하는 반면에, 71)도구주의는 '관측이 가능한' 실체의 존재를 항상 지향한다.

이론을 떠받치는 중요한 까닭은, 한편으로는 가정된 실체의 존재를 이론이 뒷받침하고 있기 때문이다. 그러나 실체가 존재하고 그것을 뒷받침하는 이론이 사실이라는 확실한 이유를 가졌었는데도 불구하고, 그 이론은 나중에 틀렸다고 판명되는 경우가 있어서, 간혹 72)'추측 사실주의'의 용어가 사용된다. 현재 폐기된 '플로지스톤'과 '에테르'의 이론들은, 한때 과학자들이 충분히 믿고 의지할 만큼 다양하게 근거들을 드러내 보였었다.

이론에서 사실을 판단하고 신뢰하는 문제로 인해서 때로는 논쟁이 벌어지지만, 실험에서 실제 여부와 실체를 조사하려는 움직임은 지속되었다. 음극선 실험에서 관측하고 탐구하여 찾아낸 실체의 뿌리를 바탕으로, 우리는 이론과 과학 법칙을 유도하는 과정을 실제로 확인하려고 한다.

3.1 경쟁의 시작

음극선의 실체를 알아내기 위해서 기다리는 실험물리학자들이 있었다. 지금은 주파수 단위로 잘 알려진 독일 물리학자 하인리히 루돌프 헤르츠(1857-1894)도 그중 하나였다. 1883년, 그는 독일 베를린에서 헤르만 폰 헬름홀츠 교수의 조수로 일하는 동안, 자석에 영향을 받지만 [73]전기 힘은 관찰되지 않아서, 음극선이 입자가 아니라 빛과 같이 파동이라는 결론을 내렸다.

위와 아래에 놓인 두 금속 평행 전극에 전원을 연결했고, 그 사이를 통과하는 음극선의 경로에서 전과 다른 차이를 식별하지 못했다.
…전하가 전극 사이를 지나갈 때, 음전하는 양극 쪽으로, 양전하는 음극 쪽으로 전기장에 비례하는 전기 힘을 받아서 한쪽으로 휘어진 곡선 궤도를 따라 나아갔어야 했다.

그러나 음극선이 자기장에서 한쪽으로 휘어지는 것은 분명해 보였다. [독일 물리학자들은 음극선이 지나가는 매질을 자기장이 변형시킨다고 주장했다].

[74]활동 범위가 비슷한 두 물리학자가 음극선 경쟁에 같이 들어왔다. 먼저 시작한 물리학자는 아서 슈스터(1851-1934)였다. 독일에서 태어났고, 영국 오웬스 대학교에서 수학과 물리학을 공부했다. 헨리 로스코(1833-1915) 교수의 지도하에 빛의 파장 분포를

나타내는 분광선 분석에 깊은 관심을 가졌고, 『질소 분광선』의 [75] 논문을 〈왕립학회 회보〉에서 발표했다. 그는 전기회로 법칙으로도 잘 알려진 구스타프 키르히호프(1824-1887) 교수의 지도를 받았고 독일 하이델베르크 대학교에서 『금속 표면에서 빛의 반사』의 연구로 1873년에 박사학위를 마쳤다. 그는 괴팅겐에서 빌헬름 에두아르트 베버와 베를린에서 헤르만 폰 헬름홀츠의 지도하에 실험 지식을 쌓았고, 1876년부터 1881년까지 케임브리지 대학교 「캐번디시 연구소」에서 제임스 클러크 맥스웰, 그리고 레일리(존 윌리엄 스트럿) 교수와 함께 5년간 연구를 진행했다.

1881년, 슈스터는 오웬스 대학교와 합병해서 새로 문을 연 [76] 빅토리아 대학교에서 응용 수학 교수가 되어 분광학에 관련된 연구를 시작했다. 처음에는 심사 위원회가 슈스터의 수학 경력이 부족하다고 문제를 삼았다. [77]절대온도 단위로 잘 알려진 영국 수리물리학자 윌리엄 톰슨(1824-1907)은 슈스터의 스승인 로스코에게 편지를 보냈다. [윌리엄 톰슨은 캘빈 경卿(남작)으로도 알려져 있다].

-나는 슈스터가 수학 교수의 자격을 갖추었는지 잘 알지 못합니다. 그가 수학자가 아니고 실험물리학자라고 생각했습니다.

슈스터가 맨체스터에서 시작한 연구는, 기체를 담은 음극관에서 전류가 통과하여 생긴 부드럽고 은은한 '불빛(글로우)'의 분광선을 분석하는 일이었다. 그는 분광선을 수학 처리만 하는 일에는 흥미를 느끼지 못했고, 대신 앞날이 기대되고 실용성이 내다보이는 문제를 다루는 분야로 방향을 정했다. 전에는 방전관에서 일어나는 일을 꼼꼼하게 다루는 실험보다 분자에서 일어나는 화학 과정을 조사하는 연구에 관심을 가졌었지만, 이제는 분광 특성을 조사하기에 앞서서 방전이 생기는 과정을 알아내야 했다.

슈스터의 출신 배경에는 남과 다른 두 가지 사항이 내재되어 있었다. 그가 수학자가 아니고 실험물리학자라는 것과, 영국과 독일에서 쌓은 혼합된 창의력이 실험 기술에 활용될 수 있다는 것이었다. 로스코 교수는 슈스터의 미래에 큰 기대를 걸었다.

…영국과 대륙에서 완벽하게 훈련받은 연구 경험은 실험물리학 교수직을 맡기에 충분하다. 키르히호프 교수와 헬름홀츠 교수로부터 독일식 실험 방법을 터득했고, 벨포 스튜어트와 제임스 클러크 맥스웰 교수에게서 배운 영국식 연구는 앞으로 그에게 큰 장점으로 작용할 것이다.

나이로는 다섯 살 아래인 조지프 존 톰슨(1856-1940)은 영국 맨체스터에서 태어났고, 1870년 열네 살 때 오웬스 대학교에서 공부를 시작했다. 벨포 스튜어트 교수의 지도로 〈왕립학회 회보〉에서 『절연체의 접촉 전극』의 짧은 논문을 발표했고, 아서 슈스터와 존 헨리 포인팅을 처음 만났다.

1876년 10월, 조지프 존 톰슨은 오웬스 대학교 수학과 토마스 바커 교수의 추천으로 케임브리지 대학교 트리니티 대학으로 전학해서 수학을 전공했다. 맥스웰의 저서인 『전기와 자기 논설』의 강의를 슈스터에게서 들었고, 학부 과정 동안 아서 케일리, 존 쿠치 애덤스, 조지 스토크스, 윌리엄 데이비슨 니븐, 제임스 휘트브레드리 글레이셔로부터 수학과 물리학을 배웠으며, 실험 경력을 쌓은 적은 없었다. 그는 [78]1880년 수학 졸업시험(트리포스)에서 2등을 차지했다. 1등은 조지프 라모어(1857-1942)였다.

1881년에 조지프 존 톰슨은 트리니티 대학 장학생으로 선발되었고, 윌리엄 톰슨의 '소용돌이(보텍스) 이론'을 연구하여 기체에서 방전을 설명하는 『소용돌이 고리의 운동』의 [79]논문을 발표했다. 순전히 이론에만 치중했던 논문이었다. 실험에 관련해서는, 레일리 교수의 지도하에 [80]전자기와 정전기 단위의 비율에 대한 측정이 시도되었지만 실험 경험이 없었던 조지프 존 톰슨에게는 너무나도 야심찬 계획이었다.

마침 빅토리아 대학교 응용 수학 교수직에 톰슨이 지원했지만, 슈스터가 최종 확정되었다. 1884년에 캐번디시 교수였던 레일리가 은퇴하게 되었고, 27세의 젊은 나이에도 불구하고 조지프 존 톰슨이 케임브리지 대학교에서 세 번째 캐번디시 교수로 선택되어 많은 과학자들을 놀라게 했다. 한 해 전에 석사학위를 마친 톰슨도 자신을 후보자로서 심각하게 생각하지 않았다. 대부분은 그를 실험 물리학자가 아니고 수리물리학자라고 여겼었다.

톰슨이 캐번디시 교수직을 맡는 데 있어서 실험 경력 면에서는 슈스터보다 더 나을 것이 없었다. 헨리 로스코 교수는 슈스터에게 위로 편지를 보냈고, 한편으로 불만을 표시했다.[81]

- 트리니티의 막강한 힘이 작용했어. 톰슨보다 경험이 훨씬 풍부했던 리처드 글레이즈브룩도 재껴버린 것을 보면, 그들은 처음부터 톰슨을 마음에 두고 있었던 게 분명해.......

그 당시 캐번디시 교수직에 지원했던 후보자는 톰슨 외에도 네 명이 더 있었다. 리처드 글레이즈브룩, 조지프 라모어, 오스본 레이놀즈, 아서 슈스터가 그 당시 쟁쟁한 후보자들이었다. 트리니티 대학에 있던 수학자들은 「캐번디시 연구소」가 맥스웰이나 레일리가 추구했던, 산업에 관련된 전기학 분야에서 떨어져 나오기를 바라고 있었다. 레일리 교수는 글레이즈브룩을 캐번디시 교수로 밀고 있었다.

보수적이고 나이가 많은 교수들은 좀 더 심하게 조지프 존 톰슨을 반대했다. 어떤 교수는 젊은 교수들로만 구성된 대학에서 난처한 일에 처한 적이 있었다는 경험을 전하기도 했다. 그러나 윌리엄 톰슨, 조지 스토크스, 조지 하워드 다윈이 포함된 교수 임용 위원회는 「캐번디시 연구소」의 역할을 분명히 알고 있었기 때문에 조지프 존 톰슨은 무난하게 캐번디시 교수로 임명되었다.

위대한 물리학자이고 화학자였던 헨리 캐번디시(1731-1810)를 기념하기 위해서 그와 친척관계였고, 한편으로는 정치가였으며, 런던 대학교와 케임브리지 대학교 총장을 지내기도 했던 윌리엄 캐번디시(1808-1891)의 후원으로 설립된 캐번디시 교수직의 첫 번째는 제임스 클러크 맥스웰(1831-1879)이었고, 두 번째가 존 윌리엄 스트럿 레일리 경卿(1842-1919)이었다.

1884년 가을, 톰슨은 기체 방전에서 새로운 이론을 찾는 연구를 시작했다. 그는 능숙한 실험물리학자가 아니었다. 실제로 손재주가 서툴었고, 기계에 관련된 지식도 그렇게 많이 갖고 있지 않았다. 그럼에도 불구하고 그의 뛰어난 능력과 타고난 창의력은 단점을 극복하기에 충분했다. 그는 다른 사람들을 잘 지도했다.

이로써 두 물리학자는 기체에서 방전 실험을 거의 동시에 시작했다. 그들이 추구하는 목적은 똑같이 방전관에서 일어나는 현상을 설명하는 원리를 찾아내는 일이었다. 그들은 방전관에서 가장 중요한 요소 중 하나가 전류의 통과 과정이라는 사실을 인식했고, 반드시 그것에 대한 설명이 뒤따라야한다고 판단했다. 그러나 비슷했던 두 물리학자의 행로는 여기까지였다. 슈스터는 분광화학자의 관점에서 방전관 바깥으로부터 안까지 좁혀 접근했던 반면에, 톰슨은 수리물리학자의 관점에서 방전관 안으로부터 바깥까지 넓혀 나아갔다.

3.2 맨체스터와 캐번디시

맨체스터에서 슈스터가 처음 시작했던 연구는 기체 방전에서 관측한 분광선을 분석하는 작업이었다. 음극관에서 전류가 통과하며 기체에서 방출된 부드럽고 은은한 '불빛'을 분광학 방법으로 조사했다. 기체 방전에 관련해서 많은 의문이 제기되었고, 슈스터는 그 문제를 해결하는 수단으로 기체 방전의 작동 원리를 조사하기에 이르렀다. 그 당시 물리학자들 사이에서 가장 앞서 나갔던 셈이다.

패러데이의 방전 실험 이후 많은 과학자들은, 기체에서 일어나는 전기 전도傳導가 분자에서 분자로 직접 이어져 이루어진다기보다, 액체에서 일어나는 전해질 전도와 같이 진행된다고 미루어 짐작했다. 슈스터는 자신뿐만 아니라 조지프 존 톰슨도 그와 같은 견해를 갖고 있다고, 1884년 6월 19일에 82)『기체에서 방전 실험. 이론 개요.』의 제목으로 개최된 〈왕립학회 베이커 강연〉에서 언급했다.

—기체에서 일어나는 방전의 과정은 전해질에서 전하가 이동하며 벌이는 일련의 작용과 닮았다.

기체에서, 한 분자에서 다른 분자로 이어지는 '전기 흐름'이 분자를 이루는 원자들을 서로 교환하면서 항상 동반된다고 가정하여, 그는 질문을 던졌다.

"높은 전압이 공급되어 전류가 통과한 액체(물, 소금물, 수은, 등)에서 증발한 기체 분자가 전기를 띠지 않는다고 가정하면, 전기를 띤 물체 표면에 빠른 속도로 부딪친 분자는 전기의 일부를 떼어내어 운반하거나 또는 다른 제2의 분자와 마주쳐서 그것을 전달할 수 있을까?"

이 질문에 그는 스스로 대답했다.

"그렇지 않다면, 기체에서 방전은 분자들을 깨트려서 동반돼야 한다....... 분자들의 분해는 아마도 음극에서 일어날 것이다."

그 당시 과학자들은 분자나 원자가, 예를 들면 전하를 표면에 부착한 채, 이온의 형태로 운반한다고 생각했고, 전하가 무엇인지는 아직 파악되고 있지 않았다.

슈스터는 공기, 수소, 질소, 산소, 탄소의 기체에서 관찰된 '불빛' 방전을 설명했다.

—수은 1밀리미터 이하의 압력에서(대기압의 1/1000 이하), 음극 영역은 '세 부분'으로 나눠져서, 음극 금속에 흡수되었던 수소와

소듐, 암흑 공간, 음극 '불빛'의 순서대로 모습을 드러냈다. 시간이 조금 지나서 수소와 소듐은 사라졌다.
—양극 쪽으로 가면서 또 다른 '암흑 공간'이 나타났고, 음극 '불빛'과 뚜렷이 구별되었다. '암흑 공간'의 길이는, 비슷한 압력의 공기에서 '평균 자유 거리'의 거의 40배 또는 50배에 달했다.

압력과 전류가 달라지는 동안, 음극 근처에서는 전압 강하가 관측되었고 '축전기 작용'이 원인이라는 해설이 뒤따랐다. 정靜전하는 전극에서 전압차를 만들지 못하지만, 한 쌍의 얇은 전극, 83)쌍극자층層에서는 불연속한 전압이 이루어질 수 있기 때문이었다. 비록 음극 근처에서 불연속한 전압이 증명되지는 않았지만, 전압이 급격하게 강하하면서 분자들을 분해하고 전기 입자들이 출현하여 전류가 형성된다고 그는 덧붙였다.
"방전은 실제로 전기 분자들 또는 분해된 원자들이 함께 참여하여 일어난다....... 음극에서 발생한 분자들의 분해는 은은한 '불빛' 방전에 반드시 필요하다."

슈스터는 기체 방전의 이론을 입증하기 위해서 가장 결정적인 단서가 될 실험을 제안했다.
—물질을 이루는 입자들은 모두 동일한 양量의 전기를 운반한다.
—입자 한 개의 실체를 알아낼 수 없지만, 여러 입자의 전하를 한꺼번에 측정해서 평균 전하를 측정하는 것은 가능하다.

기체 방전으로 형성된 은은한 '불빛'을 작은 광선 조각들로 분리해서 균일한 자기장에 수직으로 놓으면, 그 광선 조각이 원을 그리며 소용돌이 회전을 이루어서, 조심스럽게 원 반지름을 조사하여 입자들이 운반하는 전하를 측정할 수 있다고 그는 설명했다.
—은은한 '불빛'의 광선 조각에 작용하는 힘은 속도와 전하의 곱에 비례하고, 원 반지름은 속도와 전하의 비율에 비례해서, 만약 입자가 동일한 전하를 운반한다면, 원 반지름의 제곱은 항상 음극 근처 강하 전압과 전하의 비율에 비례해야만 한다. [반지름은 질량과 전압을 곱한 양의 2배를, 전하로 나누고, 제곱근을 취한 다음, 다시 자기장 세기로 나누어서 계산된다].

슈스터는 '동일한 양의 전하'를 운반하는 입자들을 관측해서 음극선의 실체를 찾으려고 노력했다. 하지만 실제로 제안된 실험은 목적 자체가 명확하지 않았다. 기체 방전 과정에서 음극선으로부터 다른 요인들을 별도로 구분해서 조사하는 일을 염두에 두지 않았었다. 나중에 실험을 돌이켜 본 자리에서 그는 말했다.[84)]
"자기장에서 빛이 한쪽으로 휘어지는 현상을 측정하기 위해서 사용된 은은한 '불빛'이 순전히 음극선으로부터 만들어지는지 아니면 다른 과정에서 비롯되는지 뚜렷하게 구분되지 않았다."

그의 실험 계획은 기체 방전이 복잡한 양상을 보이는데도 불구하고 음극선을 기반으로 해서 모든 과정을 함께 처리하고 설명하는 일을 처음부터 강조했다. 기체 방전을 여러 과정으로 구분하여 각각 다르게 처리한 톰슨의 실험 계획과는 근본부터 달랐다.

'베이커 강연'은 과학 분야에서 런던 왕립학회 특별 회원에게 주어지는 명예이고, 상금과 함께 메달이 매년 수여된다. 1775년에 아일랜드 화학자 피터 울프(1727-1803)가 『광물질 성질을 확인하는 실험』의 강의로 처음 시작했고, 2022년에 영국 출신의 오스트레일리아 뉴사우스웨일즈 대학교 미셸 시몬스(1967-현재) 교수가 『양자처리기: 원자 크기의 기계 만들기』를, 2023년에 영국 옥스퍼드 대학교 앤드류 지서만(1957-현재) 교수가 『컴퓨터(가) 보는 법: 세계를 보는 방법 배우기』를 강의했다. 그리고 2024년에는 임페리얼 대학교 물리학과의 미쉘 도허티 교수가 『토성에서 카시니 자기장 장치』에 대해 강의할 예정이다.

슈스터의 '베이커 강연'이 끝난 비슷한 시기에, 톰슨은 기체에서 방전 실험을 시작했다. 슈스터와 마찬가지로 분자 분해에 기초를 둔 기체 방전 이론을 세우는 것이 그의 목표였다.

톰슨이 케임브리지 대학교 학부 시절부터 평생 추구했던 전자기電磁氣 연구는 캐번디시 교수였던 제임스 클럭 맥스웰의 영향이 컸다. 그는 맥스웰이 1872년에 저술했던 『전기와 자기 논설』에서 미래를 보고 있었다.85)

- 방전 현상들은 매우 중요하며, 충분히 해석될 때 전기, 기체, 공간의 본질을 밝히는 눈부신 빛을 비출 것이다.

톰슨의 기체 방전은 액체에서 전기분해보다 더 어렵고 갈 길이 멀어 보였다. 그러나 기체의 성질과 법칙은 고체나 액체에서보다 오히려 간결했고, 더욱이 운동 이론은 기체에서 일어나는 일들을 명확하게 그려주었다. 그는 분자들 사이에서 상호작용이 단순하고 비교적 자유로워 보이는 기체 운동학과 화학에 마침내 뛰어들었다.

1887년 1월 〈왕립학회 회보〉에 제출된 『방전 기체의 분해』의 논문에서, 불꽃 방전 동안 불꽃이 지나가기 전과 지나간 후에 아이오딘, 브로민, 염소, 사산화질소의 증기 밀도가 섭씨 200도와 230도 사이에서 비교되었고, 분자 분해의 정도가 조사되었다.[86]

불꽃이 지나간 뒤에 화합물의 증기 밀도는 눈에 띄게 줄어들었다. 방전 동안 분자 분해가 일어났다는 증거였다. 염소와 사산화질소에서는 구분이 어려웠지만, 한 종류의 원소로 이루어졌으나 다른 물질로 존재하는 동소체同素體의 변형이 분자들에서 생긴 것이 확인되었다.[87] [동소체는 산소와 오존, 흑연과 다이아몬드처럼 같은 원소로 구성되지만, 원자 배열과 결합 방식이 달라서 구조적인 변형을 보인다].

전기분해 과정에서 분자들은 전류가 통과하며 분리되어 나눠지는지, 또는 독립적으로 분리되고 단지 전류는 분자 성분들을 이동시키는 일에만 쓰이는지 조사되었다. 그러나 차이는 관측되지 않았다.
…당시에 전하가 물질의 속성으로 간주되었는지는 알려지지 않지만, 전기와 일반 물질의 관계를 찾으려는 노력이 톰슨의 연구에 담겨 있었다.

그의 관점에서, 전기분해 과정에 포함된 화학 작용, 전류, 기체 방전을 둘러싼 모든 문제는 전자기 이론으로 해결돼야만 했다. 이러한 전략은 그의 방전 연구가 최고점에 달했던 일련의 실험에서 입증되었다. 1891년, 방전관 전극이 기체 방전에 영향을 미치지 않도록 아예 제거되어, 매우 적은 양의 기체만 채워진 채로 실험이 진행되었다.[88]

—방전관 바깥을 둘러싼 유도 코일에 강한 라디오파 전원이 연결되었다. 코일에 흐르는 전류는 코일 면에 수직으로 자기장을 형성했고, 이어서 자기장은 방전관 속 기체를 지나가며 마치 2차코일 역할을 하는 유도 전류의 통로를 제공하여, 자기장은 방전 경로를 표시하듯이 매우 밝게 빛나는 동그란 고리를 만들었다.

두 전극을 아예 없앰으로써 방전에 미치는 복잡성을 배제했기 때문에, 기체 방전은 본질적으로 철저하게 전자기 과정이었다. 슈스터의 실험이 항상 음극 근처에 몰려있던 양전하 입자들에 몰두했던 것과 다르게, 톰슨의 실험은 기체 방전의 근본 원리에 더 가까이 다가갈 수 있었고, 전자기 이론을 적용하기에 한층 더 수월했다.

톰슨이 기체뿐만 아니라 금속과 액체에서 전기 통로, 전류와 자기 힘 생성, 전류와 자기장 유도, 그리고 전기장의 역할까지 여러 전기 과정을 조사하는 동안, 슈스터는 음극관에서 보이는 기체 방전의 복잡한 과정을 밝히는 작업에 노력을 집중했다. 분자 전하가 전해질에서 원자들이 운반하는 전하와 동일하다는 이론의 사실성 여부가 직접 시험되었다.
—물질을 이루는 원자들이 항상 일정 양의 전기를 운반하는 모습을 보여주는 실험이야말로 '기체 전류 이론'을 뒷받침하는 가장 중요한 증거이다.

슈스터는 기체에서 전기 방전이, 본질적으로 용액에서 전기분해와 같이, 전하를 띤 원자들의 움직임과 두 전극 사이에서 전하들의 이동을 통해 진행된다고 생각했다. 그는 그의 견해를 뒷받침하기 위해서, 헤르만 폰 헬름홀츠가 언급한 '기본 전하 가설'을 실험에 끌어들였다. [1881년 4월 5일, 〈왕립 연구소 화학회〉 주최 "패러데이 강연"이 [89]『패러데이 전기 개념의 현대적 발전』의 제목으로 열렸다. 강연자는 헤르만 폰 헬름홀츠였다].

1890년 3월 20일 〈왕립학회 베이커 강연〉에서 『기체에서 전기 방전』의 [90]논문이 발표되었다. 슈스터는 기체에서 방전 이론을 거의 완성했다고 믿었다.

—기체 방전은 현재 광범위한 관심을 불러일으키고 있으며, 그 신비한 모습을 정확하게 설명하지 않고서는, 그것을 받아들일 수 없다. 나는 지난 10년 동안 물리학 테두리 안에서 기체 방전 연구의 결과를 도출하기 위해 부단히 노력했다.

그는 음극이 양전하를 띤 기체 입자들의 전기 덩어리로 둘러싸이고, 암흑 공간의 경계까지 확장돼 있으며, 기체 방전에서 유전誘電 세기가 전극 크기와 모양과 간격, 방전관 크기와 모양, 기체 특성에 깊게 관련돼 있다고 지적했다.

'기체 전류 이론'의 사실성을 시험하기 위해서, 방전 기체에서 전달되는 전하가 측정되었다. 정확한 측정은 어려웠고 넓은 오차 범위 내에서, 음극을 출발한 음전하 입자들이 일정한 양의 전기를 포함하고 은은한 '불빛'을 유도한다고 가정되었다. 그리고 자기 힘을 받아 한쪽으로 휘어진 곡선 궤도에서 입자의 '전하질량 비(전하와 질량의 비율)'가 입자 속도를 자기장 세기와 곡률 반지름의 곱으로 나누어서 계산되었다. 자기장 세기와 곡률 반지름과 전극 사이 전압은 각각 200가우스와 1센티미터와 225볼트였다. [자기장 세기, 1테슬라(표준 단위)는 10,000가우스이다].

—기체 운동 이론에 기초해서 수소 원자, 수소 분자, 질소 원자, 질소 분자의 평균 속도가 각각 26, 18, 7, 5만 센티미터/초였고, 입자의 전하질량 비는 최소 0.1만 전자기 단위/그램으로 계산되었다.

만약 입자가 아무런 충돌 없이 양극에 도착한다고 가정되면, 입자의 전기 에너지가 운동 에너지와 같아서, 입자의 전하질량 비는 2배의 전압을, 자기장 세기와 곡률 반지름의 곱을 제곱한 양으로 나누어 산출되었다.

—입자의 전하질량 비는 최대 1.125백만 전자기 단위/그램으로 추정되었다. [시지에스 단위계에서 1전자기 단위/그램은 표준 단위계에서 1만 쿨롱/킬로그램이다].

음전하 입자의 속도 측정에는 한계가 있었다. 입자의 속도가 (1) 기체 운동 이론에 따라 평균적으로 계산되거나, (2) 음극에서 양극까지 기체와 충돌 없이 입자가 통과한다고 가정되어 추정이 가능했다. 음전하 입자의 전하질량 비는 최소 0.1만과 최대 1백만 전자기 단위/그램 사이에서 추정되었다.

전해질 실험에서 1만 전자기 단위/그램으로 측정된 수소 이온과 비교될 때, 기체 방전에서 음전하 입자의 전하질량 비는 수소 이온의 1/10과 100배 사이였다. 그중에서도, 중간 정도에 해당하는 5배가 선택되었다. 음전하 입자는 수소 이온과 같은 "원자의 수준"이었다.

…음극선에서 전하를 운반하는 입자는 원자 이온일 것이다.

슈스터는 기체 방전에서 일어난 현상들이 전해질에서 발생한 전기분해 과정과 대등하고, 이로써 자신의 이론도 입증되었다며 결론을 맺었다.

—일반 상태에서 기체는 자유 이온을 포함하지 않지만, 전기장에 놓인 분자들은 화학 또는 물리 작용에 반응하여 분해되고, 이어서 이온들이 형성돼서, 기체는 절연체에서 도체로 빠르게 전환된다.

—헬름홀츠 교수가 언급했던 "물질에서 원자 구성을 이루는 것처럼 전기에서도 일종의 원자[기초 전하] 구성을 이룬다는 가정에, 우리는 충분한 근거를 갖고 있다."의 견해는, 이미 확립된 사실로서 인정받고 있는 '빛의 전자기 이론'과 잘 조화될 것이다.

'베이커 강연'에서 발표된 슈스터의 기체 방전 이론은 다른 과학자들로부터 잘못된 해석을 불러 일으켰다.

"슈스터가 음극선의 실체를 거의 발견했다."

기체 방전에 관련된 그의 해석이 얼마나 잘못되었는지는 그 당시에 분명하게 드러나지 않았다. 91)그는 음극선과 나머지 방전 과정을 따로 구별하지 않았다. 음극선의 용어를 따로 사용하지 않았고, 방전에서 전하 운반자의 크기에도 큰 관심을 두지 않았다. 그는 음극 '불빛'을 유도한 입자들을 조사했다고 생각했지만, 그것은 음극선이 작용해서 생긴 여러 현상 중 단지 하나였다.

이럴 즈음, 톰슨과 캐번디시 실험물리학자들은 방전 과정에서 전기장과 자기장이 원자들에 발휘하는 상호작용을 전자기 이론으로 설명하는 연구에 시간을 쏟고 있었다. 그들에게 가장 중요한 일은 전류의 경로와 정확히 일치하는 지점에서 일어나는 물질 분해였다. 눈으로 쉽게 식별되는 암흑 공간, 은은한 '불빛', 양극 기둥에서 어둡고 밝은 층이 교대로 보이는 층계 형상과 같은 현상들은 그들에게 그저 주변 사안 정도였다. 슈스터가 음극 전극을 둘러싼 양전하의 환경을 고민하고 그것을 바탕으로 암흑 공간과 음극 '불빛'을 설명하는 원리를 세우는 동안, 톰슨은 기체 방전 실험을 진행하며 음극선의 실체를 조사하는 일에 초점을 맞추고 있었다.

그가 할 일은 방전관의 음극 근처 유리벽에서 번쩍거렸던 형광이, 1879년 크룩스의 설명처럼 음극에서 힘을 받아 92)"빛나는 물질"의 입자, 즉 전하를 띤 원자가 충돌하여 일어나는지, 또는 1883년 93)헤르츠의 해석처럼 일종의 자외선 파동이 흡수되어 생겨나는지를 측정하는 작업이었다. 그 당시에 음극선은 자기장에서 한쪽으로 휘어지는 반면에 자외선은 굴절 물질을 통과하지 않는 한 어떤 영향에도 한쪽으로 휘어지지 않는 것으로 알려져 있었다.

톰슨은 음극선이 이동하는 속도를 측정하려고 실험을 준비했다. 속도를 알면 음극선이 입자인지 또는 파동인지 밝힐 수 있을 것으로 내다보았다. 만약 음극선이 자외선과 같은 파동이라면 빛과 같이 빠르고, 전하를 띤 분자들의 흐름이라면 빛보다 훨씬 느릴 것으로 예상되었다.

방전관은 직선으로 10센티미터 떨어진 두 개의 가느다란 형광 띠를 제외하고 검정 칠로 덮여서 진공 펌프에 연결되었고, 음극과 양극이 그 안에 놓여 있었다. 음극으로부터, 가느다란 띠 하나는

15센티미터 떨어져 있어서, 다른 하나는 25센티미터 떨어져 있는 셈이었다. 띠들은 방전이 유리관을 통과할 때 바깥에서 형광을 통해 음극선의 경로가 보이도록 하는 게 목적이었다.

형광 띠로부터 나오는 빛은 방전관에서 75센티미터 떨어져, 회전하는 거울로부터 반사되어 구경이 10센티미터인 대물렌즈 망원경을 통해서 관측되었다. 두 형광 띠의 모습은, 만약 거울이 정지해 있다면 동일한 직선으로 보였겠지만, 그렇지 않다면 다른 직선에서 나타났다. 실험의 핵심은 거울이 빠르게 회전할 때 두 형광 띠의 모습이 동일한 직선을 유지하는지 확인하는 것이었다. 두 형광 띠가 동일한 직선에서 분리돼 만든 각도를 측정하면 음극선 속도의 예측이 가능했다.

거울이 초당 300회 회전할 때 두 형광 띠는 1.5밀리미터 분리돼 나타났다. 두 형광 띠가 분리돼 만든 각도는 1.5를 2와 750의 곱으로 나눈 값이고, 이 각도를 거울의 각속도로 나누면 음극선이 두 형광 띠를 지나가는 시간이 1천만 분의 5.3초여서, 결국 음극선의 속도는 약 1.9천만 센티미터/초로 계산되었다. [빛의 속도는 3백억 센티미터/초이다].

이 속도는 빛의 1만 분의 6.33배에 해당했고, 섭씨 0도 전해질에서 수소 분자의 100배였다. 독일 물리학자 에밀 바르부르크가 200볼트의 전압이 공급된 기체 방전에서 추정했던 수소 원자의 속도는 약 2천만 센티미터/초였다. 톰슨의 실험 결과는 신뢰할 수 없는 측정 오차 범위 내에서 바르부르크의 결과와 우연히도 일치했다.

정밀한 측정을 위해 자기장에서 음극선 관측은 더욱 더 중요해 보였다. 전하를 띤 원자라면, 음극선은 방전관 기체와 전극 성질에 따라 자기장에서 다르게 관측되어야 했다. 1894년에 발표된 『음극선 속도』의 94)논문에서, 톰슨은 자기장에서 음극선 관측의 중요성을 강조했다.

"나는 자기장에서 음극선이 한쪽으로 휘어져서 관측된 정량적인 실험 결과를 어디에서도 찾아볼 수 없었다. 만약 음극선이 수소 이온들이라면,...... 200가우스의 자석이 필요하다."

톰슨은 4년 전에 소개되었던 슈스터의 실험에 주목하지 않았었고, 자신의 논문에서도 언급하지 않았다.

슈스터는 불만을 표시했고, 톰슨은 95)사과謝過의 글을 〈철학잡지〉에 실었다.

- 철학 잡지 편집인에게. 여러분,

저는 제 논문 "원자와 원자 전하 사이의 관계"(1895년 12월 철학잡지 541쪽)에서 언급된, 음전하 원자가 양전하보다 같은 전기장에서 더 빠르게 움직인다는 견해를, 슈스터 교수가 이미 다양한 이유로 제시했었고, 5년 전에 열린 1890년 '베이커 강연'에서도 언급했었다는 사실을 늦게 알게 되었습니다.

저는 저명한 권위자께서 이와 같은 견해를 갖고 있다는 것을 알게 되어서 기쁘고, 그러한 강력한 단서를 제 부주의로 인해서 간과한 것에 대해 유감을 표합니다.......

캐번디시 연구소, 케임브리지, 조지프 존 톰슨 올림.

1월 20일, 1896년.

슈스터와 톰슨의 논쟁은 이것이 마지막이었다. 그리고 슈스터의 기체 방전 연구도 이와 함께 마감되었다.

3.3 미지의 광선 발견[96]

독일 물리학자 빌헬름 콘라트 뢴트겐(1845-1923)은 1895년 내내 뷔르츠부르크 대학교 물리학 실험실에서 여러 형태의 음극관을 시험하고 있었다. [97]그중에는 헤르츠, 히토르프, 크룩스, 테슬라, 레나르트의 음극관들이 포함돼 있었다. 음극관 바깥으로 방출되는 미지의 광선을 알아보기 위해서였다.

1880년대 [98]크룩스가 사용했던 음극관은 자신도 모르는 사이에 미지의 광선을 바깥으로 방출하는 원형 모습을 처음부터 갖추고 있었다. 음극을 오목하게 만들어서 음극선이 이리듐과 백금 합금의 양극으로 잘 모이도록 설계되었기 때문에 자동으로 미지의 광선을 방출하는 효율이 더할 나위 없이 극대화되었던 셈이다. 사실 음극선 실험 동안 장비 근처에 잘 보관해 둔 사진판이 이유 없이 뿌옇게 변했던 적도 있어서, 어떤 때는 파손된 물건으로 잘못 판단되어 사진판 제작자에게 되돌려준 적도 있었다.

1888년, 헝가리 출신 독일 물리학자 필리프 레나르트(1862-1947)는 음극관에서 방출되는 고주파의 자외선을 관찰하려고 시도한 적이 있었다. 결국에는 실패로 끝났지만 만약 크룩스가 유지했던 진공 수준으로 공기를 뽑아냈더라면, 더 높은 전압이 형성되어 미지의 광선이 방출되었을 것이고, 2.4밀리미터 두께의 거무스레한 석영 음극관 밖에서는, 근처에 놓인 수정들이 번쩍거리는 빛 물결들을 사방으로 퍼트려 놓았을는지도 모른다. 그는 대신 복사 에너지를 석영이 모두 흡수해 버려서, 밖으로는 방출 없이 약한 미지의 광선을 만드는 데 그치고 말았다.

1893년, [99]레나르트에게 두 번째 기회가 찾아왔다. 헤르츠의 조수로 일할 때였다. 이번에는 높은 전압이 필요했기 때문에 음극관의 공기도 거의 진공 수준으로 배출되었다. 알루미늄 창을 투과하여 방출된 높은 에너지의 음극선이 밖으로 나와서 공기를 지난 다음, 황화칼슘 화면畵面을 때리고 밝은 형광을 일으켰다. 뒤이어서 그는 케톤 결정의 화면을 준비했다. 더 강하게 빛을 내는 날카로운 형광이 관측되었고, 음극관으로부터 수 센티미터 떨어진 거리에서는 검게 변한 사진판이 발견되었다. 사실 그동안 음극선이 통과할 수 없게 검정색 판지로 감싸 놓은 사진판이 이유 없이 검게 변해 있기도 했고, 음극관에서 30센티미터 이상 멀리 떨어진 거리를 지나서도 여전히 방전 효과를 보이는 광선이 목격된 적이 수차례나 있었다.

레나르트는 이러한 효과가 그동안 확인되지 않은 미지의 광선에서 비롯됐다는 사실을 알아차리지 못했다. 다시 한번 의심을 품고 실험을 정밀하게 되풀이했더라면 그 이유를 충분히 밝혔겠지만 불행히도 그의 연구는 갑자기 멈춰서고 말았다. 1894년 첫 날, 그의 실험실 책임자였던 하인리히 루돌프 헤르츠가 희귀병인 육아종증 다발혈관염으로 37세의 젊은 나이에 세상을 떠났기 때문이었다.

헤르츠는 베를린 대학교에서 키르히호프와 헬름홀츠 교수의 지도를 받았고 박사학위를 마친 뒤에 본 대학교에서 교수가 되어서 물리학 연구소의 책임을 맡고 있었다. 헤르츠는 맥스웰이 전자기 이론에서 제시했던 전기장과 자기장이 결합된 전자기파의 존재, 그리고 빛이 전자기파의 한 형태이라는 것을 그의 고주파 실험에서 보였다. 그의 실험 이후에는 많은 과학자들이 헤르츠의 기술을 사용하기 시작했다. 전신과 같은 무선통신, 라디오 방송, 텔레비전 방송이 바로 헤르츠의 기술을 이용해서 개발되었다. 1909년, 독일 물리학자 카를 페르디난트 브라운(1850-1918)과 이탈리아 전기 공학자 굴리엘모 마르코니(1874-1937)는 무선 전신 개발의 공로로 노벨 물리학상을 받는다.

100)레나르트의 실험이 사실상 중단되었던 기간 동안, "상당히 멀리(30센티미터 이상) 떨어졌는데도 불구하고 여전히 그의 광선이 방전을 일으켰다."라는 발표와 함께 뢴트겐은 음극선 실험에 갑자기 주목하게 되었다. 헬름홀츠가 예측했던 고高진동수의 보이지 않는 광선을 레나르트가 우연히 검출했지만, 미처 그것을 알아차리지 못했다고 뢴트겐은 생각했는지도 모른다. 그는 매우 과묵했기 때문에 그 당시 그의 생각은 전혀 알려지지 않았다.

뢴트겐은 히토르프식 음극관을 몇 개 구입한 다음, 레나르트에게 그의 음극선 실험을 따라 하기 위해서 조언과 함께 좋은 음극관을 부탁한다는 편지를 썼다. 1895년 가을, 뢴트겐은 레나르트의 실험을 그대로 재현했다. 헬름홀츠가 예측했던 투과력이 강하고 고진동수의 보이지 않는 광선을 감지할 만반의 준비가 되어 있었다.

조지 스토크스가 마련해 준 백금 시안화바륨을 종이에 얇게 바른 화면도 형광 빛의 분출을 보기 위해서 이미 만들어 졌다.

1895년 11월 8일, 뢴트겐은 음극관을 검정색 판지로 완전히 둘러싸고, 실험실 창문도 모두 커튼을 쳐서 가려 놓았다. 음극선을 만들기 위해 전기 스위치를 눌렀고, 음극관에서 새는 빛이 아직도 있는지 조심스럽게 들여다보는 도중 실험실 탁자 끝에서 깜박거리는 희미한 빛이 그의 눈에 들어 왔다. 그것은 마치 긴 의자 위 물체에서 반사해 나오는 은빛의, 길을 잃고 헤매는 미광迷光과도 같았다.

그 빛이 음극선과 관련이 있는지 점검하기 위해 음극관 스위치를 껐더니 깜박거림이 사라졌다. 스위치를 켰더니 깜박거림은 다시 나타났다. 성냥불을 켜서 깜박거림의 정체를 들여다보았다. 종이에 백금 시안화바륨을 발라 둔 화면에서 나오는 깜박거림이었고, 어두운 음극관으로부터는 1미터 이상 떨어져 있었다. 그 깜박거림이 음극관으로부터 나오는 것인지 궁금했다. 확인하기 위해서 검정색 판지를 화면과 음극관 사이에 놓았다. 그리고 일천 쪽이 넘는 두꺼운 책, 다음에는 2.5센티미터보다 두꺼운 나무판을 놓아 보기도 했다. 여전히 깜박거림은 계속되었다.

어두운 방에서 검정색 판지로 완전히 감싼 음극관 정면에 화면을 가져다 놓았다. 깜박거림은 사라지고 초록빛 번쩍거림이 우글대며 방안을 뒤덮었다. 거꾸로 화면을 음극관에서 2미터가 넘게 떨어트려 놓았다. 가까스로 보일 정도로 희미하게 깜박거렸다. 같은 실험을 수없이 거듭했다. 항상 똑같은 결과였다. 날은 저물었고,

저녁 시간도 지나가고 있었다. 캄캄함이 실험을 도와주고 있었다. 늦은 시간이었지만, 이번에는 알루미늄, 구리, 납, 백금의 얇은 판을 그 사이에 삽입해 보았다. 화면에서 형광의 번쩍거림을 볼 수 없었던 것은 오직 납과 백금뿐이었다. 두 물질만 새로운 광선을 차단하는 것으로 나타났다.

뢴트겐은 과학 역사상 가장 별나고 운 좋게도 뜻밖에 일어난 사건을 관측하게 되었던 것이다. 알았다는 듯이, 그는 조그맣게 생긴 원판 모양의 납을 손으로 잡은 채 초록빛으로 번쩍거리는 화면 앞으로 가져갔다. 그가 보았던 것은 초록빛 번쩍거림 가운데 예상했던 어두운 원형 그림자와 자신의 것으로 보이는 손가락 뼈 모습이었다. 이것은 의심할 여지없이 자신의 죽은 후 모습이라는 생각을 불러일으킬 만큼 기괴해서 마치 환영을 보는 것만 같았다. 그는 재빨리 납을 든 손을 뒤로 빼냈고 이번에는 손바닥을 펴서 화면 앞에 집어넣으면서 슬며시 돌아보았다. 아니나 다를까 그의 손가락 뼈 골격의 전체 모습이 번쩍거리는 화면 속을 천천히 지나가고 있었다.

그는 자신을 도무지 믿을 수 없었다. 뷔르츠부르크에서 열린 강연회에서 그 당시를 이야기했다.

"그와 같은 광경을 목격했을 때 내가 속임수에 당했다고 믿었다."

이어서 객관적인 사실과 영구 기록을 위해 사진판을 남겨두었다고 전했다.

다음 몇 주 동안은 비밀 유지와, 검증에 이은 재검증으로 시간을 보냈다. 1895년 크리스마스 사흘 전, 12월 22일에는 그의 부인 안나 베르타 루드비히를 실험실로 불렀다. 그녀의 왼손을 음극관 반대편에 놓인 필름 카세트 위에 15분 동안 올려놓았다.
"내 죽음을 보았어!"
라고 베르타는 그녀의 섬뜩한 왼손 손가락뼈들 모습을 바라보면서[101]외쳤다.

그녀의 섬뜩한 "가느다랗고 어두운 왼손 손가락뼈들과 함께 약지에 낀 검은 결혼반지"의 영상이 뢴트겐을 일약 세계 유명인사로 떠오르게 할 줄은 아무도 몰랐다.

새로운 광선을 여태껏 알려지지 않은 미지의 광선이라는 뜻으로 뢴트겐이 이름을 붙인 "엑스선"에는 '제동制動 복사'와 '특성 엑스선'의 두 가지 형태가 있다. 두 엑스선의 차이는 제동 복사가 연속 스펙트럼으로 나타나는 반면에, 특성 엑스선은 특정 에너지에서만 생성된다는 데 있다. 뢴트겐 실험에서 형광을 보였던 것은 전자의 제동 복사였다. 제동 복사는 독일어로 "브렘스슈트랄룽"이라고 부르며 제동制動 또는 감속된 복사 에너지의 뜻을 갖는다. 한편 특성 엑스선은 음극관의 유리나 알루미늄 창에 음극선이 충돌하여 방출되었지만 그 에너지(2킬로전자볼트 미만)가 충분하지 않아서 바깥으로 빠져 나오지는 못했다.

뢴트겐이 발견했던 제동 복사는 약 30에서 50킬로전자볼트로 방출되었고, 방전관 유리를 통과하며 에너지를 잃게 되어 약 20-30킬로전자볼트의 양을 유지했다. 이 에너지에서 뼈와 조직의 흡수 비율이 최대였고, 따라서 베르타의 손 뼈 사진은 가장 알맞은

대비를 만들었다.102)

엑스선을 발견한 다음 뢴트겐은 아무도 만나지 않았다. 모든 것을 잊은 채로 일, 식사, 심지어는 잠까지도 실험실에서 해결하며 며칠을 보냈다. 크리스마스가 지난 다음, 학회도 끝났고 발표 논문은 이미 인쇄에 들어간 상태였지만, 그는 뷔르츠부르크 물리 의醫학회 회장을 맡고 있던 친구 칼 레만에게 1895년 12월 28일 〈뷔르츠부르크 물리 의학 학회 회보〉에 『새로운 종류의 광선』의 논문을 함께 실어 달라고 부탁했다. 모든 절차가 다 지나갔기 때문에, 결코 사실 같지 않은 '엑스선의 그림자 사진'을 포함하여 논문의 제출이 불가능해 보였지만, 일목요연하게 17개 주제별 항목으로 정리된 다음에 드디어 이루어졌다.103)

1. 커다란 유도 코일로 작동된 방전이 히토르프 진공관, 레나르트관, 크룩스 관, 또는 기타 유사한 장치에서 통과하도록 준비되었다. 진공관은 공기 배출이 충분하게 잘 만들어졌고, 얇은 검정색 판지로 완전히 둘러싸인 채 외부로부터 빛이 차단된 암실에 설치되었다. 방전 때마다 유도 코일 근처에 위치한, 백금 시안화바륨으로 발라진 화면에서 형광이 관측되었다....... 형광은 방전관으로부터 2미터 떨어져 있을 때도 깜박거렸다.

2. 두드러진 특징은 활성 매개물이 가시광선과 자외선에 불투명한 검정색 판지를 통과한다는 사실이다....... 구리, 은, 납, 금, 백금 뒤에서도 여전히 형광이 관찰되지만, 이것은 금속이 너무 두껍지 않은 경우에만 가능하다. 납은 두께가 1.5밀리미터일 때 엑스선을 거의 통과시키지 않는다.......

6. 엑스선이 만드는 형광은 백금 시안화바륨뿐만 아니라 칼슘 화합물, 우라늄 유리, 일반 유리, 방해석, 암염, 등에서도 나타난다.
7. 밀도가 높은 프리즘으로 굴절이 시험되었지만, 아직까지 확실한 결과는 나오지 않았다....... 규칙적인 반사도 일어나지 않는다.......
11. 엑스선과 음극선의 가장 눈에 띄는 차이는, 여러 번 시도됐음에도 불구하고 엑스선은 자기장에서 한쪽으로 휘어지는 결과를 일으키지 못했다는 사실이다.......
15. 나는 엑스선의 간섭 현상을 다양한 방법으로 조사했지만 아무런 성과도 얻지 못했다.......
17. "엑스선이 무엇인가?"의 질문에 대해서, 엑스선은 음극선과 전혀 다르게, 지속적으로 형광과 화학 작용을 일으킨다는 점에서 자외선일지도 모른다는 의견에 마음이 끌린다.......

다음 사흘은 독일, 영국, 프랑스와 오스트리아의 저명한 물리학자들에게 보낼 그림자[엑스선 투과] 사진과 논문 복사물들을 준비하느라고 눈코 뜰 새 없이 바쁘게 소요되었다. 1896년 새해 첫날 모든 복사물을 그는 혼자서 포장해서 우편으로 부쳤다. 새로운 발견을 놓치지 않으려는 불안감과 지나친 성급함을 스스로 인정하면서,

"악마는 곧 대가를 치르게 될 거야!"

라고 부인 베르타를 쳐다보면서 그는 자신을 두고 퉁명스럽게 말했다.

나흘 후인 1896년 1월 5일, 뢴트겐의 발견이 비엔나 신문 일요일 제1면에 실렸고, 곧 전 세계로 퍼져 나갔다. 1896년 1월 19

일, 〈뉴-욕 타임스〉는 유럽에서 일어난 최근 사건들을 요약하여, 긴 1면 기사의 끝부분에서, 프러시아로부터 온 소식을 경멸과 불신을 섞어서 보도했다.104)

-윌리엄 황제는 뢴트겐 교수를 뷔르츠부르크에서 포츠담으로 급히 불러내어 그(뢴트겐)가 주장하는 '보이지 않는 것을 사진으로 촬영하는 방법의 발견'을 왕실 가족들 앞에서 사진 설명을 포함하여 강의하게 했다....... 발견자인 빌헬름 콘라트 뢴트겐은 10년 전 이미 발명된 '사진기술'의 낡은 뉴스 제공자일 뿐이다. [1888년에 현대식 상업용 사진기가 코닥 사에서 제조된 것에 빗대서 뉴-욕 타임스는 소식을 전했다].

일주일 후, 〈뉴-욕 타임스〉는 1면에 유럽 뉴스의 또 다른 마무리 기사를 실었다.

-뢴트겐의 사진기술 발견은 점점 더 과학의 관심을 독점하고 있다. 이미 여러 국가로부터 어려운 수술에서 성공을 거두었다는 보도가 이어지고 있고, 더욱 놀라운 사실은 금속 산업의 여러 분야에서 혁명을 일으킬 수 있다는 증거들이다.

2월 4일, 〈뉴-욕 타임스〉는 프랑스 잡지 "르 일러스트레이션"으로부터 "미지의 광선"에 관한 일부 기사를 가져와서, 일반 사진과는 전혀 다른 기술로 얻어진 인간 손가락뼈 사진 그리고 "뢴트겐 광선"의 설명에 9면 전체를 할애했다.

그다음 날, 뉴-욕 타임스는 9면 머리기사에서 뢴트겐의 발견에 새로 이름이 붙여진 '엑스선'의 단어를 처음으로 사용했다. [그 해 12월에 뉴-욕 타임스의 줄표(-)가 그 명칭에서 떼어진다].

엑스선 소식이 전해지면서 여러 분야의 과학자들이 엑스선 연구에 뛰어들었다. 의사들은 엑스선을 사용하여 인체에서 총알을 찾았고, 부러진 뼈를 사진으로 관찰했다. 1896년 2월 3일, 미국 뉴햄프셔주 해노버에 있는 다트머스 대학교에서는 내과의사 길만 프로스트와 그의 동생인 물리학과 교수 에드윈 프로스트가 '콜리스 골절'로 임상 진단된, 지역 학생 에디 메카시의 손목을 살펴볼 목적으로 진단용 엑스선을 촬영했다.[105)]

뢴트겐의 다음 실험 일정은 백금 시안화바륨을 바른 화면을 직접 사진판 위에 놓아서 엑스선 효과를 살펴보는 것이었다. 만약에 또 한 차례 실험을 성공했더라면 백금 시안화바륨이 사진판에 검은 흔적을 남겨서 또 다른 '미지의 광선'을 보게 되었을는지도 모른다. 조지 스토크스 교수에게서 받았던 백금 시안화바륨과 함께 우라늄염이 뢴트겐 수중에 이미 있었기 때문이었다. 1896년 3월, 프랑스 물리학자 앙리 베크렐은 우라늄염에서 엑스선과 다른 '새 광선'을 발견한다.

3.4 음극선 측정

1896년 새해가 시작되면서 톰슨은 음극관 유리벽과 알루미늄 창을 뚫고 나온 엑스선의 소식을 들었다. 톰슨이 엑스선의 소식을 듣고 처음 떠올린 생각은 무엇이었을까?

그중 하나가 음극선의 실체를 밝혀내는 것이었다면, 다른 하나는 엑스선과 베크렐 광선의 고유하고 특별한 성질을 알아내는 것이었다.

엑스선이 기체에서 일으키는 효과는 톰슨의 원자 연구에 매우 중요해 보였다. 엑스선이 통과하면서, 기체는 절연체에서 도체로 바뀌기도 하여 톰슨이 가진 음극관은 기체의 전기 전도를 조사하기 위해서 안성맞춤이었다. 마침 실험실에는 뛰어난 학생들이 넘쳐나고 있었다. 1895년에 케임브리지 대학교가 다른 대학 졸업생에게 연구학생으로 입학하는 기회를 허용하여 별도로 석사학위를 수여하는 제도를 만든 결과였다. 뉴질랜드에서 어니스트 러더포드를 포함하여 아일랜드 더블린 트리니티 대학교에서 존 실리 타운샌드, 아일랜드 퀸스 대학교 골웨이에서 존 알렉산더 맥클리랜드가 첫 번째 연구학생으로 참여했고, 케임브리지 출신인 찰스 톰슨 리스 윌슨이 공기 응축에 관한 연구를 벌써부터 시작한 상태였다.

톰슨이 처음 취했던 행동은 연구학생인 맥클랜드를 불러서, 엑스선이 통과하는 동안 양초, 고체 황, 또는 파라핀유와 같은 유전체(또는 모든 물질이) 물질이 도체로 바뀌는지를 주의 깊게 살펴보라는 지시로 이어졌다. 조사는 간단하게 이루어졌고 뢴트겐 광선이 물질을 통과하면서, 마치 전해질에서 전류가 통과하듯이, 분자들의 분해가 동반된다는 결과로 나타났다. 그리고 뢴트겐이 '미지의 광선'을 발표하고 한 달이 지난 다음, 1896년 2월 7일, 『뢴트겐 광선이 만든 방전, 그리고 뢴트겐 광선이 통과한 유전체 물질에서 생긴 효과』의 짧은 [106]논문이 〈왕립학회 회보〉에 제출되었다.

엑스선이 조사되고 논의되는 과정에서 한 가지 당혹스러운 해석이 뒤따랐다. 엑스선은 거의 모든 물질을 투과하는 무척 강한 에너지를 가져서, 기체를 이온화하는 자외선처럼 전자기 파동의 일종이라는 설명이 가능했다. 하지만 '파동'과 같이 보이는데도 불구하고, 음극선과 마찬가지로 굴절, 간섭, 편광의 성질이 관측되지 않아서 '입자'라는 해석도 한편 가능해 보였다.

이미 수년 전에 107)헤르츠는 음극선이 진행 방향에 놓인 얇은 금박金箔을 지나 그 뒤에서 형광을 일으킬 정도로 강한 투과성을 보여서 자외선과 같은 '파동'의 입장에 서 있었다. 언뜻 보기에 이러한 주장은 음극선이 전하를 띤 '입자'들의 흐름이고, 그래서 이 '입자'들이 금박을 지나 인광 물질의 표면까지 빠르게 접근하여 형광을 일으킨다는 상반된 의견과 대립할 수밖에 없었다.

더 나아가서, 1895년에는 프랑스 에콜 노르말 쉬페리외르 박사과정 학생인 장 바티스트 페랭(1870-1942)이 음극선이 유리관 안에 설치된 양극에 음전하를 계속해서 공급한다는 108)실험 결과를 보여서 입자 쪽으로 손을 들어주기도 했었다. 페랭의 실험을 신뢰했던 톰슨은 헤르츠의 금박 실험을 다시 해석했다.

…음극선이 통과할 때 금박의 얇은 막 자체는 마치 음극과 같이 작용해서, 막의 더 멀리 있는 표면은 원래의 음극이 방출했던 것과 매우 닮은 제2차 광선을 방출한다.

오이겐 골트슈타인이 주장했듯이 음극선은 자기 힘에 한쪽으로 휘어지기는 했지만 전기 힘에는 변화를 보이지 않았고,109) 빛이 유리를 지나가듯이 얇은 금이나 알루미늄 은박지를 통과했지만 빛과 달리 전하를 운반했다.

톰슨의 고민은 점점 깊어만 갔다. 그를 더욱 어렵게 만든 일은 엑스선처럼 음극선이 전기장에서 전기 힘을 받아 한쪽으로 휘어지는 '편향' 효과가 아직까지 관측되지 못했다는 데 있었다. 엑스선은 한 편에서 빛의 성질을 지녔고, 다른 한 편에서는 음극선과 유사했다.

1896년 2월, 110)베크렐이 또 다른 '새 광선'을 발견했다는 소식은 혼란스럽던 음극선의 논쟁을 더욱 증폭시켰다. 1896년 9월 17일에서 23일까지 영국 과학협회 〈제66차 학술회의〉가 리버풀에서 개최되었다. 17일, 수학 및 물리과학 분야 회장을 맡은 조지프 존 톰슨은 연설했다.

-지난번 리버풀에서 열렸던 영국 과학협회 수학 및 물리과학 분야 학술회의 회장은 제임스 클럭 맥스웰이었습니다. 그 회의가 끝나고 25년이 지난 지금, 과학에서 이루어진 가장 중요한 발전 중 하나는 맥스웰에게서 전기 작용의 영감을 받아 그것을 확인하고, 전자기장에서 일어나는 과정들의 개념을 혁신적으로 바꾼 연구일 것입니다. 지난번 리버풀 학회에서, 맥스웰의 지지자는 거의 없었습니다. 그러나 오늘날 반대자는 그 당시 지지자보다 적습니다.......

-작년 말, 방전이 통과하는 매우 높은 진공의 음극관에서 뢴트겐 교수가 발견한 새로운 종류의 광선은 물리과학 역사상 유례없이 많은 관심을 불러일으켰습니다. 음극선, 유리벽에서 번쩍거리는 밝은 형광, 자석에 휘어지는 광선의 효과는 크룩스와 골트슈타인의 연구 덕분이고 오랫동안 알려져 왔지만, 음극관 밖에서 일어나는 놀라운 효과들이 최근에 발견되었습니다.

- 1893년, 레나르트는 음극관에 매우 얇은 알루미늄 창을 설치했고, 음극과 알루미늄 창을 잇는 직선에 위치한 인광 물질의 화면에서 섬광을 관측했으며, 같은 직선에 놓인 사진판이 감광되었고 전하를 띤 물체는 방전되어 있었습니다. 레나르트 광선은 알루미늄 또는 수정을 통과하여 사진판을 감광시키기도 했습니다.
- 레나르트 광선이 발견되고 나서, 뢴트겐은 일반 빛을 통과시키지 않는 알루미늄 또는 종이 판지를 지난 다음 사진판을 감광시키는 미지의 광선을 발견했습니다. 이 광선은 여러 물질을 통과하고 대신 굴절하지 않지만, 약간의 반사가 관측되고 자석에는 영향을 받지 않았습니다.
- 전류가 통과하는 진공관 안 또는 근처에서 일어난 광선들을 세 가지 부류로 나누어 보았습니다. (1) 자석의 힘에 진공관 안에서 휘어지는 음극선, (2) 자석의 힘에 진공관 밖에서 휘어지는 레나르트 광선, (3) 자석의 힘에 휘어지지 않는 엑스선.
- 음극선 특성에 관련해서 두 가지 견해가 있습니다. 그중 하나는 음극선이 음전하를 운반하고, 음극 근처의 강렬한 전기장을 지나면서 빠르게 움직이는 기체 입자들이라는 것입니다. 이러한 견해는 자기장에서 휘어지는 음극선을 간단하게 설명하고, 페랭의 최근 실험에서도 설득력 있는 결과를 확인할 수 있습니다.
- 두 가지 견해 중 다른 하나는, 음극선이 에테르 속 파동이라는 것입니다. 그러나 그 의견은 페랭의 실험 결과는 물론이고 자기장에서 휘어지는 음극선을 설명하기가 매우 어렵습니다........
- 이제 엑스선을 고찰해 보겠습니다. 우리는 이 광선이 에테르에서

가로지르며 진동하는 파동임을 보여주는 어떤 중요한 실험 결과도 아직까지 확인한 바가 없습니다. 그러나 빛은 없지만 엑스선은 갖는 특성에 대해서 깊이 살펴 볼 가치가 있습니다.......

- 만약 엑스선이 빛이라면, 엑스선은 가시광선과 완전히 다른 파장을 가질 것입니다.......

- 불과 지난 몇 달 동안 여러 형태의 빛들이 주목을 끌었습니다. 더욱이 베크렐이 보이지 않는 광선을 추가로 발견했습니다. 그 광선은 여러 면에서 엑스선과 비슷하지만, 많은 인광 물질과 특히 우라늄염에서 다량으로 방출되고 있습니다.

- 베크렐 광선은 편광 특성을 갖기 때문에 의심할 여지없이 빛입니다. 그리고 엑스선과 같이, 전하를 띤 물체와 마주치면, 음전하 또는 양전하에 상관없이 베크렐 광선은 전하를 떼어냅니다.......

영국 과학협회 수학 및 물리과학 분야 회장 연설에서 톰슨은 베크렐 광선을 엑스선과 자외선처럼 "의심할 여지없이" 빛이라고 언급했다. 그리고 엑스선이 비록 편광, 굴절, 간섭, 규칙적인 반사를 보이지 않지만, 베크렐 광선과 같이 사진판을 어둡게 만들고 물질을 투과한다는 이유를 들어서 빛의 한 유형이라고 설명했다. 이러한 견해는 엑스선을 파동으로 그리고 음극선을 입자로 보았던 영국 물리학자들을 한층 어려움에 빠트렸다. [베크렐 광선이 '파동'인지 또는 '입자'인지는 시간이 더 지나서 알려진다].

엑스선은 여러 면에서 빛을 닮아 있었지만, 어떤 면에서는 음극선과 공통점을 지녔었다. 둘 다 전기장에서 휘어지지 않았으며 편광, 굴절, 간섭, 규칙적인 반사를 보이지 않았다. 톰슨을 비롯한 영국 물리학자들은 음극선이 파동과 달라 보이기 때문에[자기장에서 휘어지는 전하들] 파동이 아니고, 엑스선은 파동과 달라 보이지만[편광, 굴절, 간섭, 반사에 대한 빛의 성질을 아직 관측하지 못했기 때문에] 파동이라는 불편한 입장을 고수하게 되었다. [16년 후에 독일 물리학자 막스 폰 라우에는 결정에서 엑스선의 에돌이(또는 회절) 현상을 보여서, 엑스선이 빛과 같이 전자기파의 한 종류라는 사실을 밝힌다. '에돌다'는 "곧바로 선뜻 나아가지 아니하고 멀리 피하여 돌다"를 뜻한다].

독일 물리학자들은 얇은 금속 은박지를 통과한 음극선이 엑스선과 같이 물질을 투과한다는 점에서 '파동성'에 관심을 가졌고, 영국 물리학자들은 음극선이 엑스선과 달리 자기 힘을 받아 한쪽으로 휘어진다는 점에서 '입자성'에 주목했다. 음전하 입자로 이루어진 음극선은 자기장에서 한쪽으로 휘어져 지나가지만, 빛의 일종인 엑스선은 그렇지 않다는 것이 영국 물리학자들의 입장이었다. …영국 과학자들의 생각대로라면, 음전하 입자로 이루어진 음극선은 자기 힘뿐만 아니라 전기 힘을 받아 한쪽으로 휘어진 궤도를 따라서 나아가야 했다.

자기 힘에 휘어진 궤도는 이미 보았지만, 전기 힘에 휘어진 궤도는 아직 관찰된 적이 없었다.

사실 도체 내부에서는 전기장이 존재하지 않는다. 외부에서 작용하는 전기 힘은 도체 내부에 전달되지 않으며 전혀 영향을 미치지 않는 '차단 효과'를 맞이한다. 은은한 '불빛'으로 방전된 기체

속을 가로지르는 음극선은 마치 도체 공간을 지나가는 것처럼, 외부에서 작용하는 전기 힘으로부터 '차단 효과'에 마주쳐서 아무런 영향을 받지 않는다.
…방전 기체는 '절연성이 파괴'된 도체 상태에 머무른다.

1836년에 마이클 패러데이는 전자기장을 차단하기 위해서 '패러데이 그물'을 발명했다. 패러데이 그물은 도체를 그물 모양으로 만들어서 번개나 방전으로 생기는 전류로부터 사람과 장비를 보호하는 목적에 쓰인다. 바로 도체 내부에 전기장이 존재하지 않는다는 사실에 바탕을 둔 원리이다. 그물이 어느 정도 두껍고 그물 구멍의 크기가 전자기파 파장보다 충분히 작다면, 전자기파로부터 보호를 받을 수 있다. 디지털 기억 장치에 보관된 정보를 조사하는 컴퓨터 범죄과학(포렌식) 검사는 패러데이 그물로 알려진, 외부로부터 전자기파 방해를 차단하는 격리 장소에서 진행된다. 그 외에도 고주파 방해로부터 보호하기 위한 병원 자기공명 영상장치의 데이터처리 시설, 마이크로파 오븐 창에 설치된 그물 모양의 차단장치가 바로 도체 내부에 전기장이 존재하지 않는다는 물리학 원리에 바탕을 둔 응용 기술이다. 패러데이 그물은 낮은 주파수의 자기장에 작동하지 않아서 번개 치는 날 그 안에서는 여전히 나침반이 길을 찾을 수 있다.

3.5 톰슨 실험

"음극선은 음전기를 띤 입자이다."라는 주장은, 음전하 입자가 움직이는 방식처럼, 음극선도 전기장과 자기장에서 힘을 받아 한쪽으로 휘어진다는 관점에서 출발했다. 자석이 근처에 놓일 때, 자기장과 입자의 움직임에 수직인 방향으로 자기 힘이 작용한다. 만약 음전하 입자가 동쪽에서 서쪽으로 움직이고, 자기장이 북쪽에서 남쪽을 가리킨다면, 자기 힘은 위에서 아래로 향한다. [오른손 법칙에 따르면, 오른손의 엄지는 자기 힘, 검지는 전하, 중지는 자기장 방향이고, 음전하의 경우에는 엄지를 뒤집는다].

음극관에서 전하가 전극 사이를 통과할 때, 음전하는 양극 쪽으로, 양전하는 음극 쪽으로 전기장에 비례하는 전기 힘이 작용한다. 더욱이 '매우 적은 양'만 남을 때까지 기체가 배출되고 그 대신 전압을 더 높여 방전을 유지해서 도체 상태에 그대로 머무른다면, 전극 사이에서 전기 힘이 되살아나고 음극선은 전기장에서 한 쪽으로 휘어진 편향 효과를 맞게 된다.

십년 전에 헤르츠는 얇은 금박을 투과하고 유리벽에서 섬광을 일으킨 음극선을 '에테르의 진동이거나 파동의 한 종류'라고 판단했지만, 음극선이 음전하 입자로 이루어진다고 예측한 톰슨은 질문을 던졌다.

"이 입자는 도대체 무엇인가? 원자인가, 분자인가, 아니면 아직 알려지지 않은 미지의 입자인가?"

이 질문에 그는 스스로 대답했다.

"단단한 금속판을 투과하기에는 기체 원자 또는 분자는 그 크기가 너무 크다."

그는 음극선을 이루는 입자를 좀 더 자세히 조사할 필요가 있다고 생각했다.

"입자의 전하와 질량의 비율, 그리고 속도를 측정하면 실마리를 풀어나갈 수 있다."

톰슨의 실험은 음극선이 전기장과 자기장에서 한쪽으로 휘어진 편향 효과를 관측해서 '입자성'을 증명하고, 궤도를 따라 도착한 위치를 측정해서 그 실체를 밝히는 일에 초점을 맞췄다.

1897년 10월, 『음극선』의 [111]논문이 〈철학 잡지〉에서 발표되었다. [음극선 측정이 처음 보고된 회의는 1897년 4월 30일 금요일에 「왕립 연구소 주週간 저녁 위원회」에서였고, 회의는 토목 및 기계 공학자 프레더릭 브램웰경卿(1818-1903)이 주재했다]. 음극관 속 위와 아래에 알루미늄으로 만든 직사각형 모양의 두 평행 전극이 놓였고, 음극관 바깥에 두 개의 코일이 전극 중앙에 정확히 맞춰서 놓였다. 평행 전극은 길이가 5센티미터, 폭이 2센티미터, 간격이 1.5센티미터였고, 두 코일의 지름과 간격은 전극 길이와 코일 반지름과 같았다. 두 평행 전극이 차지하는 공간을 두 코일이 거의 포함했으며, 두 평행 전극은 전기장을 두 코일은 자기장을 각각 유도했다.

음극으로부터 출발한 광선은 접지에 연결된 양극의 좁게 뚫린 첫 번째 실틈을 통과하고, 다시 두 번째 양극 실틈을 통과하여 두 개의 평행 전극 사이를 지난 다음, 음극관 유리벽에 부딪쳐 좁고 뚜렷한 형광 점을 만들었다. 유리벽 뒤에는 인광 물질이 칠해 졌고, 형광 점의 위치를 표시하는 눈금들이 부착되어서 광선이 도착한 위치가 정확히 측정되었다.

첫 번째 실험은, 두 개의 평행 전극을 제거하고 대신 속이 빈 두 개의 동축 원기둥을 음극관 끝에 고정시킨 상태에서 시작되었다. 두 원기둥에는 작은 실틈(작은 구멍)들이 뚫려 있어서, 음극선이 안쪽 원기둥 내부를 지나가게 설계되었다. 바깥쪽 원기둥은 접지에, 안쪽 원기둥은 전위계에 연결돼 '음극선 전하'가 측정되었고, 철과 구리의 매우 가는 선들을 다발로 묶은 열전기온도계는 안쪽 원기둥 실틈 뒤에서 '음극선 에너지'를 측정했다.

음극으로부터 광선이 자기장에 수직인 방향으로 통과할 때 한 쪽으로 휘어지게 만드는 자기 힘이 원심력과 균형을 맞춰서, '자기장 세기와 곡률 반지름을 곱한 양'은 광선을 이루는 입자의 속도를 '전하질량 비(전하와 질량의 비율)'로 나눈 양과 같았다. 그러므로 음극선의 '운동 에너지와 전하의 비율'은 입자의 '운동에너지와 전하의 비율'과 같아서,

입자의 전하질량 비는 음극선의 '운동 에너지와 전하의 비율'의 2배를 '자기장 세기와 곡률 반지름을 곱한 양'의 제곱으로 나눈 값이었고,

입자의 속도는 '자기장 세기와 곡률 반지름을 곱한 양'에 입자의 전하질량 비를 곱한 값이었다.

…입자의 속도와 전하질량 비는 자기장 세기, 곡률 반지름, 음극선의 운동에너지와 전하를 측정하여 계산되었다.

톰슨은 공기, 수소, 이산화탄소가 매우 적게 남은 세 가지 종류의 음극관을 사용해서, 전기장과 자기장 세기, 곡률 반지름, 음극선의 운동 에너지와 전하를 측정했고, 음극선을 이루는 입자의 속

도와 전하질량 비를 마침내 찾아냈다.
—첫 번째 음극관에서, 입자의 전하질량 비는 평균적으로 공기에서 2.5천만, 수소에서 2.4천만, 이산화탄소에서 2.5천만이었다. [단위는 전자기 단위/그램이었다].
—첫 번째 음극관에서, 입자의 속도는 평균적으로 공기에서 77억, 수소에서 76억, 이산화탄소에서 97억이고 '빛의 0.32배'였다. [단위는 센티미터/초였다].
—두 번째 음극관에서, 입자의 전하질량 비는 평균적으로 공기에서 1.9천만, 수소에서 2.0천만, 이산화탄소에서 1.9천만이었다. [단위는 전자기 단위/그램이었다].
—두 번째 음극관에서, 입자의 속도는 평균적으로 공기에서 34억, 수소에서 37억, 이산화탄소에서 25억이고 '빛의 0.08'배였다. [단위는 센티미터/초였다].

두 번째 실험은, 두 개의 평행 전극을 삽입하고 대신 속이 빈 두 개의 동축 원기둥을 제거하여 준비되었다. 곡률 반지름의 측정 오차가 20퍼센트 정도의 크기여서 음극선 속도의 추정에 어려움을 더하기 때문이었다. 음극선의 속도를 좀 더 정밀하게 측정하기 위해서는 실험 방법의 개선이 필요했다. 자기장이 음극선에 수직으로 작용하여 전기 힘과 크기는 같고 반대 방향으로 자기 힘이 맞춰지는 방법이 사용되었다. 두 힘이 정확히 균형을 이루면서 음극선이 더 이상 한쪽으로 휘어지지 않고 곧게 직선으로 나아갈 때 전기장과 자기장 세기가 측정되었다.
…음극선의 속도는, 전기 힘과 자기 힘이 정확하게 균형을 이룰

때, 전기장과 자기장 세기의 비율(전기장/자기장)로 결정되었다.

공기가 거의 배출된 음극관에서, 전기장과 자기장의 세기는 150억 스탯볼트/센티미터와 5.5가우스였고, 전기장과 자기장에서 휘어진 궤도의 편향각(궤도의 수직거리를 수평거리로 나눈 양)은 각각 0.0755와 0.0727 라디안으로 관측되었다.

음극선이 전기장과 자기장에서 한쪽으로 휘어진 편향 효과가 처음 관측되었고, 음극선의 '입자성'이 증명되었다.

음극선의 속도는 진공에 매우 가까운 상태에서 112)빛의 3 분의 1 빠르기였고, 공기를 덜 뽑아낸 상태에서는 빛의 10 분의 1에 가까웠다. 빛에는 못 미치지만, 음극선이 분자나 원자와 같은 입자보다 훨씬 빠르게 움직인다는 사실을 톰슨은 강조했다.

"여태까지 이보다 더 빠른 물체는 결코 본 적이 없었다. 이 물체는 보통 온도에서 움직이는 수소 분자의 평균 속도보다 수천 배 이상 빨랐다."

음극선 속도를 구한 다음 자석을 제거하면, 수평으로 향하던 음극선은 전기장을 통과하며 수직 방향으로 전기 힘을 받아서 한쪽으로 휘어지고, 처음 경로로부터 수직거리만큼 치우쳐서 형광 점에 도착했다. 형광 점 유리벽 뒤에는 음극선의 도착 위치를 정확히 측정하는 좌표가 표시되어 있었다.

한쪽으로 휘어진 궤도의 편향각이 관측되었고, 음극선에서 전기를 운반하는 입자의 전하질량 비가 계산되었다.

…음극선에서 전기를 운반하는 입자의 전하질량 비는 2배의 편향

각과 속도 제곱을 곱하고, 전기장 세기와 수평 거리의 곱으로 나눈 값이었다.

두 평행 전극 사이를 지나며 음극선이 한쪽으로 휘어져서 생긴 편향각은 전기장 세기에 비례했고, 수평 거리는 5센티미터였으며, 코일에 흐르는 전류가 조절되어 전기 힘과 자기 힘은 정확히 균형을 맞추었다. 실험은 공기, 수소, 이산화탄소가 거의 배출된 음극관에서 알루미늄과 백금의 두 전극을 교대로 사용하여 진행되었다.

—공기에서, 편향각과 자기장과 전기장은 평균적으로 0.079라디안과 5.22가우스와 146억 스탯볼트/센티미터였고, 입자의 속도와 전하질량 비는 28억 센티미터/초와 1.5천만 전자기 단위/그램이었다.

—수소에서, 편향각과 자기장과 전기장은 평균적으로 0.082라디안과 6.3가우스와 150억 스탯볼트/센티미터였고, 입자의 속도와 전하질량 비는 25억 센티미터/초와 1.4천만 전자기 단위/그램이었다.

—이산화탄소에서, 편향각과 자기장과 전기장은 평균적으로 0.1라디안과 6.9가우스와 150억 스탯볼트/센티미터였고, 속도와 전하질량 비는 22억 센티미터/초와 1.3천만 전자기 단위/그램이었다.

음극선 입자의 전하질량 비는 기체 종류에 상관없이 항상 같았고, 그 평균치(약 1.4천만)는 전기분해에서 측정된 수소 이온(약 1만)과 비교해서 1천배 이상 큰 수였다.

톰슨은 논문에서 결론을 맺었다.

—음극선에서 전기를 운반하는 입자들은 방전 기체나 전극에 상관

없이 모두 동일하다.
—음극선을 이루는 입자들의 평균 자유 거리(원자들과 충돌 거리)는 오직 음극선이 통과하는 매질 밀도에만 영향을 받는다.
—만약 음극 근처의 매우 강력한 전기장에서 기체 분자들이 일반 화학 원자들이 아닌, 간결하게 "미립자"라고 부르는 기본 입자들로 분해되어 나누어지며, 그 미립자들이 전기를 띠고 음극으로부터 발사되어 전기장을 타고 날아간다면, 그들은 음극선과 하나도 다르지 않고 똑같은 특성을 보이면서 움직일 것이다.

톰슨은 음극선을 이루는 입자를 "미립자"라고 불렀다. 230년 전 로버트 보일이 원자에 붙였던 바로 그 이름이었다. 미립자는 여러 다른 환경에서 전하질량 비가 측정되었지만 음극선이 준비된 조건에 따라서 달라지지 않았다. 음극관 모양과 기체 압력에 따라서 미립자의 속도는 달라졌지만, 전하질량 비는 항상 일정했다. 그들을 풀어서 내놓는 음극관 기체와 전극에도 미립자는 무관했다.
…미립자의 전하질량 비는 본래부터 정해진 고유한 양으로서, 원자와는 아무런 상관이 없었다.

미립자는 모든 원자에 한결같이 포함돼 있어서 크룩스의 '음전하 분자' 또는 '음전하 원자'가 아닌 것이 확실해 졌다. 더욱이 골트슈타인의 '파동'은 아니었다.
…미립자의 전하질량 비가 크다는 사실은 (1) 전하의 양이 크든지, (2) 질량이 적든지, 또는 (3) 그 둘을 다 포함한 조합 때문인지 일 것이다.

이미 전기분해 실험에서 미립자는 수소이온과 거의 비슷한 전하량을 보였기 때문에 (1)과 (3)의 가능성은 쉽게 배제되었고, (2)의 경우만 적합하게 나타났다.

미립자는 수소이온과 거의 비슷한 전하량을 갖고, 수소 원자보다 1천배 이상 가벼웠다.

그 당시 수소 원자보다 1천배 이상 가벼운 물체를 따로 발견한 적은 없었다.

톰슨의 미립자는 세상을 깜짝 놀라게 만들었다. 100년 전 돌턴이 발견했던 물질의 최소 단위로서 원자는 이제 "더 이상 쪼개지지 않는 기본 입자"의 한계에서 벗어나게 되었다. 원자 안에 들어있던 미립자는 방전을 통해서 바깥에 나왔고, 음극에서 시작한 전류를 타고 음극선의 이름으로 그 존재를 내보였다.

톰슨 실험에서 실체를 드러낸 미립자는 분자도 아니었고, 원자도 아니었다. 수소 원자보다 1천배 이상 가벼워서, 빛에는 미치지 못했지만 세상에 있는 어떤 물체보다도 빠르게 움직였다. 물체를 구성하는 기본 물질로 여겼던 '원시 알갱이'의 원자에 비해서 음극선을 구성하는 미립자는 훨씬 더 작았다.

톰슨이 미립자를 발견하기에 앞서서, 1838년에 영국 자연철학자 리처드 레밍(1798-1879)은 원자의 화학 성질을 설명하는 과정에서, 핵核을 포함해서 기본 단위의 전하와 작은 입자들이 원자 안을 채우고 있다는 가설을 내세웠고, 1891년에 아일랜드 물리학자 조지 존스튼 스토니(1826-1911)는 이 기본 단위의 전하에 처음으로 "전자"의 낱말을 사용했다.
…전자는 영어 낱말 표기에서 전기의 처음 여섯 개의 문자와 이온의 나중 두 개의 문자를 따서 만들어졌다.

전자는 그리스 낱말로 소나무 송진의 화석인 "호박琥珀"으로부터 왔고, 1600년 영국의 내과의사이고 자연 철학자 윌리엄 길버트(1544-1603)가 호박에서 본 것과 유사한 정전기 성질의 물질을 언급한 데서 시작했다.

톰슨은 그가 은퇴하기 전까지 "전자"라는 낱말을 사용하지 않았다. 음극선에서 미립자 발견에 이바지한 공헌으로 노벨 물리학상을 받았을 때도 전자 대신 미립자의 용어를 끝내 고집했고, 이러한 톰슨의 입장 때문에 노벨상 수여를 맡았던 발표 위원도 "음극선 입자"라는 어휘를 대신 사용했다.

영국 수학자 에드먼드 테일러 휘태커(1873-1956)는, 톰슨이 "전자"의 사용을 거부했던 이유를, 전기역학의 현상이 움직이는 전하들의 작용에 기인한다는 '전자 이론'에서 찾았다. 그 당시의 '전자電子 이론'은 맥스웰이 확립해 놓은 거시적인 전자電磁기학 이론을, 주로 헨드릭 로런츠와 조지프 라모어가 미시적인 전하 물질에 적용하려고 시도했던 데서 유래한다. 톰슨은 전하를 하나의 독립된 실체로 여기지 않았고, 대신 공간을 채우는 가상의 매체인 에테르에서 물질에 변형력이 생겨 나타나는 경계 효과라고 생각했다. 그는 수년이 더 지난 다음에야 우리가 미립자에 대해 "전자"라고 부르는 것을 허용했다.

3.6 자두 푸딩 모형

1898년, 레나르트는 그의 이름이 붙은 음극관(레나르트 관)의 알루미늄 창을 통해서 바깥으로 끄집어낸 음극선의 ‘전하질량 비’를 [113]측정했다. 결과는 톰슨의 수치와 같았다. 12년 전인 1886년, 오이겐 골트슈타인은 양극으로부터 반대편 공간을 지나서 조그만 구멍이 뚫린 음극을 통과하는 희미한 광선을 [114]보고한 적이 있었다. 음극선과 대등해 보이지만 양극에서 음극으로 거꾸로 진행해서, 반대 전기 성질을 갖는 광선의 의미에서 "양극선"은 그 이름이 붙여졌다.

독일 물리학자 빌헬름 빈(1864-1928)은 골트슈타인의 실험에 착안해서 양극선의 전하질량 비를 [115]측정했다. 양극선의 전하질량 비는 음극선보다 천 배 이상 적었다.
…양극선 입자는 전자보다 천배 이상 무거웠다.

전하질량 비는 1897에 조지프 존 톰슨이 음극선에서 1.40천만 전자기 단위/그램을, 1902년에 독일 물리학자 발터 카우프만(1871-1947)이 라듐에서 [116]1.77천만 전자기 단위/그램을 확인했다.

전자 전하에 대해서는, 1903년에 조지프 존 톰슨이 100억 분의 3.4정전기 단위를, 그리고 1913년에 미국 물리학자 로버트 밀리컨(1868-1953)이 [117]100억 분의 4.774정전기 단위를 각각 측정했다. 현재 보고된, 전하질량 비는 1.7588천만 전자기 단위/그램(1758.8억 쿨롬/킬로그램), 전자 전하는 100억 분의 4.8032정전기 단위이다. [1정전기 단위는 300억 분의 1전자기 단위 또는

30억 분의 1쿨롬이다].

다른 물리학자들이 음극선과 양극선의 전하질량 비를 측정하는 동안, 톰슨은 음극선과 양극선에서 눈을 돌려 전자들이 출발하는 원자 안으로 향하고 있었다.

전자 발견을 발표했을 당시, 톰슨은 원자 구성에 대하여 118)논문에서 적었다.

—만약 화학 원자가 여러 '원시 원자'의 집합이라면, 힘의 법칙에 따라 상호작용하는 동일 입자들이 안정된 평형 상태를 유지하기 위해서, '원자 구성'의 방법을 찾아가는 문제는 원소 특성과 원자량의 관계와 관련하여 매우 흥미롭다. 특히 입자들은 일정 범위 이내에서 밀어내기도 하지만, 일정 범위 이상에서 끌어당기거나, 또는 모두 한꺼번에 중심력에 묶여 서로 작용하기도 한다.

—불행히도, 그러한 입자들의 집합에서 안정성 여부를 결정하는 수학 방정식은 입자 수에 따라서 매우 빠르게 증가하여 조사가 거의 불가능하다. 그렇지만 원자모형을 사용함으로써, 원자 구성을 다스리는 일반 법칙 속으로 깊이 파고들며 통찰력은 힘을 얻는다.

1904년, 톰슨은 원자 내부 모습을 설명하는 이른바 '자두 푸딩 모형'을 마침내 제안했다. 자두 푸딩은 후식으로 많이 사용되던 음식이었고, 영국의 전前 빅토리아 시대에는 자두의 단어를 건포도에 사용했다. 예를 들면, 구모양의 빨강 푸딩 안에 검정 건포도들이 듬성듬성 박혀있는 모습을 '자두 푸딩 모형'이라고 불렀다. 검정 전자들이 듬성듬성 박혀있고 나머지는 모두 빨강 양전하 물질로 이루어진 구형태의 원자 모습이었다. 수박 안쪽 빨강 살에 검정 씨들이 듬성듬성 박혀있는 모습과도 비슷했다.

원자는 중립의 전기 성질을 갖고 있어서, 그 안에서 검정 건포도와 같이 박혀있는 전자들의 총總전하는 빨강 푸딩처럼 남아있는 양전하와 같았다. 원자 안에서 음전하의 전자는 발견되었지만, 양전하의 물질은 아직 밝혀지지 않았다. '자두 푸딩 모형'에 따르면 양전하는 원자를 구성하는 매질로서 그 안에 있는 전자를 제외하고 나머지 공간을 채우고 있었다.

자두 푸딩 모형은 단순한 가정이 아니라 원자 구조를 밝혀서 자신의 평생 연구를 집대성하려는 톰슨의 야심찬 시도였다.

1906년 12월 10일, 스웨덴 왕립 과학원은 『기체에서 전기 전도 이론 및 실험 연구의 공로』를 인정해서 조지프 존 톰슨에게 노벨 물리학상을 수여했다. 그다음 날 열린 〈노벨 강연〉에서 『음전기 운반자』를 주제로 톰슨은 청중에게 말했다.

- 제가 미립자라고 부르는 물체는 음전기를 운반하고, 여태까지 알려진 어떤 화학 원소의 원자보다 훨씬 가벼우며, 그 음전기를 처음 내놓는 물체가 무엇이든 무관하게 항상 동일한 성질을 갖고 있습니다. 다소 인위적이고 정교하게 만든 음극선에서만 미립자를 찾아낸 것은 아닙니다. 일단 발견하고 보니, 그들은 특별하지도 않고 어디에서나 볼 수 있는 존재로 밝혀졌습니다.

심지어 그들은 붉은 열로 달구어진 금속에서 방출되기도 했습니다. 루비듐, 그리고 소듐과 포타슘 합금의 물질에서는 차가운 온도에서 미립자가 방출되었습니다. 적은 양이라면 기술적인 문제로 검출이

어렵겠지만, 모든 물질에서 미립자가 방출된다는 사실은 충분히 가능해 보였습니다. 특히 알칼리 금속이 빛에 노출되었을 때 미립자 검출이 쉬웠고, 우라늄이나 라듐과 같은 방사성 물질에서는 많은 양의 미립자가 빠른 속도로 끊임없이 쏟아져 나오는 것이 목격되었습니다.
지구는 물론이고 우주에까지 매우 폭넓게 분포돼 있지만, 미립자는 발견 장소에 상관없이 그 고유성을 자연에서 그대로 보존하려는 듯이, 전하질량 비가 어떤 일정한 값에서 항상 동일하게 유지됩니다.
미립자는 매우 다양한 환경 속에서 모든 물질의 일부를 이루고 있습니다. 그러므로 원자를 구성하는 여러 기본 성분 중 하나라는 것은 당연해 보입니다.

톰슨은 "음극선을 이루는 전자가 얇은 금속 은박지에 입사하고, 반대 면에 있는 다른 전자를 밀어내어 마치 전자가 투과하는 것처럼 보였다."라고 헤르츠가 음극선의 '입자성'을 증명하지 못했던 이유를 설명했다. 헤르츠는 음극선이 얇은 금박을 투과한다고 판단하여 자외선과 같은 파동이라고 결론을 내렸지만, 톰슨은 음극선이 오히려 전기를 운반한다고 예측하여 전하들의 입자라고 증명했다.

조지프 존 톰슨이 원자에서 발견한 전자의 '입자성'은 30년이 더 지나서 그의 아들 조지 패짓 톰슨(1892-1975)으로부터 도전을 받는다. 파동에서 운동량과 에너지가 파장 또는 진동수로 표시되는 것처럼, 전자에서 '파동성'이 관측된다.

04 원자 안을 보다

"나는 기계(원자)를 깨트렸고, 물질의 유령을 건드렸다."
- 어니스트 러더포드 (영국 물리학자, 1917년).[119]

1895년 12월 28일, 잘 어울려 보이지 않는 연예 오락과 과학의 두 사건이 인류를 새로운 영상 세계로 이끌었다. 파리에서 오귀스트 뤼미에르와 루이 뤼미에르 형제가 세계 최초로 상업용 '영화'를 극장에서 상영했고, 독일에서 빌헬름 뢴트겐이 『새로운 종류의 광선』의 [120]논문에서 '엑스선'이라고 불리는, 새로운 방사선의 발견을 세상에 알렸다.

1896년 1월 20일 〈프랑스 과학 아카데미〉 회의에서 엑스선이 처음 논의되었다. 바로 그날, 파리에서 처음 촬영된 엑스선 사진도 회의 참석자들에게 공개되었다. 뢴트겐이 직접 보내준 출판 전 논문 인쇄물을 미리 읽어 보았던, 프랑스 수학자 앙리 푸앵카레(1854-1912)는 엑스선 발견에 대한 자신의 견해를 과학 아카데미 청중들에게 소개했다.

"유리가 뢴트겐 광선을 밖으로 풀어내고, 그 다음에는 번쩍거리는 형광이 퍼져 나온다. 우리는 매우 강한 형광을 퍼트리는 모든 물체들이 뢴트겐의 엑스선을 밖으로 방출하는지 여부를, 형광을 일으키는 원인에 관계없이 가려내야 한다......."[121]

그 자리에서 앙리 베크렐(1852-1908)은 엑스선의 방출이 어디에서 이루어졌는지 그의 동료에게 물었고, 음극선에 부딪힌 유리벽

발광 지점에서 시작되었다는 대답을 들었다. [122)사실, 뢴트겐은 1895년 12월 28일에 발표한 논문에서, 엑스선이 크룩스관管의 음극 반대편 유리벽뿐만 아니라 레나르트관管의 음극 뒤 2밀리미터 두께의 알루미늄 창문에 음극선이 충돌하면서 새롭게 나타났다, 라고 기록했다].

베크렐은 즉시 엑스선이 형광 또는 인광을 일으키는 진동 운동의 징후인지, 그리고 음극선이 아닌 빛에 노출될 때 유리 외에 다른 물체들도 엑스선과 유사한 광선들을 밖으로 풀어내는지에 주목했다. 인광 빛을 강하게 내보이는 '우라늄염'이 햇빛을 흡수한 후에 엑스선을 밖으로 내놓을지도 모른다는 생각이 떠올랐다. 그는 두꺼운 검은 종이 두 개로 사진판을 감싸고, 그 위에 얇고 투명한 우라늄염(우라닐 황산칼륨) 결정 조각을 올려놓은 다음에, 수 시간 동안 햇빛에서 기다렸다. 사진판은 현상되었고, 우라늄염 결정 조각의 윤곽을 까맣게 드러냈다. 1896년 2월 24일, 과학 아카데미 주週간 회의에서 베크렐은 결과를 123)보고했다.

—구멍 뚫린 금속판이나 동전을 우라늄염과 검은 종이 사이에 끼워서 실험을 반복했다. 금속판과 동전의 모습은 그대로 사진판에 찍혀 있었다.

—햇빛을 흡수한 우라늄염에서 밖으로 분출된 방사선이 빛에 불투명한 종이를 통과하여, 사진판을 감광시켰다.

베크렐의 첫 번째 실험은 푸앵카레의 가설을 확인해 주는 것으로 나타났다. 우라늄염 실험은 거듭 반복되었다. 베크렐은 검은 형겹으로 만든 상자 안에 사진판을 집어넣고, 알루미늄 판으로 덮은 다음에, 그 위에 우라늄염을 올려놓아서 실험물을 준비했다. 2월 27일 수요일과 28일 목요일은 날씨가 흐렸다. 햇빛 없이는 실험이 진행될 수 없다고 판단되었다. 어두운 곳에서 준비되었던 실험물은 그대로 서랍 안에서 보관되었다.

3월 1일, 베크렐은 서랍 안에서 거의 변하지 않았을 사진판을 예상하며 꺼내 들었다. 놀랍게도, 현상된 사진판은 우라늄염 결정 조각의 윤곽을 뚜렷이 보이고 있었다. 새로운 우라늄염과 사진판은 다시 준비되었고, 검은 상자에 담겨서 햇빛이 닿지 않는 서랍 안에서 5시간 동안 기다렸다. 사진판이 현상되었을 때, 검은 윤곽이 또 다시 드러났다. 다음 날, 그는 과학 아카데미에 새로운 결과를 [124] 보고해야만 했다.

—햇빛의 도움 없이도, '우라늄염'이 방사선을 밖으로 분출했다.

—분출된 방사선은 레나르트와 뢴트겐의 엑스선과 유사한 효과를 보였다.

—인광 빛은 1백 분의 1초 후에 거의 감지될 수 없을 정도로 약해지기 때문에, '우라늄염'에서 밖으로 분출된 방사선은 '인광' 과정에서 퍼져 나오는 발광의 효과가 결코 아니다.

푸앵카레는 형광을 강하게 내보이는 모든 물체들이 번쩍거리는 빛 외에도 뢴트겐의 엑스선을 방출한다는 가설을 내놓았지만, 그 잘못된 단서는 오히려 앙리 베크렐이 시작한 우라늄 연구로 이어지면서 또 다른 새로운 현상의 발견에 중요한 징검다리가 되었다. [일반적으로, 물질이 자외선과 같이 눈에 보이지 않는 에너지를 받아서 빛을 내는 경우에 "형광", 어둠에서 빛을 내는 경우에 "인광"의 용어가 사용된다. 기술적인 면에서, 에너지를 흡수한 다음에 형광은 인광보다 더 빨리, 더 짧게 빛을 발산한다].

4.1 베크렐선 연구

1897년 4월 30일 〈왕립 연구소 회의〉에서 조지프 존 톰슨이 '원자 안에서 전자'의 발견을 알린 후,[125] 캐번디시 물리학자들이 가장 먼저 던졌던 질문은 아마도 원자를 이루는 성분과 구조에 관련된 문제들이었을 것이다.

"원자 안에 무엇이 들어 있을까? 원자 안은 어떻게 생겼을까? 원자 안을 들여다 볼 방법은 없을까?"

이러한 질문들은 바로 이어진 톰슨의 실험에서도 잘 드러나고 있었다. 엑스선, 베크렐선(또는 우라늄 광선), 자외선이 통과하고, 불꽃과 활 방전이 일어나고, 열로 빨갛게 달궈진 금속 주변의 기체에서 전자들이 빠져나간 채로 형성된 이온들을 대상으로 여러 캐번디시 연구학생들이 분주하게 실험을 이끌고 있었다.

어니스트 러더포드(1871-1837)도 그들 가운데 한 명이었다. 1895년 10월, 뉴질랜드에서 학사와 석사를 끝마치고 「1851년 만국박람회 왕립위원회」에서 제공하는 '1851 연구 장학생' 신분으로 그는 런던에 도착했다.

'1851 연구 장학생' 선발에는 뉴질랜드에서 두 명이 지원했다. 한 명은 제임스 매클로린이었고, 다른 한 명은 어니스트 러더포드였다. 매클로린은 이미 출판된 "금金 처리법"의 논문을, 러더포드는 "자기와 전기"에 관련된 실험 논문들을 모아서 심사 위원회에 제출했다. 처음에는 장학생으로 매클로린이 선정되었다. 그러나 심사 위원회는 러더포드의 논문에서 미래 가능성을 더욱 엿볼 수 있었다. 두 명을 모두 합격시키자는 의견이 있었지만, 앞으로 전례를 남긴다는 염려에서 결정이 미루어졌다.[126]

바로 염려가 사라졌다. 매클로린이 결혼을 하게 되어 장학생 지원을 포기했던 것이다. 러더포드에게는 행운이었다. '1851 연구 장학생'은 뉴질랜드 학생들에게 2년마다 열려 있는 제도였다. 1892년과 1894년의 지원이 공식적으로 허용되었지만, 뉴질랜드 대학교 요청으로 1894년의 지원이 1895년으로 연기되었고, 케임브리지 대학교가 외부 대학교 졸업생을 연구학생에 허용하는 새로운 정책도 1895년부터 처음 시행되었다. 1895년, 러더포드는 '1851 연구 장학생'에 선발되어 운 좋게도 케임브리지 대학교 「캐번디시 연구소」에서 조지프 존 톰슨과 우라늄 연구를 때마침 시작할 수 있었다. 「캐번디시 연구소」가 문을 열었던 시기는 러더포드가 태어난 해이기도 했다.

'연구학생' 제도는 과학의 중요성을 인식했던 학교 당국이 외부 대학교 졸업생들에게 2년간 연구 과제를 마치고 제출된 논문의 결과가 인정될 때 케임브리지 학사학위를 수여하거나, 또는 1년간 연구 과제를 마치고 제출된 논문의 결과가 인정된 다음에 1년간 더 연수를 거쳐서 학사학위를 수여하는 일종의 연구 과정이었다. '1851 연구 장학생'은 매년 선발되어 3년 동안 연구 장학금이 지급되는 제도로서, 1891년부터 시작하여 지금까지 13명의 노벨상

수상자를 배출했다. ‘1851년 만국박람회’는 1851년 5월 1일부터 10월 15일까지 영국 런던 하이드 공원에서 열린 세계 최초의 박람회였고, 총입장객 6,039,722명이 다녀갔다.

그 당시에 「캐번디시 연구소」는 세계에서 가장 바쁘게 움직이는 실험실 중 하나였다. 실험실에서 공부하는 학생들은 물리학을 개발하는 일에 모든 관심을 쏟았고, 개인적으로는 조금씩 달랐지만, 조지프 존 톰슨에 대한 존경심을 감추지 않았으며, 톰슨 교수를 “제이 제이”라고 부르며 친밀감을 표시하기도 했다.

러더포드가 캐번디시에 온지 얼마 지나지 않아서 뢴트겐이 엑스선을 발견했다는 소식이 전해졌다. 많은 과학자들은 엑스선에 열광하며 그 성질과 실체에 많은 의문을 던지고 있었다. 러더포드도 톰슨 교수로부터 엑스선이 기체 전도도傳導度를 어떻게 변화시키는지 조사해 보자는 제안을 받았다. 러더포드가 제안받은 실험은 기체에서 원자와 분자들이 음이온과 양이온으로 분해되어 이온화 과정을 설명하는 『뢴트겐 광선에 노출된 기체에서 전기 통로』의 [127] 논문으로 이어졌고, 1896년 11월 〈철학 잡지〉에서 발표됐다. [전기 전도도는 물질에서 전류가 얼마나 잘 흐르는지를 측정하는 양이고, 전기 저항에 반비례한다].

기체에서 엑스선 실험은 자연스럽게 우라늄 광선(또는 베크렐 광선)의 연구로 연결되었다. 우라늄 광선은 물체를 투과하는 세기뿐만 아니라 기체에서 전기를 만들어내는 능력에서도 엑스선과 매우 닮아 있었다. 하지만 본질적인 면에서는 크게 달랐다. 반사, 굴절, 편광과 같은 빛의 성질에서, 엑스선과 우라늄 광선은 서로 다르게 비추고 있었다.

러더포드는 우라늄 광선의 본질, 기체 이온화 이론, 그리고 그에 따른 전도도 측정의 실험을 준비했다. 전위계[전압과 전류의 측정 장치]와 전지에 각각 연결된 두 전극 사이에 은박지로 둘러싼 금속 우라늄 또는 우라늄 화합물이 놓였다. 금속 은박지가 한 개씩 추가되어 겹겹이 우라늄 시료를 둘러쌌다. 우라늄 시료에서 뿜어져 나오는 광선이, 둘러싼 금속 은박지를 뚫고 수소, 공기, 이산화탄소 등의 주변 기체를 이온화하여, 이온들은 양극에서 음극으로, 전자들은 음극에서 양극으로 이동하며 전류를 유도했다. 이온들은 재결합 과정을 거치기도 했는데 그 비율은 이온 수의 제곱에 비례했다. 은박지를 더할 때마다 전위계에서 전류가 측정되었다. 측정된 전류는 전압이 증가하면서 늘어나다가 최고값에 도달하여 '포화 전류'에 이르렀다.
…측정된 포화 전류는 금속 은박지를 투과한 우라늄 광선의 세기에 비례하여 방사선의 '누출 비율'로 표시되었다. 누출 비율이 낮으면 그 만큼 금속 은박지를 투과한 방사선이 적다는 증거였다.

러더포드는 우라늄 광선으로부터 반사, 굴절, 편광과 같은 빛의 성질을 조사했다. 베크렐의 결과와는 다르게, 우라늄 광선의 굴절과 편광 현상은 아직 관측되지 않았다.
—넓이가 20제곱센티미터이고 거리가 4센티미터 떨어진 두 개의 직사각형 아연판이 절연 처리되어 전극을 구성했다. 금속 우라늄

또는 우라늄 화합물이 가루로 잘게 부수어져 아래에 놓인 아연판 전극 위에 얇게 펼쳐져서 올려놓아졌다. 아래 전극은 50볼트의 전지에, 위 전극은 전위계에, 전지와 전위계의 나머지 선들은 접지에 함께 연결되었다.

—첫 번째 실험(얇은 은박지): 우라늄 산화물을 둘러싼 알루미늄 은박지는 두께가 1만 분의 5센티미터였고, 0개, 1개, 2개, 3개, 4개,...... 12개로 늘어났을 때, 누출 비율[즉, 방사선이 물질을 투과하는 능력]이 182, 77(0.423), 33(0.429), 14.6(0.442), 9.4(약 0.783),...... 7(약 0.959)로 줄어들었다. [괄호 안 수치는 두 연속된 누출 비율의 상대 비比이다. 상대 비가 누출 비율 9.4에서 갑자기 증가한다].

우라늄 광선은 처음 은박지 3개까지 같은 상대 비(43퍼센트)를 유지하며 '일정하게' 줄어들다가, 4개부터는 그 비율이 오히려 늘어나서 '천천히' 축소되는 결과를 보여 주었다. 금속을 통과할 때 얕은 깊이에서는 일정하게 흡수되지만, 어떤 임계 깊이에 도달하면 오히려 덜 흡수되는 "이상한" 물질 속성이 확인되었다.

—두 번째 실험(두꺼운 은박지): 우라늄 산화물을 덮은 알루미늄 은박지는 두께가 1만 분의 5센티미터였고, 10개, 56개, 102개, 180개로 늘어났을 때, 누출 비율이 1, 0.68(0.68), 0.48(0.71), 0.25(0.52)로 '서서히' 줄어들었다.

얇은 은박지와 다르게, 두꺼운 은박지에서는 우라늄 광선이 천천히 흡수되면서 깊숙이 침투하는 물질 속성이 나타났다.

금속 은박지를 통과할 때 우라늄 광선은 얕은 거리에서 빠르게 줄어들었지만(은박지 3개에서 90퍼센트 이상), 깊은 거리에서는 매우 천천히 감소했다(은박지 100개에서 절반 정도). 광선은 63.21퍼센트만큼 흡수되고 36.79퍼센트만 남았을 때, 그 통과 거리가 첫 번째 실험에서 은박지 1.25개의 두께였고, 두 번째 실험에서는 은박지 133.3개의 두께였다.

…우라늄 광선은 한 물질에서 통과 거리 또는 흡수 성질이 전혀 다른 별개의 방사선 특성을 보였다.

한 방사선은 얕은 거리만 통과했고, 다른 방사선은 깊숙이 침투했다. 물체 속을 통과하는 광선은 [128]자연지수의 함수로서 그 세기가 표시되고, 흡수 계수와 통과 거리의 음수 곱으로서 함수 지수가 정해진다. 결국, 흡수 계수는 광선이 물질을 지나가며 줄어드는 정도를 가리키고, 그 세기가 0.3679배로 줄어들 때 통과 거리의 역수에 해당한다.

1898년 9월 1일 〈철학 잡지〉에 제출된 『우라늄 광선과 전기 전도도』의 [129]논문에서 러더포드는, 우라늄 광선이 알루미늄(주석)을 통과할 때, [130]흡수 계수가 각각 센티미터당 1,600(2,650)과 15(108)의 다른 결과를 보이며, 두 가지 종류의 방사선으로 구성된다고 설명했다.

두께가 0.001센티미터인 알루미늄 은박지를 통과한 후에, 우라늄 광선은 그 세기가 첫 번째 방사선에서 0.202배로 감소했지만, 두 번째 방사선에서는 0.985배로 거의 그대로 유지되었다. 만약 알루미늄 두께가 0.1센티미터이라면, 첫 번째 방사선은 거의 흡수되고 소멸돼 버리지만, 두 번째 방사선은 통과한 후에도 여전히

0.223배만큼 남아 있다. 러더포드는 금속에서 다르게 통과하는 우라늄 광선에 두 이름을 붙였다.
—금속에서 쉽게 흡수되거나 차단되는 첫 번째 방사선이 "알파선"이고, 깊숙이 투과하는 두 번째 방사선이 "베타선"이다.

금속 우라늄 또는 우라늄 화합물은 성질이 매우 다른 두 가지 방사선을 원자 밖으로 내뿜고 있었다. 알파선과 베타선은 엑스선과 같이 물질을 잘 투과하는 성질을 보였지만, 아직 그 실체가 무엇인지는 밝혀지지 않았다.

우라늄 광선의 실체를 파헤치는 조사가 미처 시작되기도 전에 갑자기 새로운 변화가 생겼다. 캐나다 몬트리올 맥길 대학교 교수로 있던 휴즈 롱본 칼렌(1863-1930) 교수가 런던 대학교로 자리를 옮기게 돼서 공석이 된 맥도날드 교수직에 조지프 존 톰슨 교수가 러더포드를 131)추천했던 것이다.
- 러더포드보다 연구에 열정과 창의력을 지닌 과학자를 여태껏 본 적이 없습니다. 만약 그가 맥도날드 교수직을 맡는다면 귀교는 앞으로 크게 번창할 것입니다.

처음 소식을 접했을 때, 러더포드는 맥길 대학교 교수직을 탐탁지 않게 여겼었다. 이미 세계 과학 중심지에서 자신의 연구 범위를 확보해서 넓혀 나가고 있는 중이기 때문이었다. 한편 러더포드에게 맥도날드 교수직이 주어진다면 많은 장점도 예상되었다. 첫째는 수년을 더 기다려야 영국에서 교수직을 제안 받을 수 있다는 것이었고, 둘째는 곧 결혼할 신부인 메리 뉴턴이 뉴질랜드에서 기다리고 있다는 것이었으며, 셋째는 캐나다 담배 회사를 경영하던 윌리엄 맥도날드가 150,000캐나다 달러를 기부해서 새로 건축한 '맥도날드 물리학과 실험실'에 훌륭한 실험 장비들이 이미 갖추어져 있다는 것이었다. 1898년 4월 22일, 러더포드는 뉴턴에게 [132) 편지를 썼다.

-아마도 영국 전역에서 심한 경쟁이 있을 것이다. 내가 맥도날드 교수직의 경쟁에서 이길는지 매우 의심스럽다.......

마침내 러더포드는 맥길 대학교로부터 맥도날드 교수직을 제안받았다. 새로운 대륙을 향해 두 번째 여행이 시작됐다.

4.2 몬트리올에서 방사능 실험

당시에 물리학자와 화학자들은 방사능과 관련하여 질문을 던졌다.

"방사능 성질을 가진 물질에는 어떤 것들이 있을까?"

"방사성 물질들이 원소 주기율표 체계에 잘 어울리는 이유는 무엇일까?"

"자기 스스로 일어나는, '자발적' 방사능은 물리 및 화학 변화로부터 영향을 받을까?"

방사능은 에너지와 여러 방사선을 동시에 자발적으로 방출하는 특정 유형의 물질에서 나타나는 성질이었다. 1898년 9월, 몬트리올에 도착한 러더포드는 생각했다.

'우라늄에서 끊임없이 방출되는 방사선은 어디서, 그리고 왜 생기는 것일까?'

그가 처음 시작한 일은 우라늄과 토륨 실험을 준비하는 작업이었다. 그는 우라늄과 토륨 시료를 요청하는 편지를 「캐번디시 연구소」에 보냈다. 여전히 케임브리지에서 관측했던 알파선과 베타선의 충격이 러더포드의 뇌리에 남아 있었다.

하루는 전기 공학과 교수인 로버트 오웬스(1870-1940)가 러더포드에게 좋은 연구 주제를 알려달라고 요청했다. 러더포드는 전기 공학자인 오웬스가 전하를 띤 신비스러운 알파선과 베타선과 관련하여 무엇인가 할 수 있다고 판단했다. 우라늄 실험은 이미 마친 상태였기 때문에, 러더포드는 토륨의 실험을 우라늄과 똑같은 방식으로 반복해보라고 권했다. 오웬스는 반갑게 그 제안을 받아들였지만, 한편으로는 반복 실험이기 때문에 지루하고 판에 박힌 작업이 될 것이라고 예측했다.

그는 곧 그의 예측이 완전히 빗나갔음을 깨달았다. 우라늄과 매우 다르게 토륨은 반응했다. 결과가 터무니없이 불규칙해 보였다. 처음에는 토륨에서 쏟아져 나온 입자들이 빈 공간에 모여 바람에 밀려 떠다닌다고 생각이 들 정도였다. 우라늄 실험에서 일정하게 기체 이온화 과정을 거치며 포화 전류가 규칙적으로 보였던 것과 다르게, 토륨 실험에서는 마치 공기 흐름에 따라서 포화 전류도 함께 흔들리는 것처럼 느껴졌다. 우라늄에서 관측된 알파선과 베타선은 너무 빨라서 공기 흐름에 전혀 영향을 받지 않았지만, 토륨에서는 실험실 문을 잠깐 여는 효과에도 관측된 전하량이 1/3로 줄어들었다.

…토륨에서는 무엇인가 일어나고 있었다.

진부할 것으로 예상했던 토륨 실험이 새로운 결과를 만들어서, 오웬스는 흥분에 가득 차 있었다. 그는 매일 한 무더기의 실험 자료들을 지니고 러더포드를 찾았다. 그들은 측정된 결과들을 함께 들여다보았고, 논의했고, 파헤쳤다. 그들이 발견한 토륨 광선은 다른 방사선들과 달랐다.

1899년 9월 13일, 러더포드는 『토륨 화합물에서 방출된 방사성 물질』의 133)논문을 〈철학 잡지〉에 제출했다. 토륨 화합물은 "방사 기체"라고 새로 이름이 붙여진, 매우 짧은 시간 동안만 방사능을 지속하는 입자들을 계속 방출했다. '방사 기체'는 주변 공기를 이온들로 만들고 사진판을 까맣게 감광시켜서 붙여진 이름이었다.
—'방사 기체'를, 산화 토륨이 가장 많이 만들었고, 적은 양이기는 했지만 토륨의 질화물, 황화물, 아세트산염, 수산염도 조금씩 만들어서 밖으로 내보냈다.
—실험 장비가 놓인 장소로부터 가장 멀리 떨어진 출입문이 열리고 닫힐 때 발생하는 공기의 흐름은 기체 방전을 감소시키기에 충분했다. 이 점에서 토륨 화합물은 공기 흐름의 영향을 덜 받는 우라늄 화합물과 매우 달랐다.

만약 토륨 분자들이 방사능을 꽤 오랫동안 지속한다면, 토륨 증기는 짧은 시간 동안 에너지를 방출하여 방사능도 그만큼 빨리 줄어들 수밖에 없다, 라고 러더포드는 결론에서 설명했다.
"'방사 기체'는 토륨 화합물로부터 배출된 증기일 것이다."

1900년 6월 28일, 어니스트 러더포드와 메리 뉴턴의 결혼식이 뉴질랜드에서 가족들도 참석한 가운데 거행되었다. 그리고 신혼여행으로 하와이와 북부 로키 산맥을 거쳐 9월이 되어서야 그 둘은 몬트리올에 돌아왔다. 파밀가街에 준비된 집에서 새로운 생활도 서서히 자리를 잡아갔다. 예전처럼 일상생활이 실험실에서 시작되었다.

러더포드는 특정 분야의 물리학 실험을 거의 완벽하게 이해하고 있었지만, 화학적인 측면에서는 전문가로부터 도움이 절실히 필요했다. 복잡한 문제들을 해결하기 위해서 어려운 화학 실험들이 그를 기다리고 있었다. 마침 그때, 23세의 화학자 프레더릭 소디(1877-1956)가 맥길 대학교 화학 실험실에서 실험 장치와 실습을 선보이는 실연자實演者로서 일하고 있었다. 바로 러더포드가 찾고 있던 화학자였다.

프레더릭 소디는 옥스퍼드 대학교 머튼 대학에서 화학을 전공하고 2년간 연구를 마친 뒤에 직업을 찾고 있었다. 졸업 당시 1급 우등 학위를 받았지만 옥스퍼드 대학교로부터 연구 장학금을 받는데 실패했다. 토론토 대학교의 화학 교수가 은퇴한다는 소식을 듣고서 그 자리에 지원했고, 직접 캐나다에 방문도 해 보았지만 소용이 없었다. 하지만 몬트리올을 무작정 방문했던 노력이 맥길 대학교에서 화학 실험실 실연자라는 소박한 직책을 갖게 해 주었다.

1901년 3월 맥길 대학교 물리학회에서 젊은 화학 실험 실연자 프레드릭 소디와 중견 교수 어니스트 러더포드 사이에 논쟁이 벌어졌다. 러더포드는 방사성 원소들이 방출하는 에너지가 원자들이 깨지면서 발생한다고 말했다. 그러나 소디는 신랄한 재치와 세련된 수사를 사용하며 화학 원자의 완전성을 방어했다. 얼마 지나지 않아서 소디는 곧 "새로운 세계"를 탐구할 준비가 돼 있었다. 그는 러더포드와 함께 원자 구조를 파헤칠 실험에 힘을 모아서 서로 돕기로 약속했다.

1901년 10월 중순, 러더포드와 소디는 방사능이 새로운 형태의 물질을 연속해서 만드는 화학 변화와 동반하며 나타난 현상을 처음 목격했다.

러더포드는 토륨 화합물에서 '방사 기체'를 조사하는 동안 암모니아와 질산 토륨의 희석 용액으로부터 침전된 수산화 토륨이 비정상적으로 약하게 '방사 기체'를 배출한다는 사실을 알게 되었다. 이러한 사실은 자연스럽게 공정 과정에서 얻은 여과물과 세척물의 검사로 이어졌다. 여과물에서는 생성물의 화학 특성상 토륨 성분이 하나도 남아 있지 않는데도 불구하고 변함없이 '방사 기체'가 여전히 배출되고 있었다. 여과물을 건조해서 증발시키고 그리고 가열하여, 암모늄염을 제거하고 남은 소량의 잔류물이 같은 무게의 토륨보다 훨씬 더 강력한 방사능을 보였다. 잔류물에서 방출된 방사선의 투과력은 토륨 광선과 여러 면에서 동일했고, 배출된 '방사 기체' 역시 토륨 '방사 기체'와 방사선의 붕괴 모습이 동일했다.
…화학적으로 토륨 성분을 포함하지 않지만, 토륨과 같이 강한 방사능을 갖는 물질의 준비가 가능해졌다.

세척 과정에서 함께 들어있는 수산화 토륨이 조사되었고, 같은 무게의 산화 토륨보다 절반의 방사능을 가진 것으로 확인되었다.

그러므로 토륨 방사능의 대부분을 떠받치는 성분을 잔류물에서 얻게 되었는데, 이 성분은 화학 성질이 고유했고, 세척물에 포함된 다른 물질에 비해서 최소 천 배나 강한 방사능 활동도(방사선 세기)를 갖고 있었다.

러더포드는, 영국 화학자 윌리엄 크룩스가 우라늄을 화학 방법으로 분리하여 '우라늄 엑스'라고 이름을 붙였던 것처럼, 토륨을 화학 방법으로 분리하여 얻은 잔류물을 '토륨 엑스'라고 불렀다. [1913년, '우라늄 엑스'는 원자번호 91의 '프로트악티늄' 원소로 확인되었다.]

토륨 화합물은 우라늄 화합물에서 관측된 방사선들 외에도, '방사 기체'를 주변에 계속해서 배출했다. 일시적으로 방사성을 띤 기체는 실험 장치 안 용기 벽에 퇴적물을 쌓아서 다른 새로운 물질을 만들었다. '방사 기체'에 노출된 물체는 마치 보이지 않는 강한 방사능 층으로 덮인 것처럼 맹렬하게 방사선을 뿜어냈다.

방사성 토륨은 '방사 기체'를 배출하고 '토륨 엑스'가 제거되더라도, 없어졌던 '방사 기체'와 '토륨 엑스'를 또다시 만들었다. 방사선을 쉬지 않고 계속 내놓으며 두 방사성 물질을 끊임없이 만들어 냈다.

소디는 한 원소에서 다른 원소로 바뀌는 자연 방사능 과정을 지켜보는 동안 자신도 모르는 사이에 '변환'이라는 단어가 머리를 스치며 지나갔다고 기억했다.134)

"나는 그 자리에 꼼짝도 하지 않고 그대로 서 있었다. 엄청난 충격에 그만 놀라서...... 나는 불쑥 말했다. `러더포드, 이것은 원소변환이야. 토륨이 분열해서 스스로 아르곤 기체로 변환하고 있어.′ 그러자 러더퍼드는 젊잖게 말했다. `오, 소디 제발, 그것을 변환이라고 부르면 안 돼...... 사람들은 우리를 연금술사로 알고 공격할 거야!′"

소디는 표준 반응물과 결합되지 않고 밖으로 배출돼 나온 '방사 기체'를 주기율표의 비활성 기체 족族에 속한 "아르곤"이라고 가정했다. 산酸 또는 시약을 포함하여 어떤 경우에도 전혀 영향을 받지 않는 것으로 미루어 보아서, '방사 기체'가 그 당시에 발견된 '아르곤' 족 계열의 원소라고 생각했기 때문이었다. 1894년에 존 윌리엄 스트럿(레일리 경)과 윌리엄 램지가 대기에서 새로운 비활성 원소인 '아르곤'을 처음 발견했고, 윌리엄 램지와 모리스 트래버스가 1895년에 우라늄 원석에서 '헬륨'을, 1898년에 '크립톤'과 '네온'과 '제논'을 차례로 찾아냈다. 원자가價 '0'의 비활성 기체가 주기율표에 더해졌던 20세기 문턱에서, 소디가 '방사 기체'를 '아르곤'으로 불렀던 사건은 한편 사리에 맞는 듯이 보였다.
…토륨 '방사 기체'는 극소량의 기체 성질을 가진 특정 유형의 방사성 물질이었다.

소디는 처음에는 토륨 스스로 '방사 기체'를 만든다고 가정하여 그들이 "자연 원소변환"을 발견했다고 추측했다. [원소변환은 완전한 변이를 통해 변환되었다는 의미]. 그러나 이러한 추측은 토륨에서 완전히 화학적으로 분리되어서, 당시에는 알려지지 않아 '토륨 엑스'라고 이름이 붙여진 방사성 성분이 새로 추출되었을 때, 도로 거둬들여져야 했다. 토륨 화합물이 아니라 새로운 '토륨 엑스'가 '방사 기체'를 만드는 것으로 추정되었고, 토륨 자체는 마치 비非방사성 물질로 보였기 때문이었다.

그러나 놀랍게도 '토륨 엑스'를 완전히 화학적으로 분리해 낸 토륨 화합물이 '토륨 엑스'를 다시 생산하는 동안, 분리된 '토륨 엑스'에서는 방사능이 점점 줄어들고 있었다. 방사성 변환을 통해서 새로운 화학 원자가 생성되었지만, 이러한 변환이 알파 입자의 방출을 동반한다는 결론을 러더포드는 아직 내리지 않았다. 그 당시에 알파선은 입자가 아닌 복사선으로 간주되고 있었다. 가을에 들어서며 자기장에서 알파선의 경로를 한쪽으로 휘어져 편향되게 만든 후에야 알파선이 입자라는 사실을 러더포드는 증명했다.
…방사성 변환과, 그리고 알파 입자와 베타 입자와 에너지의 폭발적인 방출을 변환 이론의 핵심 요소인 자발성과 동시성의 사건으로 간주하는 길이 마침내 열렸다.

러더포드는 소디와 함께 '원소변환'을 이루어냈다고 생각했지만, 그러한 주장을 펼치는 것을 꺼렸다. 그들은 원소변환을 사기꾼의 짓으로 여겼고, 과학자의 영역을 훨씬 벗어난 연금술사의 불명예를 뒤집어 쓸 것이라고 판단했다. 러더포드가 그의 명성을 손상시키지 않는 범위 내에서 "원소변환"이라는 말 대신 원소라는 표현을 떼어버리고 "변환"을 주장하기를 원했던 이유는 너무나도 당연해 보였다.

1902년 9월과 11월, 러더포드는 〈철학 잡지〉에서 발표된 『방사능의 원인과 성질』의 [135]1부와 [136]2부 논문에서, 방사능이 새로운 유형의 물질들을 연속해서 생성하는 화학 변화를 동반한다고 밝혔다. 이들 생성물들은 처음에는 방사성을 띠었고, 그 활동도(방사선 세기)는 형성 순간부터 규칙적으로 감소했다. 생성물들의 연속적인 생성은 그들을 만드는 물질의 방사능을 정의된 평형값에서 유지했다.

…방사능 과정에서 동반된 화학 변화는 '원자 안'에서, 즉 원자보다 작은 단위에서 일어났다.

토륨 화합물은 잠깐 동안 방사성 특징을 띤 기체를 주변 대기에 계속 배출했다. 배출된 '방사 기체'는 면양모綿羊毛, 약하거나 강한 황산, 알루미늄과 기타 금속 은박지를 그대로 통과했다. 보이지 않았고, 냄새도 없었고, 맛도 없었다. '방사 기체'는 매우 빠르게 붕괴되어서, 그 양이 반으로 줄어드는 데 시간이 1분도 채 지나지 않았다.

'방사 기체'의 가장 놀라운 특징은 배출돼 나온 기체가 다른 물체와 접촉하고 그 표면에 "유도"되어 곧바로 효력을 드러낸다는 점이었다. '방사 기체'에 노출된 다음, 그 물체는 보이지 않는 방사능 층으로 뒤덮여 있듯이 '유도 방사능'을 수 시간 동안 유지했다.

만약 토륨 산화물이 강한 전기장에 놓였더라면, '유도 방사능'은 '방사 기체'에 노출된 음전하 표면에서 마치 감금돼 있었던 것처럼 나타나야 했다. 이러한 방법으로 '방사 기체'를 아주 작은 공간에 유도하여 한꺼번에 모우는 것이 가능해졌다. 다른 물체에 유도되어 쌓인 방사능 층은 문지르거나 황산, 염산, 불산과 같은 산酸을 사용하여 제거되었고, 산이 증발된 후에는 접시에 남아 있었다.

토륨 화합물로부터 배출된 '방사 기체'와 '유도 방사능' 사이에는 매우 깊은 관련성이 있었다. 여러 조건에서 만들어진 '유도 방사능' 양은 방사 기체' 양에 비례했고, 만약 가열하여 산화 토륨에서 배출된 '방사 기체'를 없앤다면 '유도 방사능'도 따라서 사라졌다.

—산화 토륨 질량이 2, 4, 10, 20 그램으로 늘어나면서, '방사 기체' 양도 1초당 1.41, 2.43, 6.33, 13.2로 증가했다.

—산화 토륨을 가열하는 시간이 10분, 1시간, 24시간 늘어나면서, '방사 기체'의 양은 61, 59, 42 퍼센트로 줄어들었다.

'방사 기체'는 폴로늄에서 나타나지 않았고, 라듐에서는 확인되었다. 라듐과 토륨은 이러한 관점에서 완전히 닮았지만, 두 가지 경우에서 매우 달랐다. 라듐은 토륨보다 '방사 기체'가 매우 오랫동안 유지되었고, '유도' 방사능'이 훨씬 빨리 줄어들었다.

…'방사 기체'를 배출하는 능력은 화학 반응의 본질적인 변화를 겉으로 드러내는 표시였다.

방사능 활동도(방사선 세기)는 1 또는 2 퍼센트 오차 범위 내에서 '사분면 전위계[간략하게, 전위계]'를 사용하여 측정되었다. 실험에서 사용된 전위계는 10만 분의 3마이크로패럿[패럿은 축전기 전기용량 단위이다]의 축전기를 포함하고 있어서, 최소 측정값인 0.01볼트의 전위차에 대해서 10조 분의 3쿨롬의 전하까지 측정이 가능했다. [전하량은 전기용량과 전위차의 곱이다].

물을 전기분해할 때 1그램의 수소는 10만 쿨롬의 전하를 포함하여, 만약 기체에서라면 100만조 분의 3그램의 수소가 방전된 양을 전위계는 측정했다. 이는 그 당시에 가장 정확했던 저울과 비교해서, 1조 분의 1의 정밀도였다.

—산화 토륨에서 완전히 분리된 잔류물을 조사하기 위해서 여과, 세척, 농축을 되풀이해 가며 매 단계마다 수용액과 잔류물의 방사능 활동도가 측정되었다. 세척 과정을 통해서 얻은 소량의 잔류물은 같은 무게의 산화 토륨보다 1천배 이상의 방사능 활동도를 보였다. 290그램의 산화 토륨에서 시작하여, 매 단계마다 2리터의 증류수를 사용해서 아홉 차례에 걸쳐 준비 과정을 반복하고 남은 6.4밀리그램의 잔류물은, 산화 토륨 11.3그램과 동등한 방사능 활동도를 보였다. 이는 같은 무게의 산화 토륨의 1800배에 달하는 크기였다. [방사능 '활동도'는 표준 단위에서 '베크렐'이 사용되고, 1초당 붕괴된 원자 수를 표시한다].

수산화 토륨은, 정상적인 산화 토륨과 비교해서, 처음에는 36퍼센트의 방사능을 보였지만 시간이 지나면서 오히려 그 활동도가 늘어나서 3주 후에는 완전히 100퍼센트 "회복"되었다. 한편, 함께 준비되었던 '토륨 엑스'는 방사능 활동도가 줄면서 거의 다 사라졌다.

…화학적 분리는 방사능 특성에서 영구적이지 않았다.

시간이 지나면서 방사능 활동도가 자연 지수 함수로서 나타났고, 그때 지수는 붕괴 상수와 시간의 음수 곱으로 표시되었다. 방사능 활동도가 처음 값의 절반으로 줄어드는 시간은 반감기였고, 0.6931을 붕괴 상수로 나누어서 표시되었다. 그리고 붕괴 상수는 방사능 활동도가 0.3679배로 줄어드는 시간의 역수였다.
—방사능 활동도가 수산화 토륨에서 늘어나는 회복 시간과 '토륨 엑스'에서 줄어드는 붕괴 시간은 약 4일로 같았다. 수산화 토륨에서 잃었던 방사능 활동도의 회복 비율은 '토륨 엑스'에서 붕괴 비율과 동일했다.
—방사능 활동도가 반으로 줄어드는 시간인 반감기는 '방사 기체'에서 1분으로, 비방사능 물체에 쌓인 '유도 방사능' 층에서 11시간으로 관측되었다.

'방사 기체'는 '유도 방사능'을 일으키고, '유도 방사능'은 보이지 않는 방사성 물질의 퇴적층에서 발생한 것으로 보여서, 제3차 화학 변화가 일어난다고 가정돼야 했다. 제2차 화학 변화로부터 만들어진 기체 생성물인 '방사 기체'는 다시 화학 변화를 거쳐서, '유도 방사능'을 일으키는 제3차 생성물을 만들었다.
—토륨에서 화학 변화가 진행되어 비非토륨 물질을 낳았고, 이어서 비토륨 물질은 방사성 상태의 기체 생성물, '방사 기체'를 발생시켰다.
—전체 토륨 방사능의 약 54퍼센트는 실제로는 비토륨 물질인 '토륨 엑스'가 차지했고, '토륨 엑스'는 약 4일 만에 그 양이 반으로 줄어들어서, 일시적으로 방사능 성질을 유지했다.

—'토륨 엑스'는 전체 토륨 방사능의 21퍼센트를 차지하는 '유도 방사능' 특성을 포함했다.
—'유도 방사능'은 토륨 '방사 기체'가 만들었고, 토륨 '방사 기체'는 '토륨 엑스'가 만들었다. 만약 '방사 기체'가 '토륨 엑스'로부터 빠져나오지 못하게 방해를 받는다면, 그것은 곧 '유도 방사능'의 증가분으로 이어진다.
—'토륨 엑스'와 '유도 방사능'이 제외되면, 실제 토륨은 전체 방사능에서 오직 25퍼센트만 차지한다.

나중에 밝혀진 사실이었지만, 소디가 "아르곤"이라고 외쳤던 토륨 '방사 기체'는 실제로 라돈-220이었고 현재는 "토론"이라고 불리고 있다. 라돈의 동위원소들은 토륨과 우라늄이 여러 방사성 원소로 붕괴되는 과정에서 라듐으로부터 생성된다. 러더포드가 보았던 토륨 '방사 기체'는 '토륨 엑스'의 붕괴 과정에서 나타났고, 마리 퀴리가 관측했던 라듐 '방사 기체'는 라돈-222였다. 라돈은 색깔, 냄새, 맛이 없는 방사성 물질이고, 표준 상태에서 기체이며 인간 신체로도 흡입된다.

라돈-222는 자연에서 가장 안정된 라돈의 형태로서 반감기가 3.8일이었다. 그 동위원소인 라돈-220(토론)은 반감기가 55.6초였으며 '토륨 엑스'가 붕괴되어 배출되었다. 러더포드가 이름을 임시로 붙였던 '토륨 엑스'는 실제로 라듐-226의 동위원소인 라듐-224였다. 러더포드의 토륨 '방사 기체'인 라돈-220(토론)은 라듐-224에서, 퀴리의 라듐 '방사 기체'인 라돈-222는 라듐-226에서 각각 배출되었다. 또 다른 악티늄 '방사 기체'가 발견되었는데 실제로는 라돈-219(악티논)이었고 라듐-223(악티늄 엑스)에서 배출되었다. …토론(라돈-220), 라돈(라돈-222), 악티논(라돈-219)은 라듐-224 (토륨 엑스), 라듐-226(라듐), 라듐-223(악티늄 엑스)으로부터 배출되어 각각 토륨과 라듐과 악티늄의 "에이", "비", "씨",......라고 부르는 방사성 물질들을 낳았다. 토륨 에이와 라듐 에이와 악티늄 에이는 나중에 폴로늄-216, 폴로늄-218, 폴로늄-215로 확인되었다. 토론, 라돈, 악티논의 반감기는 각각 55.6초, 3.8일, 3.9초였다.

우라늄 광선에서 알파선과 베타선을 발견했을 당시, 러더포드는 두 방사선이 뢴트겐의 엑스선과 비슷한 종류의 광선인지 의문을 남겼었다. 여러 조건에서 조사되었지만, 편광, 굴절, 반사처럼 빛의 성질을 보여주는 효과는 관측되지 않았다. 20세기에 들어서면서, 방사선의 실체는 조금씩 벗겨졌다. 1900년, 베크렐은 베타선이 음극선과 같이 '전자'들로 이루어졌다는 사실을 알아냈고, 프랑스 화학자 폴 빌라드(1860-1934)는 라듐을 연구하던 중에 자기장에서 한쪽으로 휘어지지 않고 강력하게 물체를 투과하는 또 다른 종류의 광선을 [137]찾아냈다. 러더포드는 그것을 "감마선"이라고 불렀다.

알파선은 물질에서 매우 쉽게 흡수돼 최소로 짧은 거리를 통과했지만 한편 기체를 가장 많이 이온화했고, 베타선은 모든 면에서 음극선을 빼닮아서 빠른 속도로 진행했으며, 감마선은 자기장에서 휘어지지 않고 물질을 최대로 깊숙이 꿰뚫고 지나갔다. 알루미늄을 통과할 때 광선 세기가 반으로 줄어드는 깊이가 138)측정되었는데, 알파선은 1만 분의 5센티미터, 베타선은 1백 분의 5센티미터, 감마선은 8센티미터였다.

만약 광선이 전하들로 구성되어 있다면, 전기장과 자기장에서 한쪽으로 휘어진 궤도를 따라 나아가야 했고, 빛과 같다면 직선의 경로를 따라야 했다. 전하들은 전기장에 놓이면 전기 힘을 받아서 끌어당기거나 밀치며 작용하고, 자기장에서 움직이면 자기磁氣 힘이 작용하여 한쪽으로 휘어져 나아갔다. 전기장과 자기장 세기가 클수록 전하에 작용하는 힘도 그만큼 더 커져서 휘어지는 궤도를 관찰하기가 훨씬 수월했다.

러더포드는 방사선이 자기장에서 크게 휘어지고, 실틈을 통과하여 기체 방전을 쉽게 일으키도록 실험을 설계했다. 라듐에서 나온 광선은 자기장과 좁은 실틈들(직사각형 구멍들)을 수직으로 지나며, 수소를 방전시켜서 이온 전류가 측정되었다.

—방사능 활동도가 19,000러더포드인 라듐에서 알파선, 베타선, 감마선이 방출되었다. [방사능 단위인 1러더포드는 1백만 베크렐이다].

—작은 실틈(직사각형 구멍)들로 구성된 놋쇠판이 라듐 위에 놓여졌다. 실틈 폭은 0.042에서 0.1 센티미터, 실틈 수는 20에서 25개 사이였다.

알파선과 베타선이 10,000가우스의 자기장에 수직으로 입사한 다음에 각각 반지름이 39센티미터와 0.01센티미터인 원을 그리며 서로 반대 방향으로 휘어져 나아갔다.

…알파선과 베타선은 반대 전하의 입자들로 구성되었다. 즉, 알파선은 양성 전하들, 베타선은 전자들이었다.

나중에 알려진 사실이었지만 알파선은 원자번호가 2이고 질량수가 4인 헬륨 이온이었다.

우라늄, 토륨, 라듐, 폴로늄과 같은 방사성 물질로부터 방출된 알파선, 베타선, 감마선은 그 순서대로 점점 더 깊숙이 물질을 투과했다. 러더포드는 감마선이 더 빠른 형태의 베타선이라고 생각했지만 자기장에서 휘어지지 않는다는 사실을 나중에 확인한다. 빌라드가 감마선을 발견하고 14년이 지난 다음, 러더포드와 에드워드 앤드라드(1887-1971)는 [139]감마선이 결정 표면에서 반사하는 현상을 관찰하고 파장을 측정하여 엑스선과 같이 전자기파의 한 종류라는 사실을 보여 준다.

…감마선은 엑스선보다, 파波 길이인 파장이 약간 더 짧은 반면에 진동 횟수를 나타내는 진동수는 더 높다. [파장은 파동 마루 또는 골 사이의 길이이고, 진동수는 파동 마루 또는 골이 1초 동안 한 점을 통과하는 횟수이다].

빨강이나 파랑 빛의 파장과 비교될 때, 엑스선은 1만 분의 1, 감마선은 1십만 분의 1정도이다. 전자기파 파장은 빛의 속도를 진동수로 나눈 양이고, 파장이 짧으면 짧을수록 또는 진동수가 높으면 높을수록 에너지는 더 커진다. 엑스선은 대체로 100킬로전자볼트 이하이지만, 감마선은 적어도 세슘-137에서 662킬로전자볼트, 많게는 코발트-60에서 2.5메가전자볼트의 에너지로 뻗어 나아간다.

알파선은 헬륨 이온들의 양전하들이고, 베타선은 전자들의 음전하들이며, 감마선은 전자기파의 한 종류이다. 알파선과 베타선은 입자들인 반면에, 감마선은 빛이나 엑스선과 같이 전자기파, 즉 복사선이다. 알루미늄을 통과할 때 광선 세기가 반으로 줄어드는 깊이는, 알파선이 1만 분의 5센티미터, 베타선이 1백 분의 5센티미터, 감마선이 8센티미터이다.

러더포드가 몬트리올에서 진행했던 연구는 주로 우라늄, 라듐, 토륨으로부터 생성된 물질을 포함해서, 알파선과 베타선과 감마선의 본질과 특성 그리고 세 가지 자연 방사성 계열인 우라늄/라듐과 악티늄과 토륨의 붕괴 과정을 설명하는 일에 집중되었다. 맥길 대학교에서 작성된 69편의 논문 가운데 절반은 프레더릭 소디 이외에도 영국 물리학자 아서 스튜어트 이브(1862-1948), 몬트리올 출신의 물리학자 하워드 터너 반즈(1873-1950), 독일 화학자 오토 한(1879-1968)과 함께 협력하여 거둔 실험 결과물들이었다.

1903년 3월, 프레더릭 소디는 몬트리올을 떠나서 런던 대학교 교수 윌리엄 램지(1852-1916)와 방사능 연구를 지속했고, 방사성 원소가 화학 성질은 동일하지만 하나 이상의 원자 질량을 갖는 현상을 갖는다고 설명하여 "동위원소"라는 새로운 이름을 사용했다. 동위원소는 "새로운 위치"라는 그리스 어원을 가졌고, 주기율표의 같은 위치에서 나타난다. 그는 글래스고 대학교에서 조교수, 애버딘 대학교에서 교수, 1919년부터 1936년에 은퇴할 때까지 옥스퍼드 대학교에서 화학과 교수를 지냈다.

그는 글래스고 대학교에서 일반인에게 '원자 내부 에너지'에 대해 강의했고 관련된 책을 출판했으며, 영국 소설가 허버트 조지 웰스(1866-1946)의 "미래의 원자 폭탄"을 예고한 소설 [140]『해방된 세계』에 영감을 주었다. 1914년 3월 29일자 〈뉴욕 타임스〉는 『해방된 세계: 허버트 조지 웰스는 그의 새 책에서 미래를 멀리 내다보며 현재와 앞으로의 세계를 대비對比한다』의 긴 제목으로 기사를 실었다.

"화려함, 생동감, 그리고 그림같이 펼쳐진 풍경이 결합하여 놀라운 효과를 만들었다"

2020년 2월 13일 미국 과학 잡지 〈사이언티픽 아메리칸〉에 『허버트 조지 웰스, 원자폭탄을 30년 앞서서 내다보다』의 제목으로 원래 1914년 5월에 실렸던 기사가 소개되었다.[141]

- 허버트 조지 웰스의 최근 소설 "해방된 세계"는 상상과 예리한 사회학 인식의 장엄한 여행 중 하나이다. 창작물인데도 불구하고, 이 소설에서 매우 큰 부분을 차지하는 "원자 폭탄"은 프레더릭 소디의 1909년 교과서 [142]"라듐 해석"에서 영감을 받은 것으로 간주된다. 방사성 물질이 끊임없이 붕괴되면서 에너지를 방출하는 만큼, 만약 붕괴가 폭발적인 속도로 진행된다면, 엄청난 결과가 생긴다고 웰스는 주장한다…….

소디는 그의 저서인 [143]『부富, 가상 부富, 그리고 빚』에서 '통화 정책과 사회와 경제 체계에서 에너지 역할'을 언급했다. 그는 글래스고에서 가난을 목격하고 사회주의에 기울었으며, 제1차 세계대전 후에는 영국 독립 노동당을 지지했다. 1921년에 소디는 『방사성 물질 화학 지식의 공헌, 그리고 동위원소 근원과 성질의 연구』로 노벨 화학상을 수상했다.

러더포드는 몬트리올에서 지냈던 9년 동안 실험에만 몰두했던 것은 아니었다. 강연회에서 방사성 원소와 방사선을 설명했고, 『방사능』의 제목으로 교과서를 [144]출판했다. 강연을 지켜보았던 한 참석자는, 활기차고 마치 복음 전도사의 연설회처럼 진행된 분위기를 기록했다.

- 물리학회에 도착했다. 행운은 불모의 땅을 넘어서 호의를 베풀었다. 우리는 러더포드 박사의 그 유명한 라듐 시연을 우연히 보게 되었던 것이다. 그것은 놀라운 경험이었다. 강연자는 자신이 설명하는 귀하고 경이로운 물질의 커다란 조각처럼 나에게는 비쳤다. '방사성'은 우리가 받은 전체 인상 가운데 그의 성격을 특징짓기에 충분한 단어였다. 빠르고 침투력이 강한 빛과 에너지의 방사선과, 벽돌을 뚫을 만큼 강력한 음극선은, 한 문학 교수의 온 몸에서 번쩍거리며 눈부시게 빛을 내고 있었다. 매우 드물고 색다른 광경이었다. 순수한 열정, 숭고한 일에 사로잡혀 그 안에서 행복한 신사.......

이 글을 쓴 강연회 참석자는 과학자를 전에는 항상 "미장匠이"와 "예술 파괴자"라고 묘사했던 맥길 대학교 고전학 교수였다.[145]

4.3 맨체스터에서 알파 입자의 관측

1907년 여름 러더포드는 맨체스터에 도착했다. 지금은 맨체스터 대학교로 이름이 바뀐 빅토리아 대학교(또는 빅토리아 맨체스터 대학교)에서 랭워시 교수직을 제안했고, 그는 기꺼이 받아들였다. 빅토리아 대학교는 1880년에 오웬스 대학교와 병합해서 시작한 영국 북부의 연방 대학교였다.

랭워시 교수였던 56세의 아서 슈스터가 은퇴를 앞두고 러더포드를 선발하는 작업에서 앞장섰고, 러더포드는 그의 계승자가 되었다. 슈스터는 화학과 물리학 연구에서 뛰어난 업적을 쌓았으며, 연구와 학교에 관련된 경영과 관리에서도 탁월한 능력을 보였다. 1898년에 그가 제출했던 반反물질에 관한 두 편의 [146]논문은 나중에 영국 이론물리학자 폴 디랙(1902-1984)이 반反입자를 발견하는 연구에 크게 기여하기도 했다. 그가 빅토리아 대학교에 세운 「물리학 연구소」는 그 당시 영국에서 가장 큰 규모였고, 세계에서 네 번째 크기였다.

맨체스터에 도착한 러더포드는 그동안 연구해 왔던 토륨, 라듐과 같은 방사능 물질의 난難문제들을 프레드릭 소디, 오토 한, 버트램 볼트우드에게 맡겼다. 대신 그의 눈은 알파, 베타, 감마 광선의 사용에 맞춰지고 있었다. 세 개의 광선이 원자 속을 어떻게 드러낼지에 그의 관심은 쏠리고 있었다. 그의 분야도 방사선 화학에서 물리학으로 바뀌었다. 세계 물리학의 중심이 된 그의 실험실에는 연구원들이 십여 명씩 모이기 시작했다. 초기에는 박사학위를 막 마친 독일 물리학자 한스 가이거(1882-1945)와 윌리엄 케이(1879-1961)가 러더포드를 도왔다.

윌리엄 케이는 물리학과 실험실 책임자였고, 러더포드의 조수로서 실험을 지원했다. 그는 실험 장치를 설치했을 뿐만 아니라 측정에도 직접 참여했고, 실험실 강의에서 실연자의 역할도 담당했다. 케이를 만났던 학생과 러더포드의 동료들은 그의 실연에 감탄을 쏟아내곤 했다.147)

"케이의 실험 실연은 아름다웠고, 멋들어졌다."

1946년, 그가 실험실 책임자 직위에서 은퇴할 때, 맨체스터 대학교는 '명예 이학석사'를 수여하면서, 영국에 단 두 명뿐인 '가장 뛰어난 물리학 실험실 기술 조수'의 명칭을 사용했다. 다른 기술 조수는 「캐번디시 연구소」의 프레드 링컨이었다. 러더포드의 후임 랭워시 교수였던 헨리 브래그는 그를 칭찬했다.

"실험실 기술자의 왕자!"

실험이 복잡하고 다양해지면서, 연구 책임자가 모든 일을 떠맡아 진행하는 것은 사실상 불가능해 졌다. 현대 과학에서는 이러한 상황이 더욱 자주 일어나고 있다. 실험실에서 교수, 기술자, 연구학생, 학생의 역할이 잘 나누어지고 협력하여 함께 이루어질 때 최상의 효과가 만들어지곤 한다.

러더포드는 몬트리올을 떠나기 일 년 전부터 알파 입자를 전하가 떼어진 헬륨 원자일지도 모른다고 생각해 왔다. 이를 확인하기 위해서는 새로운 실험이 필요했다. 학사학위를 막 마친 22세의 토마스 로이드(1884-1955)와 함께 러더포드는 밀봉된 유리관 안에 알파 입자를 모은 다음, 알파 입자의 분광선을 측정했다. [분광선은 원자나 분자들이 특정한 파장에서 빛을 흡수하거나 방출하여, 고유한 특성을 표시해 주어서 마치 사람의 지문과도 같은 역할을 해 준다].

측정된 알파 입자의 분광선은 헬륨 원자의 것과 동일했고, 1908년 11월 13일에 『방사성 물질에서 알파 입자의 성질』의 148) 논문이 〈철학 잡지〉에 제출되었다.

약 140밀리그램의 라듐에서 나오는 '방사 기체'가 수은 기둥을 통해서 길이 1.5센티미터인 가는 유리관 안으로 정제되고 압축되어 채워졌다. 가는 유리관은 좀 더 큰 모세관 위에 연결돼 밀봉되었고, 그 바깥은 길이가 7.5센티미터이고 지름이 1.5센티미터인 원통형 유리관으로 둘러싸여서, 수은 기둥으로부터 수은이 가는 유리관 바닥까지 도달하도록 설계되었다. 원통형 유리관의 위는 작은 진공 펌프 그리고 아래는 따로 연결된 유리관을 통해서 수은 기둥과 일반 펌프에 연결되었다. 실험 장치에 사용된 모든 유리관의 벽 두께는 0.01밀리미터보다 얇아서 알파 입자가 공기에서 2센티미터를 통과하는 거리에 해당했다. 라듐 '방사 기체'(라돈-222)와 그로부터 새로 생성된 라듐 에이(폴로늄-218)와 라듐 씨(비스무트-214)에서 발사된 알파 입자의 비행 거리가 각각 4.3와 4.8과 7센티미터이기 때문에, 시료로부터 뿜어져 나온 알파 입자는 대부분 유리관 벽을 뚫고 바깥으로 튀어나왔다.

가는 유리관 벽을 뚫고 튀어 나온 알파 입자는 바깥을 둘러싼 원통형 유리관 안벽과 수은 표면에 쌓이고 배출 공간으로 충분히 확산된 다음에, 수은이 끌어올려지고 기체가 압축되어서 분광선이 측정되었다.

—처음 하루 동안 아무 것도 관측되지 않았지만, 2일 후에 노랑

빛이 약하게 나타났고, 4일 후에 노랑과 초록 빛이 밝게 나타났으며, 6일 후에는 '헬륨' 분광선들이 강하게 나타났다.

러더포드는 알파 입자가 곧 헬륨이라고 결론을 내렸다.

—알파 입자는 전하가 떼어진 헬륨 원자이다.

—떼어진 전하의 크기는 물의 전기분해에서 수소가 자유롭게 움직이며 운반하는 전하의 두 배이다.

1907년과 1908년에 걸쳐서 러더포드는 총 16 과학자로부터 노벨상 지명을 받았다. 1907년 물리학에서 7명과 화학에서 1명, 1908년 물리학에서 5명과 화학에서 3명으로부터 지명되었다. 16명 중에서 13명이 독일인이었고, 2명이 스웨덴인, 1명이 캐나다인이었다. 영국인은 단 한 명도 없었다. 지난 2년 이내에 노벨상을 받은 과학자는 지명자가 될 수 없다는 규칙 때문에, 1906년에 노벨상을 수상한 조지프 존 톰슨의 지명은 1909년으로 미루어졌다.

필리프 레나르트는 러더포드를 지명한 추천서를 짧게 작성해서 제출했다.

-원소의 화학 변화를 처음 증명한 공로(원소/라듐/〈철학 잡지〉, 11월, 1904년)를 인정한다.

독일 물리학자 막스 플랑크는 러더포드를 지명한 이유로 방사능 실험과 연구를 들었다.

-방사능 과정의 본질을 숨겼던 어둠의 덮개를 열어젖혔다.

오스트리아 화학자 베크샤이더는 러더포드의 연구 성과를 설명했다.

- 러더포드식 개념은 화학에서 매우 중요하다. 그는 물리학자이지만, 노벨 화학상의 추천이 하나도 문제되지 않는다.

1907년 노벨 물리학상 위원회는 스웨덴 한림원에 러더포드 지명에 관련된 보고서를 제출했다.

- 화학 원소(라듐)의 붕괴를 관찰한 어니스트 러더포드는 노벨 물리학상보다 화학상을 받아야 한다. 그러므로 1907년 노벨 물리학상 수상자로 그를 추천하지 않는다.

1년 후에, 노벨 물리학상과 화학상 위원회는 러더포드의 연구가 물리학보다 화학에 좀 더 관련된다고 결정했다. 그리고 1908년 노벨 화학상 위원회는 러더포드의 지명을 심각하게 고려하여 장편의 15쪽 보고서를 스웨덴 한림원에 제출했다. 당시 후보자로서 러더포드의 노벨 화학상 경쟁자는 그의 연구학생이었던 프레더릭 소디와 76세의 윌리엄 크룩스 경뿐이었다.

1908년 12월 10일, 러더포드는 『원소 분열과 방사성 물질의 화학 연구』의 공헌으로 노벨 화학상을 수상했다. 그 당시에 방사능은 일반적으로 물리학보다 화학 분야라고 간주되었기 때문에 러더포드에게 노벨 화학상이 주어졌던 것이다. 러더포드는 미소 지으며 말했다.

"물리학자에서 화학자로 '순간적인 변환'을 이루었다."

파동이나 입자가 다른 입자와 부딪혀서 여러 방향으로 흩어지는 현상을 일반적으로 산란散亂이라고 부른다. 빛과 같은 파동이나 움직이는 입자들이 일정한 위치에 국한된 매개 물질의 변화 또는 불균일성, 즉 다른 물체 또는 물질로 인해 본래 진행하던 직선의 경로에서 벗어나는 과정이 '산란'이다. 원자나 분자가 빛을 한 방향에서 흡수해서 다시 다른 방향 그리고 세기로 방출하거나, 한 입자가 다른 입자와 충돌한 다음에 본래 진행하던 직선의 경로에서 벗어나서 다른 방향으로 나가는 경우도 산란에 포함된다. 빛의 진행에서 '반사'와 '굴절'은 다른 매질을 향한 입사각 그리고 이를 포함하여, 통과하는 매질의 차이에 따라서 일정하게 변화한다. 반면에, 산란은 입사각뿐만 아니라 입사와 산란 물체의 물리적 성질에도 서로 연관돼, 여러 방향으로 분산된 일종의 반사까지 포함하여 나타난다.

햇빛이 통과하면서 구름이 하얗게 보이거나 맑은 하늘이 파랗게 나타나는 현상은 모두, 수증기나 공기 분자에 의해 빛이 '산란'되어서 일어난다. 구름을 형성하는 수증기 방울은 빛에 포함된 대부분 파동의 길이보다 커서, 마치 거울로 빛을 반사하듯이 여러 파동의 빛을 대등하게 흩뜨리며, 빛의 삼원색을 모두 합친 것처럼 특정한 색色 없이 하얗게 나타난다. 지구 표면을 이루는 대기大氣는 78퍼센트의 질소와 21퍼센트의 산소가 거의 다 차지하고, 약간의 먼지, 연기, 수증기와 같이 작은 입자들로 구성되어 '레일리 산란'에 따라 햇빛이 흩어진다. 레일리 산란에 기초하면, 산란 양은 파장의 네제곱에 반비례해서, 빛의 파장이 짧을수록 커지고 길수록 작아진다. 우리 눈에 보이는 빛의 파장은 빨강에서 가장 길고, 파랑에서 가장 짧다. 파장 길이가 450나노미터의 파랑 빛은 700나노미터의 빨강 빛에 비해서, 레일리 산란에 따르면, 산란 양의 비율이 450/700의 네제곱에 반비례하여 5.9배인 것으로 계산된다. [1나노미터는 1십만 분의 1센티미터이다].

짧은 파장의 파랑 빛은 다른 색상의 빛들보다 산란 양도 그만큼 늘어나서, 낮 하늘 전체를 파랗게 물들인다. 저녁 노을 태양 빛은 지평선 또는 수평선을 따라서 높은 밀도의 대기를 통과하여, 대낮보다 38배의 공기 양을 거칠 만큼 훨씬 더 먼 거리를 지나간다. 파장이 짧은 파랑 빛은 사방으로 흩어지는 반면에, 파장이 긴 빨강과 주황과 노랑의 빛은 상대적으로 덜 흩어지고 남아서, 저녁 노을 붉은 빛이 되어 우리에게 다가온다. 한낮, 머리 위에서 수직으로 비추는 태양 빛은 다른 시각에 비해 가장 짧은 거리를 진행하고, 산란으로 흩어져 사라지는 양도 그렇게 많이 늘어나지 않아서, 모든 빛의 색상이 다 합쳐져 하얀 빛으로 태양의 모습을 드러낸다.

파동의 길이는 파장波長이라고도 하고, 잔잔하게 흐르는 물결을 따라서 나뭇잎이 한번 올라갔다가 내려온 다음에 다시 올라갈 때까지 흘러간 거리로서 비유해 보면 빛의 파장도 상상이 가능하다. 파동의 골에서 다음 골까지, 마루에서 다음 마루까지의 거리라고 간략하게 정의된다. 마디가 반복해서 이루어진 파동에서, 마디의 길이가 파동의 길이 즉 파장이다. 파동의 용어로서 진동수가 사용되기도 한다. 파동의 속도를 진동수로 나누면 파동의 길이인 파장이다. 진동수 대신 주파수의 용어가 쓰이기도 하고, 다른 의미에서 파수는 단지 파장의 역逆수이다. 방송국 진동수(주파수)가 100메가헤르츠인 전파의 파장은 속도를 100메가헤르츠로 나누어서 3미터이다. 이 때 파수는 1/3이다. [전자기파 속도는 3십만 킬로미터/초이고, 1메가헤르츠는 1백만 헤르츠이다].

4.4 알파 입자와 원자의 충돌: 러더포드 산란 실험

1905년에 들어서면서, 물리학자들은 물질의 원자 구조와 전기 이론에 관심을 갖기 시작했다. 조지프 존 톰슨은 양전하가 원자 전체에 균일하게 분포하고 음전하인 전자가 듬성듬성 박혀 있는, 소위 '자두 푸딩 모형'을 내세운 바 있었다.

맨체스터에 도착한 후, 러더포드는 알파와 베타 입자의 산란 실험이야말로 앞으로 원자 구조를 밝히는 이론을 펼치는 연구에 중요한 역할을 할 것으로 일찍부터 내다보고 있었다.
…알파 입자는 원자 구조를 조사하기 위해서 사용되는, 러더포드가 가장 좋아하는 도구였다. 알파 입자가 발사되어 다른 원자와 충돌하고 흩어지는 산란을 통해서, 서로 작용하는 힘을 이해하는 노력이 시작되었다.

러더포드는 그의 조수인 한스 가이거와 함께 알파 입자의 검출과 측정에 대해 연구하고 있었다. 원자를 정밀하게 조사하려면 우선 발사체인 알파 입자를 매우 정밀하게 관찰해야 했다. 몬트리올에서는 이를 식별하는 방법조차 찾을 수 없었지만 맨체스터에 와서 상황이 크게 달라졌다. 일 년이 채 지나지 않아서 알파 입자를 측정하는 두 가지 방법이 개발되었다.

첫 번째는 인광 물질에 빛이 닿아서 번쩍이는 섬광 검출기였다. 얇은 금속 은박지에 입사入射한 후에 흩어져 튀어나온 알파 입자가, 음극선 실험에서 인광 물질로 사용된 황화아연 화면에 충돌하여 일으키는 섬광을 검사해서 결과를 추출하는 방법이었다. 섬광이 일어나는 횟수를 눈이나 현미경으로 1분 또는 1시간 간격마다 직접 세어서 읽었다.

두 번째 방법은 중앙으로 양극 도선이 지나가는 속이 빈 금속 원통 속에 기체를 채운 다음, 한쪽 끝에 운모로 된 얇은 창을 통해서 알파 입자들이 지나가며 기체 분자들과 충돌을 일으키고, 이온들이 연속으로 발생하면서, 전자들은 중앙 양극의 도선에, 양이온들은 음극의 원통 벽에 모아져서 전자와 이온의 짝이 측정되었다. 양극의 도선과 음극의 원통 벽 사이에 불꽃이 일어날 만큼 높은 교류 전압이 공급되면 훨씬 큰 출력 신호가 얻어지고, 중앙 도선에 연결된 축전蓄電기 전기용량과 측정된 전압의 곱으로부터 검출기에 모아진 전자와 이온의 짝 수가 계산되었다. 나중에 이 기술은 '가이거 검출기'로 발전한다.

1908년 가을부터 알파 입자들이 금 또는 여러 금속 은박지를 통과하는 실험이 시작되었다. 삼십대 후반의 러더포드는 섬광 횟수를 눈으로 직접 세어서 알파 입자의 산란을 조사하는 일을 한스 가이거와 학부 학생인 어니스트 마즈든(1889-1970)에게 맡겼다. 그들은 금속 은박지 두께와 산란각角에 관련된 알파 입자들의 산란을 조사했다. 이 실험이 '러더포드 실험'으로 알려져 있지만 한편으로 '가이거-마즈든 실험'으로 불리는 이유는 이 때문이었다. 러더포드는 마즈든에게 '금속 은박지를 통과하는 알파 입자의 산란 실험'의 목적을 명확하게 설명해 주었다.

"입사한 알파 입자들이 금속 은박지 표면으로부터 '직접 반사'되어 나오는지 주의 깊게 관찰할 필요가 있다."

마즈든은 러더포드가 정말로 알파 입자의 직접 반사, 즉 '큰 각 산란'을 기대하고 있는지 의심했다. '큰 각 산란'은 마치 빛이 반사되듯이, 알파 입자가 은박지의 금과 같이 무거운 원자와 충돌한 다음에 되돌아 나오는 경우이다. 반면에 '작은 각 산란'은, 알파 입자가 수소나 산소처럼 가벼운 원자와 부딪친 후에 되돌아 나오지 않고, 본래 진행하던 방향에서 조금만 비껴(90도보다 적게 꺾여) 지나가서 일어난다.

…'큰 각 산란'은 알파 입자가 처음 진행하던 직선 경로에서, 충돌한 다음에 산란되어 나가는 방향이 만드는 각도, 즉 산란각이 90도보다 더 큰 경우이다.

톰슨의 '자두 푸딩 모형'의 주장대로, 원자를 균일하게 채우는 양전하에 매우 작고 가벼운 음전하의 전자들이 함께 듬성듬성 박혀 있다면, 러더포드가 조사했던 '큰 각 산란'의 실험은 사실상 불가능했다.

…원자 안에서 전자들과 부딪쳐도, 수천 배 이상 무거운 알파 입자는 거의 영향을 받지 않고 통과하기 때문이었다.

가이거와 마즈든은 새로운 검출 기술을 사용하여, 은박지 종류와 두께에 대한 '큰 각 산란'의 비율을 주의 깊게 살펴보았다. 알파 입자가 금속 은박지의 원자와 서로 작용한 다음에 흩어지는(산란되는) 모습을 관찰하는 것이 실험의 목적이었다.

149)실험 장치는 크게 알파 입자 시험관, 납으로 만든 평판, 섬

광화면, 금속 은박지로 구성되었다. 원뿔 모양의 유리 시험관에[150]라듐 '방사 기체', 라듐-에이(실제로는 폴로늄-218) 또는 라듐-씨(실제로는 비스무트-214)가 채워졌고 열려진 끝은 매우 얇은 운모로 밀봉돼 알파 입자를 방출하는 창窓으로 사용되었다. 알파 입자가 직접 섬광화면에 충돌하는 것을 방지하기 위해서 시험관 밀봉 입구와 섬광화면 사이에 납으로 만든 평판이 삽입되었다. 시험관 입구는 납 평판의 끝보다 조금 뒤에 놓여서 알파 입자가 방출될 때 직접 섬광화면을 때리지 않게 맞춰졌다.

시험관에서 방출된 알파 입자가 섬광화면 한쪽 끝에 수직으로 세워진 금속 은박지에 충돌한 다음 마치 반사되어 튀어나오듯이, 실제로는 입사한 후에 산란되어 비껴져 나와서 섬광화면을 향하도록 실험 장치가 설치되었다. 즉, ㄴ자 모양에서 ㅣ에는 금속 은박지를, ＿에는 섬광화면을, ＿의 섬광화면 위에는 — 모양의 납 평판平板을 올려놓았고, 납 평판 위에는 ／와 같이 대각선 방향으로 아래 끝이 운모로 밀봉된 유리 시험관이 놓이도록 실험이 설계되었다. 특히 섬광화면 뒤에는 현미경이 놓여서 섬광을 좀 더 세밀하게 관찰하도록 준비되었다. 금속 은박지와 충돌한 후에 튀어나오는 알파 입자들이 가능하면 많이 만들어지도록 알루미늄과 같이 가벼운 금속보다 원자량이 높은 금이나 백금 은박지가 실험에 주로 사용되었다.

검출기를 금속 은박지 앞쪽에 놓아서, 유리관에 가득 담았던 알파 입자가 금속 은박지에 입사한 후에 다시 반사되어 나오는 '큰 각 산란'을 기대하며, 그들은 신호를 기다렸다. 이어서 놀라운 결과가 일어났다. 가이거는 제일 먼저 러더포드에게 달려갔다. [151]흥분을 감추지 못한 채, 말을 끝내지 못했다.
"마침내, 거꾸로 되돌아오는 알파 입자들을 우리는 보았어요......."

러더포드는 그 당시 놀라움에 휩싸였던 알파 입자의 '큰 각 산란' 실험을 얘기했다.[152]
"그 일은 내 인생에서 일어났던 가장 놀라운 사건이었다. 마치 얇은 휴지 조각에 발사되었던 15인치 포탄이 되돌아와서 당신을 때리는 것과도 같았다. 도저히 믿을 수 없는 일이었다."

1909년 가이거-마즈든 실험의 결과는 〈왕립학회 회보〉에서 『알파 입자의 흩어진 반사』의 제목으로 [153]발표되었다.
—라듐 '방사기체'는 브로민화 라듐의 20밀리그램과 동등했고, 대기압의 약 10 분의 1의 압력으로 시험관에 채워졌다.
—같은 두께의 납, 금, 백금, 아연, 은, 구리, 철, 알루미늄 은박지에서 1분 동안 관측된 섬광 수는 62, 67, 63, 34, 27, 14.5, 10.2, 3.4였다. 납의 경우는 불순물이 많이 함유되어서 제외되었다.
—은박지의 두께가 두꺼워질수록 반사되어 되돌아 나오는 알파 입자의 수는 점점 늘어났다. 금 은박지의 경우에 두께가 10만 분의 6센티미터 넘어서면서 알파 입자의 반사가 일어났다.
—라듐-씨(실제로는 비스무트-214)로부터, 거의 8천 개의 알파 입자 중 1개꼴로 두꺼운 백금 은박지에서 반사가 이루어졌다.

그들은 반사가 이루어진 이유를 설명했다.

—알파 입자의 반사는 원자 안에서 강한 전기 힘의 상호작용이 일어나서 생긴 효과였다.

알파 입자가 표적 원자와 충돌하여 되돌아 나오는 산란에 사용되었던 '반사'의 낱말에는 '후방 산란' 또는 산란각이 90도 이상인 '큰 각 산란'의 용어가 새롭게 붙여졌다.

조지프 존 톰슨이 설명했던 '자두 푸딩 모형'의 모습을 원자가 실제로 지녔다면, 수박에 총알을 쏘았을 때처럼 알파 입자가 원자를 뚫고 그대로 지나가야 했지만, 가이거-마즈든의 '후방 산란'은 총알이 수박 안을 통과하다가 돌연 되돌아 나온 사건과도 같았다. 만약 눈에도 보이지 않는, 매우 작고 총알보다 훨씬 무거운 쇠구슬 하나가 수박 안에 들어 있다면, 발사된 총알은 대부분 그대로 수박 안을 통과하지만, 가끔씩은 그 작고 무거운 쇠구슬에 충돌하여 진행하던 경로에서 크게 비껴나서 '큰 각 산란'의 현상이 나타난다.

알파 입자가 얇은 금속 은박지를 지나가며 약 1만 분의 1의 확률로 되돌아 나오는 '원자 내부'를, 조지프 존 톰슨은 균일한 양전하 물질과 전자들로 채워진 복합체라고 생각했지만, 러더포드는 거의 모든 질량이 중앙 작은 점에 집중된 양전하 입자와 그것을 둘러싼 전자들로 구성된 집합체라고 결론을 맺었다.

…알파 입자는 '전하가 떼어져 나간 헬륨 원자'라는 사실의 관점에서, 약 1만 분의 1의 확률로 부딪히는, 매우 작은 양전하의 '원자 중심' 이론은 가능해 보였다.

1910년 가을에 들어서면서, 러더포드는 알파 입자의 실험을 반복하기 위해 마즈든을 다시 맨체스터로 불러들였다. 그동안 거듭되었던 알파 입자 실험의 결과와 일치하고 조지프 존 톰슨의 원자모형과는 확연히 다른 원자 구조를 새로이 설계하는 것이 목적이었다. 1910년 12월 14일, 예일 대학교의 방사선 화학자 버트램 보든 볼트우드(1870-1927)에게 보낸 154)편지에서 러더포드는 '원자 중심'의 생각을 적었다.

-알파 입자와 베타 입자의 실험 결과대로라면, 155)'제이 제이(조지프 존 톰슨)'의 것보다 훨씬 뛰어난 원자모형을 내가 고안해 낼 수 있다는 생각이 들었다. '원자 중심'의 원자는 실험 결과에서 보였던 숫자와도 매우 잘 들어맞는다.

파격적인, '큰 각 산란'을 설명하기 위해서 몇 날을 고심했던 러더포드의 모습을 가이거는 156)회상했다.

"그는 어느 날 갑자기 활기찬 모습으로 내 방에 들어 와서, '원자가 어떻게 생겼는지 이제 알게 되었다'라고 나에게 말했다."

1911년 3월 7일, 러더포드는 '원자 중심'을 알리는 첫 번째 논문을 〈맨체스터 문학 및 철학 학회〉에 제출했고, 5월에는 가이거-마즈든 실험에 근거하여, 『물질에서 알파 입자와 베타 입자의 산란과 원자 구조』의 제목으로 〈철학 잡지〉에서 157)논문을 발표했다. 그동안 신중하게 언급을 자제해 왔던 새로운 학설을 그는 마침내 학계에 알렸다.

"모든 질량과 양전하가 원자의 아주 작은 중심점에 모여 있다."

알파와 베타 입자들이 물질 속에서 원자와 만나면, 그동안 나가던 직선의 경로에서 비껴갔고, 운동량과 에너지가 훨씬 적은 베타 입자는 그 비껴짐의 정도가 두드러지게 적게 나타났다. 빠르게 움직이는 입자들이 원자 옆을 지나가기도, 경로로부터 비껴가기도 하는 것은 원자 안에 형성된 강력한 전기장 때문이었다.
—알파와 베타 입자들이 얇은 금 은박지를 거의 직선으로 통과하며 나타나는 모습은, 물질에서 여러 원자들을 통과하며 겪는 다수의 '작은 각 산란'의 결과였다. 가이거와 마즈든의 실험 결과에 따르면, 공기에서 0.16센티미터를 통과하는 거리에 해당하는 10만분의 4센티미터 두께의 금 은박지를 알파 입자들이 지나갈 때, 약 2만 개 중 1개꼴로 90도 이상의 '큰 각 산란'이 일어났다.

입자들이 진행하던 경로에서 거의 그대로 지나가는 경우를 '작은 각 산란', 90도 이상 비껴서 흩어지는 경우를 '큰 각 산란'이라고 러더포드는 불렀고, 요즘에는 '큰 각 산란' 대신 '후방後方 산란'이라는 용어가 사용되기도 한다. 90도가 넘는 '큰 각 산란'은, 질량과 양전하가 모두 집중된 매우 작은 '원자 중심'과 알파 입자 사이에서 단 한 번의 산란이 발생할 때만 가능했다. 양전하가 균일하게 퍼져 있는 톰슨의 원자에서 단 한 번의 산란으로 그와 같이 '큰 각 산란'은 만들어질 수가 없었다.

러더포드는 이론물리학자가 아니었지만, 중심력에 관련된 역학力學 이론을 사용해서 원자 안을 지나가는 알파 입자가, 그 안에 포함된 전자와 양전하에 작용하는 전기 에너지를 알파 입자의 운동 에너지와 같다고 가정하여, 가장 가깝게 접근하는 거리를 계산했다. 알파 입자의 속도가 1초당 2.09천만미터(빛 속도의 1/15), 금金 원자에 포함된 전자 수가 100개, 원자 반지름이 대략 1억 분의 1센티미터라고 추정해서, 알파 입자가 '원자 중심'에 가장 가깝게 접근하는 거리는 1조 분의 3.4센티미터였다.
…알파 입자가 원자 안으로 깊숙이 침투해 들어갔다.

알파 입자가 원자 반지름의 1만 분의 3.4에 해당하는 거리까지 원자 중심에 가까이 접근하는 것은, 마치 8,848미터 높이의 에베레스트 정상에서 3미터 떨어진 거리에 접근하는 것과도 같았다!

'큰 각 산란'을 좀 더 구체적으로 설명하기 위해서, 그는 '충격 매개변수'와 '최소 접근거리'의 비율을 산란각과 비교하여 관련성을 계산했다. '충격 매개변수'는 알파 입자가 충돌 전에 진행하던 경로를 그대로 연장해서 '원자 중심'에 작용하는 연결선과 만나는 수직거리이고, '최소 접근거리'는 알파 입자가 '원자 중심'에 가장 가까이 접근하는 거리이다.
—충격 매개변수와 최소 접근거리의 비율이 10, 5, 2, 1, 0.5, 0.25, 0.125로 줄면서, 산란각은 각각 5.7도, 11.4도, 28도, 53도, 90도, 127도, 152도로 증가했다.

'러더포드 산란'이라고 불리는 '알파 입자의 산란 확률'이 한스 가이거와 어니스트 마즈든의 논문에서 [158]계산되었다. 알파 입자가 발사되어 빠른 속도로 날아가면서, '원자 중심'과 상호작용하여, 특정한 각도에서 일어나는 산란의 확률이었다.
—'원자 중심'에 포함된 전하의 제곱에 비례했다.

—은박지 두께가 매우 얇다면, 두께에 비례했다.
—알파 입자의 속도 네제곱에 반비례했다.
—산란각의 함수이고, 산란각이 152도, 127도, 90도, 53도, 28도, 11.4도, 5.7도로 감소하면서, 180도인 경우의 1.128배, 1.558배, 3.999배, 25.22배, 292배, 1.027만 배, 16.36만 배로 증가했다.

서로 밀치면서 거리의 제곱에 반비례하는 정靜전기 힘은 거의 원자 크기의 1만 분의 1정도인 거리에서도 정확하게 적용되었다. 러더포드는 금-197의 원자에 포함된 기본 양전하 개체수를 원자량의 절반인 100으로 가정하여, '원자 중심'의 크기를 계산했다.
—원자의 모든 양전하와 질량이 함께 한 점에 모여 있는 '원자 중심'의 반지름이 대략 원자의 1만 분의 1이고, 1조 분의 1센티미터로 계산되었다.
—전자들이 띄엄띄엄 존재하고 한가운데에 매우 작은 '원자 중심'이 놓인 것을 제외한다면, 원자의 대부분은 거의 '텅 빈' 공간이었다.
—마치 태양계의 토성처럼, 회전하는 전자들이 고리의 모양으로 '원자 중심'을 둘러싼 '토성 원자'는 매우 흥미롭다. '원자 중심'과 전자들 사이에서 끌어당기는 전기 힘이 매우 크다는 가정 하에서, '토성 원자'는 안정돼 보였다.

그 당시에 러더포드가 추산했던 금 '원자 중심'의 반지름은, 100년 후 현재 사용되는 약 1조 분의 0.7센티미터의 크기와 대략 가까웠다. 실제로 수소 '원자 중심'의 반지름은 1조 분의 0.085센티미터이고 우라늄 '원자 중심'의 반지름은 [159]1조 분의 0.585센티미터이다.

4.5 원자핵 발견

원자의 발견 과정에서 등장하는 과학자들은 모두 유럽, 그리고 가끔씩 미국 출신의 수학자, 물리학자, 화학자, 공학자들이었다. 그리스, 중국, 인디아, 로마, 아랍 세계에서 발달했던 과학이 중세 시대를 넘어오면서 유럽에 전파되어 그곳에서 꽃 피웠기 때문이었다. 이슬람 세계에서 아랍어로 써졌던 과학 서적들은 모두 유럽어로 번역되었다. 르네상스와 대항해, 그리고 산업혁명의 시대를 거치면서 유럽에서는 과학이 기술과 어우러져 인류, 특히 유럽인들의 생활을 향상하는 데서 큰 역할을 담당했다. 서유럽에서 발달한 민주주의 힘이 컸다. 초기의 과학자들이 주로 귀족 계급에 속했던 것에 비해서, 독일과 영국의 과학자들은 일반 서민에까지 문호가 열렸고 외국인에게도 과학 연구에 참여하는 기회가 점차 생겨나기 시작했다. 러더포드가 그랬고, 슈스터도 이민자 출신이었다.

과학에서 어느 범위까지 연구 대상이어야 하는지 여전히 논쟁의 여지가 있다. 자연이 보존되고, 자연에서 생물체가 공존하는 범위 내에서 인간에게도 도움이 되어야 하겠지만, 경우에 따라서 자연 또는 인간 중 하나에게 해가 되는 경우라면 재고되어야 할 필요가 있다. 원자의 발견 이전까지 과학은 인간을 포함하는 자연에 크게 해를 끼친 적이 없었지만, 산업혁명 이후 가속화된 과학과 기술의 발전으로 자연과 인간이 항상 동행할 수 없다는 인식이 차츰 생겨나기 시작했다.
…조지프 존 톰슨이 원자 안을 들여다보고, 러더포드가 원자 안을 파헤치기 시작하면서 과학은 오히려 자연과 인간을 위협할는지도 모른다는 가능성을 내비치게 되었다.

돌턴의 원자 발견 이후, 유럽을 제외한 국가에서는 여전히 과학이 암흑시기에 머물렀지만 서서히 빛을 찾아서 유럽의 학문을 배우려는 움직임이 일어나고 있었다. 그 당시 일본이 바로 그 일을 시작하고 있었다. 중국은 청나라의 아편전쟁 패배로 난징조약 이후에 국가 기능을 잃어가고 있었고, 조선은 여전히 고대국가의 형태에서 크게 벗어나지 못한 상태였다. 일본은 이미 막부시절부터 유럽에 방문하여 기독교뿐만 아니라 만유인력 법칙에 관련된 서적들을 번역해서 지식과 교육에 사용했다.

메이지유신 이후에 러시아, 영국, 독일, 미국으로 건너갔던 국비 유학생들이 일본으로 돌아와 두각을 나타냈다. 그중에서도 나가오카 한타로(1865-1950)는 일본의 현대과학 발전에서 큰 역할을 맡았다. 도쿄 대학교를 졸업하고 유럽에 유학해서 토성 주위의 고리와 같은 천문학을 비롯하여 기체의 운동 이론까지 여러 분야를 경험했다. 그는 일본에 돌아와서 도쿄 대학교 교수, 이화학연구소 원장, 오사카 대학교의 초대 총장을 지냈다. 도쿄 대학교 물리학과 교수였던 시절, 나가오카는 160)사절단을 이끌고 브뤼셀과 비엔나에서 열린 국제 학술회의에 참석하던 중 맨체스터에 들렀다. 그 당시 유럽의 눈이 주로 조지프 존 톰슨, 막스 플랑크, 마리 퀴리, 헨드릭 로런츠, 알베르트 아인슈타인과 같이 저명한 과학자들에 쏠려 있었지만, 전체 과학을 한 눈에 정교하게 파악하려는 초창기 일본 과학자의 노력이 한 통의 [161]편지 속에 담겨 있다.

나가오카가 맨체스터에 있는 러더포드 실험실을 방문하고 자신에게 베풀었던 환대에 감사하는 편지가 바로 그것에 해당한다. 유럽의 당사자가 아닌 이제 막 과학 대열에 참가하려고 노력하는 완전히 다른 세계에서 왔던 그는 벌써 당시에 차분하게 유럽의 과학을 한눈에 바라보고 있었다. 그는 유럽에서 여러 저명한 물리학자들과 만난 후에 그들 각자의 인적 사항과 연구 현황, 만나서 받았던 인상까지를 러더포드에게 보낸 편지에 포함했다. 그 대신 러더포드는 당사자여서였는지 빠트렸다.

한 일본 물리학자의 발자취를 묵묵히 들여다보면서 113년 전 그가 남긴 행적을 조금 더 알아보려고 한다. 평가보다 그때를 뒤돌아보는 수고가 오히려 우리를 더 밝은 미래로 이끌 수 있다는 마음으로 나가오카가 러더포드에게 보낸 장편의 편지 앞에서 잠깐 멈춰 선다.

한국 과학의 현재 주소를 언급할 때, 가끔 '과학인용색인' 연구 논문 수를 기준으로 따지기도 한다. [162]연도에 따라서 달라지기도 하지만 2021년을 기준으로 중국이 1위이고 미국이 2위, 영국이 3위,...... 일본이 7위,...... 한국이 12위의 순서이다. 물리학, 화학, 생물학 및 의학 분야에서 노벨상을 기준으로 미국이 1위이고, 영국이 2위, 독일이 3위, 프랑스가 4위, 일본이 5위, 스위스와 스웨덴이 6위이다. 그리고 중국(타이완 포함)은 물리학에서 3명, 화학과 의학에서 각각 1명씩 총 5명이 과학에 관련된 노벨상을 수상했다. 앞으로 20년 쯤 후에는 노벨상 수상 국가들도 현재와 상황이 많이 달라져 있겠지만, 현재가 곧 미래인 만큼 113년 전 그들이 계획했던 작업이 현재의 일본에 어떻게 영향을 미쳤는지, 현재를 기준으로 113년 후 한국에서 전개될 과학을 준비하는 심정으로 나가오카의 편지를 읽는다.

2월 22일, 1911년
물리학 연구소
도쿄 대학교
친애하는 러더포드 교수님,
- 저는 몇 주 전 유럽에서 "연구 여행"을 마치고 집에 돌아왔습니다. 여행에서 느꼈던 점들을 교수님께 글로 쓰게 되어 기쁘게 생각합니다. 우선 말씀드릴 것은 제가 맨체스터를 방문하는 동안 교수님께서 제게 베풀었던 친절에 감사드리고 싶습니다. 방문 동안 보았던, 교수님이 갖고 계신 실험 장치의 간결함과 뛰어난 실험 결과는 저를 충격에 빠트렸습니다.
- 비엔나에서 열렸던 "저온 학회"는 너무 기술적인 면이 짙었던 것 같습니다. 그것은 오히려 냉동 산업의 학회라는 인상마저 들었습니다. 유일하게 중요했던 논문은 저온低溫에 관련된 163)카메를링 오너스의 발표뿐이었습니다. 그는 진공에서 헬륨을 끓이는 과정에서, 절대 온도 164)2.5도, 섭씨 영하 270.5도에 도달했다고 주장했습니다. 나중에 네덜란드 레이던에 있는 그의 실험실을 방문해서 그가

저온으로 온도를 낮추는 과정도 지켜보았습니다. 그는 액화 헬륨의 과정에서, 순도를 높여야한다는 중요성을 강조했습니다.

"가장 어려운 일은 기체에서 불순물을 제거하는 절차로서, 헬륨에 혼합되어 있는 수소가 1백만 분의 1보다도 더 적어야 액화 헬륨의 과정을 유지할 수 있다."

만약 그의 실험처럼 저온이 오랫동안 섭씨 영하 270도에서 유지되어, 그 온도에서 방사능 실험을 하게 된다면 어떨까하는 생각도 해보았습니다.

- 레이던을 떠나 베를린에서 막스 플랑크를 만났습니다. 그리고 그에게 절대 온도 0도 근처에서 165)방사능 변화에 대해 물었습니다. 그는 복사선 이론에 따르면 절대 온도 0도 근처에서 파장의 변화가 있을 것으로 짐작한다고 말했습니다.

- 비엔나를 방문해서 아직 완공되지 않은 라듐 연구소에 찾아갔고, 166)볼츠만 교수가 연구했던 실험실에서 스테판 마이어를 만났습니다.

- 그라츠에서, 16년 전 베를린과 비엔나에서 함께 공부했던 한스 벤도르프를 만났습니다. 그는 대기에서 일어나는 전기 현상을 연구하고 있었지만 지진학에 더욱 관심을 갖고 있었습니다. 일본은 화산활동이 활발한 섬으로 이루어져 있기 때문에 그의 지진 연구는 제게 꽤 매력적이었습니다. 지진에 관한 제 의견이 일본 지진학자들과 달랐는데 벤도르프와는 대부분 일치했다는 것이 매우 이상하게 느껴졌습니다.

- 이탈리아 볼로냐에서 아우구스토 리기는 1904년에 제가 발표했

던 '토성 모형'에 많은 관심을 가졌었고, 167)전기파와 소위 자기 광선을 만드는 실험 장치를 제게 보여줬습니다.
- 취리히 물리학 연구소를 방문했을 때 거대한 전기 자석을 보고서 놀랐습니다. 거기서 질량이 1천 킬로그램이 넘고, 극極 간격 2 밀리미터에서 8만 가우스의 자기장을 만드는 전기 자석을 피에르 바이스가 보여 주었습니다. [8만 가우스는 표준 단위로 8테슬라에 해당하고, 현재 실험실에서 사용되기에 충분한 자기장 세기이다].
- 뮌헨에서 응용 물리학 분야의 흥미로운 것들을 보았고, 뢴트겐을 만나려고 했지만 그때 출타 중이어서 불발로 그쳤습니다. 피터 코크는 3가우스 자기장에서 제이만 효과를 측정하여, 요하네스 하트만의 결과와 비교할 것이라고 귀띔해 주었습니다. 1894년에 제가 뮌헨에서 볼츠만 교수의 지도하에 공부할 당시 연구소는 매우 가난해 보였었는데, 그동안 새 건물로 바뀌었고, 상대성 원리를 연구하는 아르놀트 조머펠트와 유전체나 금속 구에 작용하는 빛의 압력을 연구하는 피터 디바이의 연구소가 새로 들어서 있었습니다.
- 암스테르담에서 분광선에 그의 이름이 붙여진 제이만을 만났고, 레이던에서 전자 전하를 주제로 로런츠와 개인 의견을 나눴습니다. 아헨에서 슈타르크로부터 그의 광양자 이론의 설명을 들었지만, 그의 이론이 간섭 현상까지 설명할 수 있는지 의문이 들었습니다. 독일 과학자들은 그가 상상에 너무 빠져있다고 했는데 어떤 면에서 사실이었던 것 같습니다....... 1893년에 아우그스트 쿤트의 실험실에서 함께 일했던 알렉산더 플뤼거를 본에서 만났습니다. 그는 제게 실험 장비를 보여줬는데 석염 프리즘에 얇은 석영을 입힌 것으

로 적외선과 자외선을 조사하기 위해 사용했습니다. 그는 헤르츠가 연구했던 음극관을 보여주기도 했는데 그것은 알루미늄 창을 가진 것으로서 역사적인 가치를 지니고 있었습니다.

- 하이델베르크에서 레나르트의 복사선 연구소를 방문했습니다. 독일에서 가장 활발한 연구소 중 하나였습니다. 레나르트 교수와 그의 학생들은 인광 현상과 광전 효과를 조사하는 중이었습니다. 그리고 뷔르츠부르크에서 뢴트겐이 엑스선을 발견했던 방을 보았습니다. 여러 연구원들이 빌헬름 빈의 지도하에서 '양이온의 운하 광선'을 연구하는 모습을 보았습니다....... 같은 장소에서 프리드리히 하름스가 콜로퀴움 시간에 맨체스터에서 제가 목격했던 알파 입자에 관련된 교수님의 논문을 설명하고 있었습니다. 거기에 있던 모든 사람들은 그와 같이 간결한 실험으로 뛰어난 결과가 산출되었다는 사실에 많은 경의를 나타냈습니다.

- 그와 같이 간결한 장치로, 훨씬 섬세하고 복잡한 설비로도 성취하기 어려운 결과를 거두었다는 것은 그만큼 천재에게만 가능한 일로서 제게 비칩니다.

[1911년 3월 20일, 러더포드는 나가오카에게 다음과 같이 답장을 보냈다.

- 나에게 보낸 편지와 내 연구의 칭찬에 고마움을 느낍니다. 간단한 내 실험이 그렇게 특별하다고는 생각하지 않았습니다. 사실 그동안 나는 과학 문제를 가장 간결한 방법으로 풀어야 한다고 생각했습니다. 작은 사전事前 준비로 시간과 경비를 줄임으로써, 복잡한 장치를 만들기 위해 드는 많은 시간 낭비를 막을 수 있다고 항

상 생각했습니다. (그리고 나가오카의 편지는 계속 되었다)].

- 카를스루에를 방문해서 헤르츠의 전자기파 실험 장치를 보았습니다. 교수님의 장치처럼 모두 간결했습니다. 그리고 레만이 액정이라고 부르는 물질을 연구하는 모습을 지켜보았습니다. 그가 보여주는 대로 편광된 빛이 나타났지만, 단지 녹는점에서만 액정이 나타나는지에 의심이 생겼고, 집합 조건에서의 변화와 관련이 있을지도 모른다는 생각이 들었습니다.

- 많은 관심을 갖고 스트라스부르의 지진 협회를 방문했습니다. 이번 개편이 국제 지진 조사에 좋은 영향을 미칠 것이고, 앞으로 지진 과학은 많은 후원과 격려를 받을 것입니다. 이런 점에서 우리는 슈스터 교수가 협회를 위해 추진한 활발한 관심과 강화의 노력에 감사해야 합니다.

- 라이프치히 물리학 연구소는 독일에서 가장 컸던 것 같습니다. 그러나 저는 가장 크다고 항상 최고라고 생각하지는 않습니다. 가난한 연구소일지라도 성실한 연구원과 능력 있는 연구소장이 있다면 얼마든지 번성할 것이라고 생각합니다. 실험실 크기와 장비는 과학 연구에서 두 번째 역할 밖에 못하는 것으로 보이고...... 브레슬라우에 있는 연구소는 최근 오토 루머가 새로이 세운 거대한 연구소입니다. 연구는 대부분 광학에 관련된 것이었고, 여러 종류의 간섭계와 광도계를 보았습니다.

- 베를린에 있는 물리학 제국 연구소는 마치 국립 물리학 연구소와도 같았습니다. 장비들이 매우 섬세하고 정밀했고, "부러워서" 울고 싶을 정도였습니다. 그곳에서 보았던 오실로스코프는 100킬

로헤르츠까지 측정할 수 있는 아주 고주파수용用이고...... 연구소에 있는 동안 헬름홀츠 교수의 강의를 들었습니다. 1893년에 쿤츠와 함께 공부했던 곳이기도 합니다. 시간이 이렇게 빠르게 지나간 것에 다시 한번 놀랐습니다. 하기는 맨체스터에서 교수님을 뵌 지도 벌써 다섯 달이 지났습니다.

- 돌아오는 길에 시베리아에 들렸습니다. 중국과의 국경이었는데 온도가 섭씨 영하 44도였습니다. 차 안은 괜찮았지만 온도차가 바깥과 60도나 났고, 감기에 걸려서 3주 동안 침대에 누워 있어야만 했습니다. 일본에 와서 아무런 연구도 하지 못했는데, 고노시타가 곧 교수님께서 구해 주신 라듐을 갖고 방사능 실험을 할 예정입니다.

부인과 딸에게도 안부 전해 주시기 바랍니다.

교수님의 성공을 빕니다.

나가오카 한타로

편지의 분량이 많아서 모두 소개되지 않았다. 편지에서 언급된 과학자들의 수가 무려 45명이었다. 대부분 그가 방문해서 만난 과학자들이었고, 그중에는 헨드릭 로런츠, 카메를링 오너스, 필리프 레나르트, 막스 플랑크, 피터르 제이만, 요하네스 슈타르크와 같이 그 당시에 이미 이름을 떨쳤던 교수들이 포함되었다. 편지 내용 중에는, 뮌헨 대학교에서 루트비히 볼츠만 교수 지도하에 공부했고, 독일에서 많은 동료 물리학자들을 만났던 영향으로 드문드문 독일어 단어가 섞여 있었다.

1904년, 도쿄 대학교 물리학과 교수인 나가오카 한타로는 전자들이 드문드문 박혀있고 나머지 원자의 공간을 양전하가 메우는 조지프 존 톰슨의 '자두 푸딩 모형'에 반대하는 의견을 냈다. 반대 전하들끼리 서로 뚫고 들어갈 수 없다는 게 이유였다. 그는 대안으로서 양전하가 중심에 있고 포위하듯이 그 주위를 여러 전자들이 고리를 형성하는 원자모형을 내놓았다. 이는 마치 토성 주위를 형성하는 고리들의 모습과 비슷해서 [168]'토성土星 모형'이라고 불렸다.

토성에서 고리들이 만유인력에 의해 묶여있는 것처럼, 원자 중심에 있는 양전하 주위에 전자들로 이루어진 고리가 전기 힘에 의해 묶여 있는 모형이었다. 토성은 아주 커다란 물체였지만, 원자는 매우 작은 알갱이였다. 만유인력은 큰 물체들 사이에서 주로 작용하지만, 전기 힘은 조그만 물체들 사이에서 주로 작용한다. 수소 원자 안에서 전자와 중심 전하 사이의 전기 힘은 만유인력에 비해서 무려 10조의 세제곱 배에 해당하는 엄청난 크기로 영향을 미친다.

나가오카의 '토성 모형'은 1911년 러더포드 논문에서도 인용이 되었지만, 그 후에 폐기되었다. 고리를 형성하는 전자들끼리 밀어내는 힘 때문에 고리로서 존재하기에 매우 불안정하기 때문이었다. 사실 나가오카 한타로 스스로도 1908년에 이미 본인의 이론을 포기했었다. '토성 모형'은 실제의 원자에 꽤 가까웠다. 오직 전자들의 고리가 문제였다.

…'전자 불안정성'의 문제는 5년이 더 지나서야 해결이 이루어진

다.

1913년 10월, 러더포드와 그의 학생이었던 존 미첼 누탈은 『기체에서 알파 입자의 산란』의 169)논문을 〈철학 잡지〉에서 발표했다. 이 논문에서 처음으로 '원자핵'의 낱말이 '원자 중심'에 사용되었다.
—원자는 양전하를 띤 원자핵과, 그것을 상쇄하는 전하 분포를 이루며 둘러싼 음전하의 전자들로 구성되었다.
—'큰 각 산란'은 원자핵이 만든 거대한 전기장을 알파 입자가 통과하며 일어난 결과였다.

러더포드는 수소보다 무거운 원자의 전자 수를 원자량의 절반이라고 미루어 생각했다.
—원자핵 전하는 원자량과 기본 전하량을 곱한 값의 절반이다.

수소 원자핵은 기본 전하 한 개, 헬륨은 두 개, 탄소는 여섯 개, 질소는 일곱 개, 산소는 여덟 개, 황은 열여섯 개에 해당하는 전하를 갖는다고 예상되었다. 그 당시 원자량은 수소 질량, 기본 전하량은 전자 전하가 기본 양量으로 정해져 있었다.

원자량으로 원자핵 전하를 추론하는 일은 특히, 단순한 원자들의 구성에서 매우 중요했기 때문에, 가벼운 기체에서 알파 입자의 산란 실험이 몇 차례 더 시도된 적이 있었다. 그러나 가이거와 마즈든의 실험 방법은 가벼운 기체에는 어울리지 않았다. 고체 원자들에 그 적용 범위가 거의 한정돼 있었기 때문이었다. 수소와 헬륨과 같이 '가벼운 기체'의 경우, 산란각이 너무 작았기 때문에 정밀도 면에서 측정하기가 매우 어려웠다.
…'러더포드의 원자'는 가벼운 원소의 원자 구조를 밝히는 일에 적합하지 않았다.

수소와 헬륨과 같이 가벼운 원자에도 적용이 가능한 원자 구조는 러더포드가 맨체스터로 초청한 캐번디시 출신의 젊은 물리학자가 '수소 원자모형'을 제안할 때까지 조금 더 기다려야 했다.

'원자핵'은 라틴어 어원에서, 예를 들면 복숭아와 같이 즙이 있는 과일 속에 포함된 작은 씨를 뜻한다. 1844년에 마이클 패러데이가 원자의 중심점을 나타내기 위해서 사용하기도 했다. 1911년에 영국의 천체 물리학자 존 니콜슨의 논문에서 처음 나타났지만, 현재 우리가 쓰는 의미에서 원자핵은 1913년 러더포드의 논문에서 처음 인용되었고, 일반인은 시간이 훨씬 더 지난 다음에야 이해하기 시작한다.

러더포드의 '원자핵 원자'의 논문이 출판되고, 많은 과학자들에게서 축하가 쏟아졌다. 아인슈타인과 함께 상대성 이론의 대가였던 영국의 물리학자 아서 에딩턴도 실험 결과의 중요성을 인정했다.
"러더포드의 발견은 데모크리토스가 원자 가설을 만든 이후 가장 중요한 과학의 성취이다."[170]

05 원자를 구성하다

"우리는 상상력, 경험, 직관에 근거하여 이론을 만든다. 우리 감각의 영역 안에서 일어나는 현상으로부터 그 이론의 귀결을 추론하며, 그리고 거부하거나 수정한 후에 다시 시도한다. 그것은 매우 느리고 힘든 과정이다. 더욱이 거부된 이론의 잔해는 끔찍하다. 그러나 실제로 펼쳐지고 있는 지식은 우리가 보거나 느끼지 않게 숨어 서서히 이루어진다."
-윌리엄 힉스 (영국 수학자와 물리학자, 『제65차 영국 과학협회 수학 및 물리 과학 분야 회장會長 연설』, 1895년 9월 12일).

이탈리아 자연철학자, 천문학자, 수학자 갈릴레오 갈릴레이(1564-1642)는 토성 고리의 모습을 명확하게 식별하지는 못했지만, "토성은 하나가 아니라 세 개의 물체로 이루어져 있고, 그들은 서로 닿아있지 않으며, 서로에 대해 움직이거나 변하지도 않는다." 라고 토스카나 대공국 총리였던 벨리사리오 빈타(1542-1613)에게 보낸 [171]편지에서 적었다. 그는 토성 중심부 양쪽에 근접한 두 개의 작은 물체들의 모습을 얼굴 양 쪽 "귀"에 비유하여, '토성 고리'의 그림을 편지에 덧붙였다.
"저는 가장 멀리 있는 행성이 삼중 형태인 ∘○∘의 모습으로 유지되고 있는 것을 관찰했습니다."

네덜란드의 수학자, 물리학자, 천문학자 크리스티안 하위헌스(1629-1695)는 그의 [172]논문에서 "토성은 고리 모양의 납작한 원반으로 둘러싸여 있고, 그 원반은 토성 중심부와 닿아 있지 않으며, 황도에 대해 일정하게 기울어져[27도] 있다."라고 기록했다. 1666년, 로버트 후크는 자신이 제작한 망원경으로 토성 고리를 관측했고, 토성 중심부, 주위를 둘러싼 고리, 그리고 그 사이를 메우는 '어두운 공간'의 모습을 [173]논문에서 직접 그림으로 보여 주었다. 실제로, 이탈리아 출신의 프랑스 수학자와 천문학자 조반니 카시니(1625-1712)는 토성 고리가 두 개의 가는 고리로 나누어지고, 그 사이에 지금은 "카시니 간극"으로 알려진 빈 공간이 존재한다고 [174]밝혔다. 그는 토성 고리가 무수히 많은 작은 조각들로 이루어지고, 토성 중심부를 둘러싼 궤도에서 그 조각들이 제각기 회전하고 있다고 예측했다.

5.1 원자모형의 시작

보이지 않아 속에 들어있는 것이 무엇인지 그리고 어떻게 작동하는지 알 수 없다면, 바깥에서 보이는 것을 찾아 천천히 실마리를 풀어나간다. 원자 안이 보이지 않아서 바깥에서 그것과 닮은 것을 찾아 나섰다.

…태양계에서 독특한 모습을 하고 있던 토성土星이 바로 그 경우였다.

1856년, 케임브리지 대학교 애덤스 상賞 위원회는 [175]질문을 던졌다.

-문제: 토성의 고리들이 본체와 정확히 또는 매우 근사에 가깝게 동심원을 이루고 적도면에 대칭으로 배치되어 있으며, 토성 고리의 물리적 구성과 관련하여 세 가지 가설이 제시 된다: 고리들은 (1)

고체이거나, (2) 유체 또는 부분적으로 공기의 형태이거나, (3) 서로 다른 크기와 물질로서 구성된다.
- 질문: 토성 본체와 고리들의 상호 인력과 운동이 역학 안정성 조건들을 충족하는지에 관해서, 주어진 세 가지 가설에 맞춰 제각기 확인함으로써 해답을 찾을 수가 있다.

애덤스 상은 케임브리지 대학교와 세인트 존스 대학에서 젊은 수학자에게 수여하는 상賞으로서, 해왕성의 존재를 예측했던 존 쿠치 애덤스(1819-1892)를 기념하기 위해 제정되어 1850년에 시작했고, 초창기에는 케임브리지 출신자에게만 수상 자격이 주어졌다. [제임스 찰리스의 부주의로, 해왕성 발견의 영예는 프랑스 수학자 우르뱅 르베리에와 독일 천문학자 요한 고트프리트 갈레에게 돌아갔다]. 1856년 애덤스 상 심사위원회는 제임스 찰리스, 윌리엄 톰슨(캘빈 경卿), 스티븐 파킨슨으로 구성되었다.

그 당시 176)마리샬 대학 자연철학 교수였던 제임스 클럭 맥스웰은 『토성 고리의 운동 안정성』의 제목으로 177)논문을 제출했다. 문제의 어려운 난이도 때문에 대회 참가자는 오직 맥스웰뿐이었고, 1857년 6월, 애덤스 상은 맥스웰에게 수여되었다. 그는 논문에서, 역학 원리를 따라서는 도저히 설명할 수 없을 것같이 비치는 토성 고리를 우주에서 가장 주목할 만한 천체 중 하나라고 언급하며 글을 시작했다.
"천문학에는 몇 가지 풀리지 않는 의문들이 있다. 우리는 그 의문들의 해답이 앞으로 인류에게 줄 직접적인 이익보다는 오히려 미지의 원리가 주는 실제 예로서 그 특수성에 더욱 마음이 사로잡힌다....... 토성 고리의 거대한 둥근 테가 가시적인 연결도 없이 행성 적도에 걸쳐 휘젓는 모습을 보였을 때, 마음을 가라앉힐 수가 없었다."

맥스웰의 애덤스 상 논문에서 가장 두드러진 특징은 수학 기법의 단순성이었다. 그것은 푸리에 분석과 함께 선형 미분 방정식, 간단한 퍼텐셜 이론, 테일러 정리의 지식만 갖고서도 충분히 이해가 가능했다.

—첫 번째 가설(단단한 고체)에서, 고체 고리는 토성 본체의 중심에서 미치는 매우 작은 힘의 교란에도 불안정한 것으로 나타났다. 작은 점 크기의 위성이 고리에 "일부러" 추가돼서 효과가 조사되었고, 추가된 위성의 질량은 토성 고리의 4.5배인 조건에서만 유일하게 고리의 '안정'이 보장되었다.

—두 번째와 세 번째 가설 모두에 적용되는 예로서, 동일한 질량의 구형 위성들이 같은 간격으로 토성 주위의 원에 배치되어 모두 같은 속도로 공전한다고 가정되었고, 푸리에 분석을 사용해서 토성 고리의 안정성이 조사되었다. 토성 본체의 질량을 위성 수의 제곱으로 나누고 2.298을 곱한 양보다 적다면, 토성 고리는 궤도가 부서지지 않고 '안정'을 유지했다[하지만 178)펜스에 의해서 이 값은 3.223으로 수정되었다]. 만약 고리에 포함된 위성 수가 100이라고 가정된다면, 토성 본체는 토성 고리보다 4,352배 이상 무거워야만 했다.

—두 번째 가설(유체 또는 부분적으로 공기)에서, 토성 고리가 평

평한 비압축성 유체로 구성되어 일정한 각속도로 공전하고, 내부 힘은 부분적으로 중력과 유체 압력으로 결정된다고 가정되었다. 유체 진동의 파장이 고리의 두께보다 클 때(5.471배 이상), 토성 본체와 고리의 밀도 비율이 42.5보다 크면 고리는 '안정'을 유지했다. 유체 진동의 파장이 짧을 때(5.471배 이하), 고리는 더 작은 조각으로 분해되었다.

—세 번째 가설(서로 다른 크기와 물체들)에서, 토성 고리는 접선 방향의 힘이 반지름 방향의 힘보다 고리의 안정성 면에서 더욱 중요하게 작용했고, 반지름 방향의 위치 변화가 입자 간 평균 거리보다 훨씬 더 크다고 가정되었다. 고리의 평균 반지름이 토성 본체의 2배라고 가정돼서, 토성 본체와 고리의 밀도 비율이 거의 300배 이상 돼야만 토성 고리는 '안정성'을 유지했다.

맥스웰은 운동 안정성에 기초하여 토성 고리의 세 가지 가설에 대해서 결론의 글을 적었다.

—고체 고리의 운동 안정성은 작은 변동에 매우 섬세하고, 동시에 질량 분포의 비대칭에도 매우 민감해서, '안정성'의 조건이 설령 정확하게 충족되더라도 그렇게 오랫동안 유지될 수가 없다. 만약 오랫동안 유지되지 않는다면, 우리는 그동안 목격하지 못했던, 고리의 한쪽 면이 거대하게 부풀어진 모습을 쉽게 관측하게 될 것이다. 이러한 문제와 함께, 거대 물체의 역학 구조에서 유도된 결과들이 함께 고려되면, 토성 고리가 고체로 형성되어 있다는 이론은 폐기돼야 한다.

—토성 고리는 제각기 떨어져서 연결되지 않은 입자들로 구성된다.

입자들은 고체나 액체일 수 있지만 반드시 별개(독립적)이어야 한다. 그러므로 토성 고리는 제각기 회전하는 일련의 동심원으로 이루어진 고리 집합체이거나, 원 위에 일렬로 배열되지 않고 서로 충돌하며 회전을 거듭하는 수많은 낱개 입자들로 구성된다.

1882년 애덤스 상의 179)문제로, 이번에는 그 당시 수리물리학자들에게 가장 관심이 깊었던 주제가 주어졌다.
"완전 비압축성 액체에서 두 개의 폐쇄 소용돌이가 서로에게 미치는 작용의 일반 조사."

1883년 10월 1일, 조지프 존 톰슨은『소용돌이 고리의 운동』을 논문으로 제출했다. 순전히 수학 문제였지만, 그는 문제를 포괄적으로 받아들였고, 물질에 관련된 실제 이론으로 전개하여, 소용돌이 고리와 분자 사이의 유사점을 서술했다.
—논문은 네 부분으로 나누어져 작성되었다. 제1장은 단일 소용돌이 고리가 원형圓形 상태에서 약간 교란되었을 때 발생하는 진동을 다루었고, 제2장은 두 소용돌이 고리가 그들의 지름보다 훨씬 더 멀리 떨어져서 움직일 때 서로에게 미치는 상호작용을 조사했다. 제3장은 서로 이어진 두 원형 소용돌이 고리의 운동을 조사해서, 존재 조건과 진동 주기를 계산했고, 3개, 4개, 5개, 6개씩 소용돌이 고리들을 대칭의 방법으로 배치하여 그들의 운동을 세밀하게 검토했다. 제4장은 앞부분에서 논의된 결과들을 기체에서 소용돌이 원자 이론에 적용했고, 화학 반응과 관련하여 소용돌이 원자 이론을 찾는 방법에 초점을 맞췄다.

—기체 동역학 이론에서 분자들에 필요한 여러 속성들을 소용돌이 고리는 그 안에 함께 간직한다. 부술 수도 없고, 나눌 수도 없다. 세기와 부피는 변하지 않는다. 만약 한 소용돌이 고리가 매듭지어지거나 또는 두 소용돌이 고리가 함께 이어진다면, 그들은 그 상태를 그대로 유지한다. 이러한 성질이야말로 분자의 영구 특성을 설명하기 위해 좋은 자료를 마련한다.
—한 원 위에 같은 간격으로 배열이 가능한 소용돌이 고리의 최대 수는 6개였다. 7개의 소용돌이 고리부터는 '불안정' 운동을 보였다.
—화학 원소들에 원자가價의 용어를 사용하듯이, 원자에서 소용돌이 고리는 화학 친화도親和度를 나타내는 개체에 해당한다. 만약 소용돌이 고리들이 대칭의 방법으로 서로 이어져 원자를 이룬다면, 6개보다 더 많은 소용돌이 고리로 이루어진 원자는 화학 원소에 결코 포함될 수가 없다.
—원자성은 원자 배열의 복잡성과도 일치한다. 높은 원자성의 원소는 낮은 원자성의 원소보다 더 많은 소용돌이 고리들로 이루어진다. 그래서 높은 원자성은 복잡한 원자 배열에 부합되고, 높은 원소성의 물체가 낮은 원소성의 물체보다 훨씬 더 복잡한 분광선을 내보낸다. 소듐, 포타슘, 리튬, 수소와 같이 1가의 원소들에서 비교적 적은 수의 분광선들이 관측되는 이유도 이 때문이다.

다가오는 앞날을 향해서 조지프 존 톰슨의 눈길은, 1883년 애덤스 상 위원회에 제출된 그의 논문에서 드러났듯이, 이미 소용돌이 고리를 통하여 원자 안으로 빨려 들어가고 있었다.

그 당시 화학 및 분광학 특성을 제외하고 원자에 대한 이해가 거의 없었던 물리학자들은, 1896년 베크렐의 자연 발생적인 광선의 발견에서, 원자 내부 구조에 관련된 중요한 단서를 넘겨받았다. 원자로부터 방출된 광선의 존재는 원자가 결국 화학 특성을 나타내는 최소 단위라는 사실을 내포하고 있었다. 1897년, 조지프 존 톰슨은 실제로 음극선이 음전하를 띤 미립자들로 구성된다고 발표했을 때 이미 전자들이 물질을 구성하는 기본 요소라고 확신하고 있었다. 맥스웰 이론에 따라서, 가속 전하들은 전자기파의 복사선을 만드는 원인으로 알려져 있었고, 원자 분광선도 원자 안에 포함된 전자들의 운동 때문이라는 사실에 의심의 여지가 없었다.

과학 격변기였던 19세기 말을 지나면서, 조지프 존 톰슨의 전자 발견과 헨드릭 안툰 로런츠의 전자 이론을 기반으로, 모든 물리 현상은 전자들끼리 또는 전자와 원자에서 일어나는 상호작용으로 설명하려는 움직임이 여러 물리학자들 사이에서 움트고 있었다.

톰슨이 전자를 발견하고 실행에 옮겼던 다음 계획은, 원소 주기율표에 죽 늘어놓은 화학 원소들을 원자들 안에 있는 전자들을 토대로 설명하는 것이었다.

…그는 새로 발견한 전자들이 원자들에 결합될 때 멘델레프가 보았던 주기율성性을 제공한다고 믿었다.

오늘날 주기율표가 원자번호, 전자 배열, 화학 특성에 따라서 구성된 것과 달리, 120년 전 주기율표는 "원자 무게를 상대적으로 나타내는" [180]원자량을 기준으로 원소들을 늘어놓았다. 1864년에 독일 화학자 율리우스 로타르 마이어(1830-1895)는 28개의 원소로 구성된 표를 작성하면서, 원자량만 갖고는 원소의 화학 특성을 일정한 주기율로 반복해서 나타낼 수 없다고 판단했다. 그는 독일 화학자 아우구스트 케쿨레(1829-1896)가 1857년에 관측했던 원자가價의 개념을 덧붙여서 사용했다.

…원자가價[발음은 "까"]는 한 원소의 원자가[발음이 "가"] 화합물이나 분자를 형성할 때 다른 원자들과 결합하는 능력을 나타낸다. 메탄 분자의 경우에 탄소 원자 1개가 수소 원자 4개와 결합한다.

주기율표에서 전이금속(3번째에서 12번째 세로줄까지)을 제외하고, 세로줄 번호의 1자리 숫자가 곧 원자가 전자의 개수이다. 한 가지 예외가 있다면, 18번째 세로줄(18족)에 있는 비활성 기체의 원자가 전자 수는 8개이지만 헬륨에서는 2개이다.

톰슨이 해결해야 했던 원자 틀의 문제는 바로 원자에서 양전하와 전자들을 어떤 모습으로 그려내야 하는지를 설계하고 실제로 설명하는 작업이었다. 이미 '토성 원자'는 역학 불안정을 이유로 거부된 상태였다. 토성 고리와 같이, 궤도에 놓인 전자들은 역학에 기초한 "불안정 진동", 즉 복사선 방출로 인해서 그 상태를 그대로 지속할 수 없다는 것이 이유였다. 원자 안에서 음전하의 전자들이 같은 분량의 양陽전하 없이 안정된 상태를 유지하는 방법은 거의 없는 듯 보였다.

5.2 톰슨의 원자모형

톰슨은 화학 원자를 "원시 입자"들의 집합체라고 가정했다. 181) 중성 전기의 성질을 원자가 계속 이어가기 위해서는, 반대의 전자를 밀어내지 않도록 같은 양의 양전하가 원자 전체에 골고루 퍼져 있어야만 했다. 양전하가 구球 모양의 원자를 균일하게 채우고, 그 안에서 전자들은 원 궤도에 놓여서 회전 운동을 계속하며 거리에 비례하는 '끄는 힘'을 갖게 되어, 오히려 거리의 제곱에 반비례하고 서로 밀치는 '반발력'에 균형을 맞추었다. 원자의 안정된 모습은 가능해 보였다.

…톰슨의 '자두 푸딩 모형'이었다.

초기 원자핵 모형인 나카오카 한타로의 '토성 모형'을 거부하게 만들었던 궤도 불안정의 문제는 '고전역학'에 근거한 복사선 방출로부터 그 근본적인 원인을 찾을 수 있었다. 하지만 지난날 논의되었던 과정에서, 복사선 방출로 이어진 에너지 손실은 사실상 궤도 불안정의 주主원인이 아니었다. 전자들이 원 궤도에 충분히 배열되기만 하면, 서로 밀치면서 방출된 총總복사선 양이 거의 줄어들지 않고 오랫동안 계속해서 유지된다는 것이 톰슨의 주장이었다. 복사선 방출로 인해서 에너지 손실이 생기면, 단순히 원 궤도에 전자들이 더해졌다.

톰슨은 원자의 전자 배열에서 역학적인 안정성에 요구되는 조건이 주기율표의 주기성에 응답하는 단서를 제공한다고 미리 짐작했다. 전자들이 움직이는 공간이야말로 전자 분포에 관련된 배열 문제를 해결한다고 판단했다. 그는 원자에서 원 궤도에 배열된 전자들의 진동수를 전자 수의 함수로서 계산했다.

…화학 원소의 속성과 원자량의 관계에서, 상호작용으로부터 평형 상태에 이르는 전자들의 배열을 알아내는 일은 매우 중요했다.

여러 전자들로 구성된 집합체에서 그들의 안정성을 결정짓는 수학 방정식은 전자 수가 늘어남에 따라서 빠르게 복잡해져 갔다. 수학 방식만으로는 조사가 거의 불가능했다. 조지프 존 톰슨은, 윌리엄 톰슨이 [182]언급했던 내용에 주목했다.

—소용돌이 고리들과 알프레드 마이어의 '물 위에 떠있는 자석들의 실험'의 연관성에서, 자석들이 물 위에 떠서 배열되어 안정된 평형 상태를 유지한다면, 소용돌이들도 같은 방식으로 배열되어 안정된 평형 상태를 유지한다.

수학 방식을 대신할 수단을 찾아보던 중, 미국 물리학자 알프레드 마이어(1836-1897)의 자석 실험을 눈여겨보았던 톰슨은, 마치 어린 아이들이 중요한 순서대로 장난감들을 놓아서 그림을 그리듯이, 원자 중심으로부터 가까운 순서대로 전자들을 배열해서 설계를 시작했다.

1878년, [183]마이어는 동그란 그릇에 물을 담고 여러 자석들 끝에 코르크를 달아서 물 위에 띄운 다음, 그 위에 코일로 감은 전자석을 매달아서 물 위에 떠다니는 자석들을 관찰했다. 자석들은 서로 밀어내기도 했지만 위에 따로 매달린 전자석과 끌어당기는 힘이 작용해서 몇 개씩 짝을 지었다. 자석 1개가 놓인 다음 또 하나가 놓이면 한 쌍을 이루었고, 3개가 놓이면 정삼각형, 4개가 놓이면 정사각형, 5개가 놓이면 정오각형, 6개가 놓이면 5각형의 모서리와 중앙에 각각 1개씩 모여 (1,5)의 배합, 7개가 놓이면 6각형의 모서리와 중앙에 1개씩 모여 (1,6)의 배합,...... 9개가 놓이면

7각형의 모서리에 1개씩과 중심부에 2개가 모여 (2,7)의 배합이 만들어졌다....... 중심부에 2개, 그리고 8각형과 10각형 모서리에 각각 1개씩 "안정되게" 놓인 자석들의 모습이 (2,8,10)의 배합이었다.

전자들이 물질 어디에나 널리 퍼져 들어있다는 사실을 확인했던 톰슨은, 그것들이 원자 속성을 결정짓는 중요한 요소라는 점에 주목했다. 그는 마이어 자석들이 이루는 배합이 어쩌면 주기율표 원소들이 보이는 경향과 유사하다고 자유롭게 판단했는지도 모른다.

…도형과 중심에 배합된 마이어 자석들처럼, 원 궤도에 배열된 전자들의 원자모형을 떠올렸다.

1904년 〈철학 잡지〉에서 발표된 『원자 구조: 원 주위에 같은 간격으로 배열된 여러 전자의 안정성과 진동 주기의 조사』의 184) 논문에서, 톰슨은 안정 상태를 계속 유지한다는 조건 하에서 '고전역학'의 방식으로 원자 안에 배열된 전자 수를 계산했다. [원자들에 대해 '양자역학'이 응용되기까지는 앞으로 20년이 더 소요된다]. 구 모양의 원자에서 양전하가 균일하게 분포하고, 전자들은 여러 원들에서 같은 각도를 유지하며 그 원들 중심을 동시에 수직으로 통과하는 구의 지름을 회전축으로 삼아서 일정하게 회전하는 모습이 '톰슨 원자'였다.

톰슨은 배열된 전자들에 작용하는 힘을 원 궤도가 놓인 평면에 수평인 성분과 수직인 성분으로 나누어서, 힘에 대한 운동 방정식이 '안정된 해解"를 갖는지 여부를 조사했다. 그는 약간의 교란이 있을 때 전자들이 평형 위치에서 조금씩 진동하기 위해 요구되는 조건을 계산했다.

전자 수가 6보다 적을 때, 운동 방정식의 해들은 모두 실수實數로 주어져서, 전자들은 원 궤도에서 '안정 진동'을 보였다. 전자 수가 6이면, 원자 중심에 전자 하나가 더 놓이는 경우를 제외하고, 운동 방정식의 해들 중 하나가 허수虛數로 나타나서, 전자 궤도는 역학적으로 불안정했다. 그래서 전자 수가 7일 경우에는, 전자들이 원 위에 6개와 원자 중심에 1개가 놓여서 '안정 진동'을 표시했다.
—양전하가 균일하게 분포된 원자 안에서 전자를 끌어당기는 힘은 원자 중심으로부터 거리에 비례했고, 전자들 사이에서 밀치는 힘은 떨어진 거리의 제곱에 반비례했다. 전자에 작용하는 거리가 멀어질수록 끌어당기는 힘은 더 강했고, 밀치는 힘은 더 약하게 영향을 받았다.
—만약 전자들이 원 궤도에서 정지한 상태에 있다고 가정된다면, 전자 수가 2개, 3개, 4개, 5개, 6개일 때, 전자 궤도와 원자의 크기(반지름) 비율은 각각 0.5, 0.5773, 0.6208, 0.6505, 0.6726으로 증가했다. 즉, 전자 수가 늘어남에 따라서 전자 궤도는 점점 더 커졌다.
—처음 5개의 전자까지는 한 원 위에서 함께 짝을 지었다. 전자 1개는 원자 중심에서, 2개는 원 위에서 마주 보며 서로 원자의 반지름만큼 떨어져 있었고, 3개는 원 위에서 정삼각형을, 4개는 원

위에서 정사각형을, 5개는 원 위에서 정오각형을 각각 만들며 (1), (2), (3), (4), (5)의 전자 배열을 구성했다.
—전자 수가 5개를 넘으면, 전자들은 여러 원들에서 같은 각도를 유지하며 그 원들 중심을 동시에 수직으로 통과하는 구의 지름을 회전축으로 삼아서, 회전 운동을 지속했다. 전자들이 한 원 위에 5개, 6개, 7개와 원자 중심에 1개가 늘어서서 (1,5), (1,6), (1,7)의 순서대로 전자 배열이 이루어졌다.
—전자들이 '11개' 놓이면 첫째 원에 3개와 둘째 원에 8개가 늘어서서 (3,8), 전자들이 '24개' 놓이면 첫째 원에 3개와 둘째 원에 8개와 셋째 원에 13개가 늘어서서 (3,8,13),...... 전자들이 '60개'가 놓이면 첫째 원에 3개와 둘째 원에 8개와 셋째 원에 13개와 넷째 원에 16개와 다섯째 원에 20개가 늘어서서 (3,8,13,16,20)의 전자 배열이 만들어졌다.

톰슨은 다른 원자의 전자 배열을 속 궤도에 포함한 원자들, 예를 들면, (3), (3,8), (3,8,13), (3,8,13,16), (3,8,13,16,20)의 전자 배열들에서 비슷한 화학 성질과 광학 특성이 관찰될는지도 모른다고 예상했다.

멘델레프의 원소 주기율표에서 같은 가로줄을 이동하며 화학 성질이 달라지는 것도 전자 배열과 관련지어서 설명되었다. 톰슨은 원자모형의 방식으로 계산된 전자 배열의 예로서, 당시 주기율표에서 둘째와 셋째 가로줄과, 첫째에서 여덟째 세로줄 사이에 놓인 원소들을 두 줄로 나란히 나열해서 각각 '전기음성도'를 비교했다.

- 헬륨, 리튬, 베릴륨, 붕소, 탄소, 질소, 산소, 불소, 네온
- 네온, 소듐, 마그네슘, 알루미늄, 규소, 인, 황, 염소, 아르곤

톰슨의 전자 배열에 기초하면, 원소가 가로줄을 따라 이동하며 전자 수도 함께 늘어나서, 하나씩 '전기음성도'가 증가했고 '전기양성도'는 감소했다.

—첫 번째와 마지막 세로줄의 헬륨과 네온, 네온과 아르곤은 원자가價(화학 반응에 참여하는 전자)가 0이었다. 두 번째 세로줄의 리튬과 소듐은 전자 1개를 떼어내면 양성이 되어서 '전기양성' 1가의 원소였고, 마지막에서 두 번째 세로줄의 불소와 염소는 전자 1개를 받으면 음성이 되어서 '전기음성' 1가의 원소였다.

—세 번째 세로줄의 베릴륨과 마그네슘은 전자 2개를 떼어내면 양성이 되어서 전기양성 2가의 원소였고, 마지막에서 세 번째 세로줄의 산소와 황은 전자 2개를 받으면 음성이 되어서 전기음성 2가의 원소가 되었다…….

—리튬과 소듐에서 불소와 염소까지 전기양성의 원자가價가 1에서 7까지 증가했고, 전기음성 원자가는 7에서 1까지 거꾸로 감소했다.

화학 원소의 전기양성 원자가와 전기음성 원자가의 차이는 항상 일정했고, 그 차이는 8이었다. 전기양성 원자가는 전자를 내놓아서 양이온으로 전환되는 능력을 보이는 척도이기도 했다. 거꾸로 전기음성 원자가는 전자를 받아서 음이온으로 전환되는 능력을 나타냈다.

톰슨 모형은 전자 배열을 고전역학의 방식으로 보여줌으로써

화학 원자들의 구성을 비교적 상세하게 묘사했지만, 원자들로부터 방출되는 복사선의 문제는 애초부터 그 안에 담겨서 오히려 밖으로 한계를 드러내고 있었다.
…전자들의 운동을 설명한 '고전역학' 이론의 두 가지 내용이 문제가 되었다. 첫 번째는 평형 위치에서 조금씩 벗어나며 일정하게 움직이는 전자들의 진동과 관련해서였고, 두 번째는 전자들이 주기적으로 움직이는 원형 궤도에서 비롯되었다.

톰슨 모형의 첫 번째 의문은 수소 원자에서 방출되는 복사선이 '원遠 자외선' 영역의 단일 파장에서만 예측이 가능하다는 고전역학 계산에 있었다. [185]반지름이 1억 분의 1센티미터인 톰슨 원자로 가정될 때, 수소 원자에서 방출되는 전자기파의 파장은 오직 10만 분의 1.2센티미터였다. 그러나 수소 원자에서 전자는 복사에너지의 형태로 '여러 파장'의 전자기파를 방출해야만 했다.

다양한 수소 분광선은 이미 관측되고 있었다. 1885년에 보고된 발머 계열의 공식이 9개의 분광선을 [186]예측하고 난 뒤였다.
…여러 파장에서 관측된 수소 분광선에, 톰슨은 아무런 대답도 하지 않았다.

톰슨 모형과 관련된 두 번째 의문도 제기되었다. 원 위에서 회전하는 전자들이 운동 방향의 변화로 인해서 가속되는 것이 문제였다. 고전 전자기학에 따르면, 가속 전자는 전자기파의 형태로서 복사 에너지를 외부에 방출하고, 에너지 손실로 인해서 속도가 줄어들며 더 이상 원 운동을 지속할 수 없었다. 결국, 전자들은 원 궤도 대신 소용돌이 모양의 나선형 경로를 그리며 원 중심으로 향해야만 했다.

톰슨 원자에서 방출되는 복사선이 '불안정'하다는 견해에는, 원자 내부 전자들이 나선형 경로를 따르지 않고, 거의 원 운동을 지속한다고 톰슨은 대답했다.

—전자들이 임계 각속도보다 빠르게 회전하면 '안정' 상태에 있지만, 그것보다 늦으면 '불안정' 상태에 있다.

톰슨은 임계 각속도를, 전자 4개를 포함한 원자의 경우를 예로 들어서, 전자들과 양전하 사이의 전기 힘을 전자의 질량과 궤도 반지름으로 나누고 0.325배를 곱한 다음에 제곱근을 취해서 계산했다.

—원 위에서 전자들이 초기에는 훨씬 빠르게 움직이지만, 서서히 느려지고 방출된 복사 에너지의 양도 조금씩만 줄어들어서, 여전히 처음 경로에 가깝게 거의 원형 궤도를 유지했다.

—오랜 시간이 지난 다음, 만약 전자들의 회전이 임계 각속도에 다다르면, 마치 라듐에서 베타 입자들이 쏟아져 나오듯이, 한꺼번에 전자들의 배출로 이어졌다.

톰슨 원자의 고전역학 불안정이 베타선을 만들기 위해서 작동되는 필요한 장치였는지 알려지지 않지만, 전자들이 원 위에서 왜 그렇게 서서히 느려지는지 더 이상 설명되지 않았다. 단지, 원형 도선에서 흐르는 [187]정상 전류[시간이 지남에 따라 변하지 않는]가 시간에 영향을 받지 않는 전기장과 자기장을 만들어서, 전자기파를 방출하지 않는다는 사실만 톰슨은 상기시켰을 뿐이었다.

…톰슨 모형은 당시 과학자들에게 원자 구조를 밝히는, 만족할 만한 대답을 내놓지 못했다.

가속 전하들로부터 나오는 전자기파의 맥스웰 이론과 헤르츠 실험의 관점에서, 원자 내부 전자들의 운동으로 여러 파장 대에서 복사선이 방출된다는 사실은 분명해 보였다. 톰슨 모형은 복사선의 방출을 예측하는 데 적합해 보이지 않았지만, 주기율표에서 연속해서 나열된 화학 원소들이 전자를 하나씩 더해 가면서 각각 다르게 구별되게 만드는 데는 도움이 되었다. 속과 바깥(원자가價) 궤도 전자들의 역할이 뒤바뀌기는 했지만, 현대 과학의 입장에서 같은 주기율에 속한 원자들이 속 궤도의 전자 배열은 다르고 바깥 궤도의 전자 수가 같다는 특징을 보여 주었다.
…결과적으로, 원자의 화학 및 광학 특성이 주로 그 내부 구조에서 비롯될 수 있다는 가능성이 알려 졌다.

톰슨 모형은 원자를 구성하는 일종의 전자 조합의 틀이었고, 현대 주기율표에서 강조되는 전자 배열의 형식에 꽤 잘 어울리는 듯이 보였다. 톰슨은 자신의 원자모형을 바탕으로 전자들의 움직임 뿐만 아니라 원자들의 구성을 염두에 두고 있었다.

5.3 보어의 시작

돌턴이 물질을 구성하는 기본 요소로서 원자를 발견하고, 거의 백년이 지나서, 톰슨과 러더포드는 전자와 원자핵을 원자 안에서 연거푸 찾아냈다. 물질을 구성하는 원자나 분자의 연구가 더 이상 화학 또는 물리학의 독립적인 영역이 아니라는 것을 과학자들은 깨닫게 되었다. [188]『원자와 분자의 구성』의 논문 제목이 보이듯이, "물리학자의 원자" 또는 "화학자의 분자"로 따로 구분하지 않고 모든 물질의 구성을 함께 이해하는 것이 가능해 보였다.

[189]1911년 5월 13일, 코펜하겐 대학교에서 『금속에서 전자의 연구』의 제목으로 박사학위 논문을 무사히 끝마치고, 9월에 덴마크 물리학자 닐스 보어(1885-1962)는 칼스베르크 장학재단이 제공하는 1년 연구 장학금을 받고 그의 "메카", 케임브리지에 도착했다. 약혼녀에게 도착을 알렸던 편지에서 그 당시 보어의 기분을 읽을 수가 있다.

"오늘 아침 가게 밖에 섰을 때, 우연히 문 위에 써진 '케임브리지'의 주소를 읽고서 뛸 듯이 기뻤다."

보어는 조지프 존 톰슨 교수의 「캐번디시 연구소」에서 박사후 연구원으로 일하게 되었다. 톰슨은 보어를 친근하게 대했지만, 보어가 흥미를 가졌던 "금속에서 전자 이론"에는 그렇게 큰 관심을 보이지 않았다. 보어가 캐번디시에 온 목적 중 하나는 그의 박사학위 논문을 고쳐서 영어로 출판하는 일이었다. 특별히 캐번디시를 선택한 이유를 그는 밝힌 적이 있다.

"케임브리지는 물리학의 중심이고...... 톰슨 교수는 참으로 훌륭한 분이셔서...... 모든 사람에게 길을 보여주는, 그야말로 천재라고 생각했다."

보어가 캐번디시에 온 후, 톰슨은 그를 예의 바르게 대했고 그가 가져온 논문의 영문 번역도 차근차근하게 읽어 주었다. 보어는 톰슨을 처음 만나고, 덴마크에서 수학자이고 국가대표 축구 선수인 그의 동생 하랄에게 190)편지를 썼다.

- 방금 톰슨 교수님을 만나고 왔다. 복사선과 자기磁氣와 같은 현상을 그에게 설명해 주었고, 내가 갖고 있던 생각도 말해 주었다. 내가 그와 같이 훌륭한 분과 대화를 가졌다는 것이 어떤 기분이었는지 너는 아마도 모를 거야. 그는 내게 매우 친절했고, 우리는 대화도 많이 나눴다. 내가 한 말 중에 무엇인가 중요한 게 있다고 생각하시는 것 같았다. 그는 내 논문을 읽어보겠다고 약속했고, 다음 일요일에 트리니티 대학에서 저녁 식사에 나를 초대했다.

그가 얼마나 톰슨을 존경했는지, 편지에 잘 나타나 있다. 보어에게 톰슨은, 누구에게든지 길을 알려주는 천재로 보였다. 그 당시 보어의 나이는 25세였고 톰슨은 54세였다. 나이 차이가 많아서, 친구보다 사제師弟 관계에 가까웠다. 16년 전에도 비슷한 상황이 한 차례 있었다. 어니스트 러더포드가 톰슨과 처음 만났을 때였다.

1895년 10월 4일, 케임브리지에서 톰슨의 실험실을 방문하고 만난 첫 인상을 뉴질랜드에 있는 그의 약혼녀 메리에게 러더포드가 전했던 191)편지 내용의 일부이다.

- 실험실로 찾아가서 톰슨 교수를 만났다. 오랫동안 좋은 얘기를 나누었다. 그는 대화 내내 유쾌했고, 생각이 참신했다. 키는 중간이었고 약간 거무스름한 동안의 얼굴이었다. 면도는 하지 않았고 머리가 길게 자라 있었다. 얼굴은 다소 길면서 가늘었다. 머리 모양은 잘 생겼고 코 위에 주름살 몇 개가 수직으로 뻗어 내려와 있었다.

그는 나에게 점심을 권했다. 그의 집에서 톰슨 교수의 부인 로즈

패짓을 만났다. 키가 크고 약간 검은 피부의 여인이었다.
중요한 것을 잊을 뻔했다. 톰슨 교수의 집에서 유일하게 어린 아이를 보았다. 3살 소년이었다. 색슨의 외형을 가진 아주 건강한 꼬마였다. 톰슨 교수는 그 아이를 매우 좋아했고, 점심 식사 동안에도 그와 장난치며 놀았다. 톰슨 여사는 남편의 격식 없는 행동에 사과했다. 나는 톰슨 교수 부부를 매우 좋아하게 되었다.

러더포드가 톰슨을 처음 만났을 때 그의 나이는 24세였고, 톰슨은 38세였다. 보어는 톰슨과의 사제지간에서 러더포드보다 15년이라는 시간만큼 더 떨어져 있었다.

러더포드의 편지 내용 중 톰슨 교수의 3살 아이가 언급되었다. 그 아이의 이름은 조지 패짓 톰슨이었다. 나중에 케임브리지 트리니티 대학을 졸업하고 스코틀랜드 애버딘 대학교에서 교수로 재임 중 1937년, 그는 노벨 물리학상을 받는다. 아버지는 전자에서 입자 성질을 증명했지만, 아들은 전자에서 파동 성질을 확인한다. 음극선에 대해서, 헤르츠와 같은 대륙 물리학자들이 파동성을 내세웠던 데 비해서, 조지프 존 톰슨은 그 반대의 입장에서 입자성을 주장했고 이어서 전자를 발견했다.

[192]젊은 보어가 원했던 톰슨과의 잦은 대화와 만남은 그렇게 원하던 대로 일어나지 않았다. 사실 톰슨은 이미 오래 전에 '전자 이론'에 관련된 연구를 그만 두었다. 아마도 보어의 논문을 아예 읽어보지 않았을는지도 모른다. 톰슨은 자신이 오래 전에 주장하다가 실패로 끝난 원자모형에서, 영어를 별로 이해하지 못하는 외국인이 끈질기게 되풀이해서 '전자 이론'을 다시 들추어내는 것 자체

가 즐겁지 않았을 것이다.

언어뿐만 아니라 두 사람이 가졌던 관심 분야의 차이를 떠나서도, 보어가 추구했던 톰슨과의 영적 교류가 제대로 키워지기나 했었는지에 많은 이들은 회의적이다. 게다가 보어는 남의 실수를 그냥 지나치지 않고 비판하는 성격을 지녀서 톰슨의 논문에서도 실수를 찾아내곤 했다. 솔직했지만 최소한 좋은 책략은 아니었다. 보어에게도 확실한 수확은 하나 있었다.

…항상 일관되고 조화로우며 실험 결과에서도 예측할 수 있는 원자모형을 추구하던 보어에게, '톰슨 원자'가 불충분하게 보였다는 점이다.

톰슨은 보어의 질문을 다정하게 잘 받아 주었지만 항상 홀로 연구하는 방식을 따랐다. 학생들에게 의견을 잘 묻지 않았고, 그들과 대화를 통해서 자신의 생각을 전개하는 일이 별로 없었다. 보어는 다른 사람들과 대화를 통해서 자신의 생각을 차츰 다듬어 가는 성격을 지녔다. 대화 상대자가 연구 책임자이든 직원이든 또는 학생이든 신분에 상관없이, 연구하는 동안 내내 모든 단계에서 사람을 만나 대화하는 절차를 거쳤다.

톰슨의 무관심에도 불구하고, 보어는 전자 이론을 포기하지 않았다. 1912년 3월, 보어는 러더포드가 있는 맨체스터로 자리를 옮겼다. 맨체스터에서 연구 장학생 일이 끝날 때까지 4개월 동안, 방사능에 관련된 실험을 배우는 게 목적이었다. 그렇다고 실험물리학자가 되려는 것은 아니었다. 연구 장학생 기간이 조금 남았고, 장차 영국 물리학의 실력자가 될 러더포드와 미리 가까워지고 싶었기 때문이었다.

맨체스터에 도착한 보어는 한스 가이거와 어니스트 마즈든의 지도로 방사능 실험을 배우기 시작했다. 러더포드 실험실에서 자신 외에 유일하게 수리물리학자인 찰스 골턴 다윈(1887-1962)의 논문을 읽었고, 원자를 지나는 알파 입자와 전자 사이에서 상호작용을 다윈이 소홀히 다룬 점을 발견했다. 보어는 항상 찰스 골턴 다윈을 "실제 다윈의 손자!"라고 불렀다. 찰스 골턴 다윈은 '진화론'을 소개했던 영국 생물학자 찰스 로버트 다윈(1809-1882)의 친손자였다.

1911년에 원자핵을 발견한 러더포드는 원자 중심에 원자핵이 놓여 있는 모습의 '원자핵 모형'을 시험하기 위해서 알파 입자가 수소와 산소의 기체 또는 얇은 금속 은박지를 통과할 때 줄어드는 에너지의 계산을 다윈에게 맡겼다. 1912년 6월, 다윈은 『알파선 흡수와 산란 이론』의 제목으로 〈철학 잡지〉에서 [193]논문을 발표했다. 바로 보어가 읽었던 논문이었다. 다윈의 목적은 알파 입자가 물질을 통과하며 원자 안에서 전자들과 충돌해서 일어나는 속도 변화를 계산하는 일이었다. 충돌에서, 알파 입자의 처음 속도와 나중 속도의 비율로부터 운동 에너지 '손실'뿐만 아니라, 전자의 '흡수' 에너지를 계산하여 원자 구조 및 원자 내부 입자들의 동역학 원리를 알아낼 수 있었다.

…한스 가이거가 실험에서 조사하여 이름이 붙여졌던 "가이거 규칙"에 따르면, 기체에서 알파 입자 속도의 세제곱은 거리에 비례해

서 줄어들다가 급격하게 0으로 떨어졌다.[194]

알파 입자는 원자를 통과할 때 그 안에 있는 전자들과 원자핵에 미치는 상호작용으로 인해서 그들을 움직이게 만들고, 경우에 따라서는 전자를 밖으로 끄집어내기도 하며, 에너지 손실[전자는 에너지 흡수]로 이어져 속도가 줄어든다.

다윈은 전자들이 러더포드의 원자 안에서 어떻게 배치되어 있는지 알지 못했다. 그저 전자들이 원자 전체 또는 표면에 골고루 분포되어 있다고 생각했다. 그는 알파 입자가 물질을 지나며 전자들을 밖으로 끄집어내는 이온화가 어렵지 않아서, 원자에서 전자들의 '결합 힘'[나머지 전하들(다른 전자들과 원자핵)로부터 미치는]이 그렇게 크지 않다고 판단하여 계산에서 무시했다. 특히 빠르게 통과하는 알파 입자는 매우 짧은 시간 동안만 전자들과 근처에서 서로 작용하여, 전자들은 제자리 또는 궤도에서 '자유롭게' 머무른다고 가정되었다. 전자들에 변화를 일으키는 힘은 전자와 알파 입자 사이에서 전기력뿐이었다.

다윈의 계산은 실험 결과와 비교해서, 원자량이 늘어남에 따라 원자 크기가 오히려 감소했다. 가벼운 원소들은 훨씬 더 크고, 무거운 원소들은 훨씬 더 작게 나타났다.
…다윈의 고전역학 계산으로는 사실상 러더포드의 '원자핵 모형'을 시험하는 것이 불가능했다.

보어는 나중(1912년 9월 26일)에 코펜하겐에서 개최된 덴마크 물리학회 [195]강연에서, 매우 높은 진동수의 전자들과 관련하여 '분산'에 대한 '흡수'의 상대적인 중요성을 강조했다.

—흡수 연구는 광학 연구보다 원자 안쪽 궤도에 있는 전자들의 높은 진동수의 정보를 더 많이 전달해서, 원자의 내부 구조와 관련된 자료를 그만큼 더 많이 제공한다.

그뿐만 아니라 산란과 흡수의 차이에 대해서도 강조했다.

—'산란'이 원자 내부에서 힘의 세기와 성질, 입자 수와 전하의 정보를 전달하여 원자의 정지 역학 운동을 설명해 준다면, '흡수'는 전자 운동에 관련된 진동수의 정보를 전달해서 원자의 동역학 운동을 해석해 준다.

다윈의 논문은 보어에게 매우 익숙한 내용이었다. 캐번디시에서 조지프 존 톰슨과 함께 일할 때 물질을 통과하는 베타 입자들의 실험을 이미 배운 적이 있었고, 전자 이론의 특별한 경우이기도 했다. 다윈의 논문을 읽은 보어는 알파 입자의 에너지 손실이 주로 전자들의 에너지 흡수로 이어진다고 생각했고, 알파 입자와 전자들 사이에서 상호작용이 제한받는, '차단 거리'를 새로이 결정했다. 다윈이 알파 입자의 접근 범위로서 고려했던 원자 반지름 대신, 보어는 알파 입자의 충돌 시간과 전자의 자연 주기가 같아지는, 즉 알파 입자의 속도를 전자의 고유 진동수로 나눈 거리를 기준으로 에너지 손실을 계산했다. 20년 후에 독일 출신의 [196]한스 베테와 스위스의 [197]펠릭스 블로흐가 양자역학을 사용해서 조사했던 결과에 따르면, 알파 입자가 중심 원자핵과 작용해서 생긴 에너지 손실은 전자와 비교하여 0.1퍼센트(1천 분의 1) 정도에 지나지 않아서 무시하기에 충분했다.

다윈의 계산을 눈여겨본 보어가 그때 막 갖기 시작했던 원자 구조의 새로운 생각이 동생 하랄에게 보낸 1912년 6월 12일 [198] 편지에 담겨 있다.

- 지금 그렇게 나쁜 상황은 아니다. 며칠 전 젊은 수리물리학자 찰스 골턴 다윈(실제로 다윈의 손자)이 발표한 알파 광선 흡수의 논문을 읽고 좋은 생각이 떠올랐다. 그의 이론은 수학 방식에서 올바르지 않았고, 물리학 기본 개념을 적절하게 설명하지도 못했다. 나는 그것을 바로잡기 위해서 "작은" 계산을 했다. 그렇게 본질적이지는 않지만, 어쩌면 원자 구조를 밝히는 일에 조그만 보탬이 되리라고 생각한다. 곧 결과를 작은 논문으로 제출할 예정이다.

알파 입자의 에너지 손실을 계산하는 과정에서, 보어는 원자 안에 놓인 전자를 마치 일정한 간격을 두고 흔들리는 시계추처럼 평형 위치에서 약간씩 벗어나며 진동하거나 또는 원에서 회전하며 마찰 없이 단순하게 운동하는, '조화 진동자'로 간주했다.

…보어는 원자에서 전자들이, 자유롭게 놓여있다는 다윈의 가정을 대신해서, 원자핵에 전기 힘으로 얽매인 운동을 거리에 비례하는 복원력으로 나타내어 조지프 존 톰슨의 '작은 진동' 방식을 따랐다.

전자의 운동은 알파 입자의 진행 경로에 수직인 방향에서 복원력과 전기력이 더해진 미분 방정식으로 표시되었고, [199]드루드 모형을 사용해서 전자들에 전달된 운동 에너지, 즉 알파 입자의 에너지 손실이 [200]계산되었다.

—알파 입자 속도의 네제곱이 거리에 비례해서 줄어들었고, 그 비

례상수는 흡수 물질의 원자에 포함된 전자 진동수의 함수로서 표시되었다.

—수소에서 알파 입자의 속도가 빛의 30 분의 1.35와 1.75일 때, 계산된 속도 감소는 1센티미터의 거리에서 빛의 1천 분의 1.63과 0.867이었고, [201]테일러의 실험값은 1센티미터의 거리에서 빛의 1천 분의 1.80과 0.90으로 주어져서, 각각 9퍼센트와 4퍼센트의 차이를 보였다.

—산소에서 알파 입자의 속도가 빛의 30 분의 1.35와 1.75일 때, 계산된 속도 감소는 1센티미터의 거리에서 빛의 1천 분의 6.90과 4.13이었고, 테일러의 실험값은 공기 1센티미터의 거리에서 빛의 1천 분의 6.70과 4.00으로 주어져서, 모두 약 3퍼센트의 차이를 보였다.

알파 입자가 원자를 통과하며 전자들과 서로 작용해서 일어난 속도 감소는 전자 진동수에 반비례하는 자연로그의 함수로서 표시되어, 여전히 알파 입자의 '에너지 손실' 또는 전자들의 '에너지 흡수'에 큰 영향을 미치는 것으로 나타났다. 단위 길이에서 운동 에너지 손실은 단위 길이에서 속도 감소에 알파 입자의 운동량을 곱해서 계산되었다. 높은 진동수의 전자들은 일반적으로 '분산' 현상에는 별로 큰 효과를 보이지 않았다.

보어는 알파 입자의 에너지 손실로부터, 산소 원자에서 처음 4개의 전자(바깥 궤도)가 [202]0.358만 테라헤르츠[1테라헤르츠는 1조(1000기가) 헤르츠에 해당한다], 다음 12개의 전자(안쪽 궤도)가 9.55만 테라헤르츠의 전자 진동수를 갖는다고 계산했다. 그리고 그가 계산한 산소 원자의 전자 진동수와 리처드 위딩턴의 실험 자료를 바탕으로 추정된 결과가 비교되었다. 톰슨의 학생이었던 영국 물리학자 [203]리처드 위딩턴(1885-1970)은 원자에서 특성 엑스선이 방출될 때 측정된 음극선(전자들의 광선)의 속도가 원소 원자량에 비례하는 결과를 보였고, 보어는 측정된 음극선의 운동 에너지에 플랑크의 양자 가설을 적용하여 전자 진동수가 17만 테라헤르츠라고 추정했다. 보어는 그의 이론 계산(9.55만 테라헤르츠)이 위딩턴의 실험 결과(17만 테라헤르츠)에서 크게 벗어나지 않는다는 점에 주목했다.

…산소 분자의 전자 진동수 계산은 보어가 플랑크의 양자 가설을 사용했던 첫 번째 사례였다.

다윈이 무시했던 결합 힘이 결국 원자 안에 놓인 전자들의 진동을 유도했고, 이 과정에서 원자핵을 중심에 두고 주위의 전자들이 마치 용수철처럼 진동하거나 또는 토성 고리처럼 일정한 간격을 두고 회전하는 '원자핵 원자'의 모습이 좀 더 구체적이고 확연하게 떠올랐다.

보어는 〈철학 잡지〉에 짧은 논문을 제출했다. 그는 실험실 일도 내버려 두었고, '전자 이론'도 까맣게 잊어 버렸다. 오로지 원자모형을 설계하는 일에만 모든 노력을 집중했다. 이와 관련된 내용이 그의 동생 하랄에게 일주일 후에 다시 보낸 [204]편지에 실려 있다.

- 원자 구조에 관련된 비밀을 일부 알아낸 것 같다. 그렇지만 아직 아무에게도 말하면 안 돼. 내 말을 지키지 않으면 이렇게 빠르게 편지를 보내는 일이 또다시 없을 거야. 만약 내 생각이 옳다면, 그

것은 톰슨의 이론처럼 '가능성의 본질'이 아니라, 아마도 약간은 '사실의 징후'일 것이다. 알파 입자의 흡수(지난번 편지에서 썼던 "작은 계산")에서 얻었던 정보의 작은 조각이 자라서 이렇게 커지다니.......

보어는 위딩턴 실험법칙에 플랑크 양자 가설을 적용해서 얻은 전자 진동수 계산에 매우 만족했다. 205)1977년 4월에 발간된 미국 물리학 잡지 〈물리학 오늘〉은 보어의 편지에서 "정보의 작은 조각"이, "'원자핵 원자'가 역학적으로 불안정하다"라는 사실을 보어가 발견한[플랑크의 양자 가설을 사용하여] 사건으로 해석했다. 톰슨과 케임브리지 물리학자들은 그 역학적인 불안정 때문에 원자핵을 중심에 두고 전자들이 주위에서 회전하는 '원자핵 원자'를 거부했지만, 보어는 오히려 그 사실을 기쁘게 받아 들였다.
…왜냐하면, '역학'이 아닌 '비非역학'[고전역학이 아닌]의 힘이 대신 자연에 존재하면 되기 때문이었다.

이미 박사학위 논문에서도 열복사 에너지와 상자성 현상을 설명하려면, 원자 안에서 전자들이 '비역학' 수단을 따라서 '견고하게 정해진 경로'를 유지해야 한다고 보어는 이미 지적한 바가 있었다.

맨체스터에서 보낸 4개월은 보어에게 매우 유익한 시간이었다. 그의 관심도 금속 전자 이론에서 원자 구조 이론으로 바뀌었다. 1912년 7월 24일에 코펜하겐으로 돌아온 보어는 『물질에서 전하 입자들의 흡수』의 206)논문을 바쁘게 2주 만에 끝마쳤다. 논문을 열심히 서두른 데는 이유가 따로 있었다. 첫 번째는 신혼여행 때문이었고, 두 번째는 교신저자였던 러더포드에게 논문을 직접 전달하기 위해서였다. 8월 12일, 마침내 그는 맨체스터를 다시 방문했다.

본래는 노르웨이로 신혼여행을 떠나려고 했지만 대신 케임브리지에서 2주 동안 머물면서 친구들을 만났고, 신부인 마르그레테 뇌르룬트에게 도시를 구경시켜 주면서 알파 입자 흡수를 주제로 작성한 논문을 마무리 지었다. 그리고 맨체스터로 향했다. 보어는 맨체스터에서 러더포드와 그의 부인 메리를 만났다. 러더포드는 논문을 읽어 본 후에 곧 〈철학 잡지〉에 제출하겠다고 약속했다. 알파 입자의 에너지 손실 계산에서 새로웠던 점은, 다윈이 가정했던 자유 전자들을, 보어는 '복원력에 묶여서 진동하는 전자들'로 간주하여 실마리를 풀었다는 점에 있었다.[207)]

…원자핵을 중심으로 주위 궤도에 고정된 전자들의 물리적인 모습이 조금씩 그려지기 시작했다.

보어가 그리는 원자의 모습은 방사성放射性 현상과 화학 현상의 차이를 명확하게 구분하는 장점도 지니고 있었다. 방사성 현상은 원자핵으로부터, 화학 현상은 전자로부터 각각 유도해 낼 수 있기 때문이었다. 현재는 이미 명확해져 있지만, 당시에는 그렇지 않았었다. 러더포드조차 그 차이를 구분하지 못할 정도였다.

보어는 여러 어려운 문제를 구체적으로 서술하는 '원자핵 원자'에 크게 끌렸다. 원자핵을 중심으로 주위 궤도에 고정된 전자들을 곰곰이 궁리했다.

…전자는 [208)]닫힌 궤도에 놓여서 바깥으로 복사선을 내놓지 않고, 외부로부터 작용하는 작은 영향에도 크게 흔들리지 않아야 했다.

…전자는 궤도에서 특징을 나타내어, 자유롭게 돌아다니는 입자라기보다 오히려 꿰여 있는 줄에 구속되어 움직이는 구슬에 가까웠다.

원자 안에서 전자들의 안정성을 조사하기 위해 보어가 새로 소개했던 개념은, 톰슨이 전자 배열 과정에서 보였던 내용과 근본부터 다르게 출발했다. 보어는 전자들의 안정에 대한 조건으로 막스 플랑크의 '양자 이론'을 내세웠고, 톰슨이 풀어야 했던 문제에까지 그 범위를 확장했다.

전자 에너지는 궤도마다 일정하게 다르고, 여러 기본 단위들이 모여서 이루어진 꾸러미와 같이 '양자'로 표시되었다.

양자는 양자수로 구별되었고, 궤도는 양자수로 표시되었다.

양자는 라틴어로 '얼마나 많은'을 의미하는 형용사의 낱말이었다. 필리프 레나르트가 전자를 뜻하기 위해서 헤르만 폰 헬름홀츠의 논문을 인용하여 '전기 양자'라고 적었다. 헤르만 폰 헬름홀츠는 그의 논문에서 양자를 열熱 표시에 사용했고, 그 참고 문헌으로 열역학 제1법칙을 발견한 율리우스 폰 마이어(1814-1878)의 논문이 언급되었다. 헬름홀츠와 마이어는 모두 독일의 내과의사, 물리학자, 화학자였다. 이전부터 양자는 내과 의사들이 약藥과 같은 의약품 내역을 명시할 때 '충분한 양'의 낱말로 이미 사용되고 있었다.

1901년에 막스 플랑크는 『물질과 전기의 기본 양자』의 [209]논문에서 '일정한 양'을 나타내기 위해서 '양자'를 사용했다. 플랑크가 내세운 양자 이론과 레나르트의 광전효과 실험을 바탕으로, 1905년에 알베르트 아인슈타인은 복사 에너지 또는 복사선이 빛의 파동을 여러 개 묶은 '파동 묶음'의 형태로 공간에 널리 퍼져있다는 [210]의견을 내놓았고, 빛의 파동 묶음을 '빛의 양자', 독일어로는 '광양자光量子'라고 불렀다.
…양자는 에너지, 전하, 각운동량과 같이 물리적으로 측정이 가능한 속성의 기본 단위로서 가장 적은 양量을 의미한다.

5.4 플랑크 양자 가설

보어는 알파 입자의 에너지 손실을 계산하는 과정에서, 전자들이 자유롭게 돌아다니지 않고 마치 기차가 철로에서만 왕복하듯이 원자 안 궤도에서 고정되어 움직이는 운동을 성공적으로 확인했다. 전자들이 원자 안에서 자유로운 대신 고정된 궤도에서 원자핵을 중심으로 그 주위에 분포한다는 사실을 알게 된 것은 우연히 다윈의 논문을 읽고 얻은 커다란 수확이었다. 알파 입자가 원자를 통과하는 시간이 전자들의 떨림 시간(자연 진동 주기; 한 번 떠는 데 소요되는 시간)과 정확히 일치해서 에너지 전달이 완전하게 이루어지는, '공명共鳴' 현상을 찾아냈던 것이다.
…러더포드의 '원자핵 모형'에 보어의 전자 배열을 건축 양식으로 더해서 새로운 원자의 모습을 찾아내는 계기가 되었다.

1912년 7월, 보어는 소위 [211]'맨체스터 비망록'이라고 부르는 일곱 쪽의 보고서를 러더포드에게 제출했다. 보어가 1년 후에 출판한 '3부작'이라고도 부르는 세 편의 긴 논문의 출현을 미리 알려준 예고편이었다. '원자핵 원자'에 대한 정의에서부터 고전역학 방식으로 계산된 '원자 안에서 전자들의 불안정'에 관련된 내용이 포함되었다.

보고서는 러더포드의 '원자핵 모형'에서 두 가지 문제점을 지적했다. 궤도에서 전자들에 작용하는 원심력과 원자핵으로부터 전기힘 사이의 불균형에서 오는 불안정이 첫 번째였다면, 그 불안정으로 인해서 고전역학 방법으로는 전자 궤도의 반지름과 진동수를 계산할 수 없다는 것이 두 번째 문제점이었다. 아직 '양자역학'이나 '불확정성 원리'와 같은 개념이 떠오르지 않았던 당시로서, 보어가 취해야 할 길은 톰슨 원자가 갖고 있던 문제들을 다시 펼쳐서 검토해 보는 일이었다.

비망록의 첫 부분은, '원자핵 원자'의 정의와 역학적 불안정을 언급하면서 시작했다.

-'원자핵 원자'의 역학적 불안정은 톰슨 교수가 그의 원자모형에서 사용했던 것과 비슷한 분석으로 해결될 수가 있다.

-그렇다면, 원소 주기율표에 나타난 주기성은 어떻게 설명될 수 있을까?

아마도 보어는, 멘델레프 주기율표를 제대로 설명하지 않고서는 어느 것도 톰슨의 원자모형을 결코 이길 수 없다고 생각했을는지도 모른다.

톰슨이 그랬듯이, 보어도 원자에서 안정 상태를 유지하기 위해서, 전자들이 모두 한 개의 원에 배열되는 것은 불가능하고, 다른 새로운 원이 바깥에 더 있어야 한다고 판단했다. 원자의 가장 바깥 전자들과 '원자가價'의 관계를 내세움으로써, 주기율표 주기성을 설명하기가 한층 더 수월해 졌다.

보어는 결합 에너지를 계산해서 전자들의 배열을 결정했다. 결합 에너지가 높은 전자 배열을 우선시했고, 전자 전하를 음성 기본전하, 수소 원자핵의 전하를 양성 기본전하로 정의했다. 러더포드는 실험에서 원자에 포함된 전자 수가 원자량의 절반과 같다는 사실을 보였지만, 보어는 몇 가지 경우를 제외하고는 멘델레프 주기율표에서 원자량이 커지는 순서에 따라 나열된 원자번호가 바로 전자 수와 같다고 가정했다. 그는 네덜란드 변호사와 아마추어 물리학자였던 안토니우스 반 덴 브로에크의 [212]가설을 뒤따랐다.

—수소 원자에 기본 전하 1개의 원자핵과 전자 1개가 포함되어 있으면 1(1), 전자 1개가 추가되면 1(2), 2개가 추가되면 1(3)의 전자 배열이 표시되었다.

—헬륨 원자에 기본 전하 2개의 원자핵과 전자 1개가 포함되어 있으면 2(1), 전자 1개가 추가되면 2(2)의 전자 배열이 표시되었다. 수소 원자 1(1)과 비교해서, 전자 1개가 떼인 헬륨 원자 2(1)은 4배, 헬륨 원자 2(2)는 6.13배의 결합 에너지를 갖는 것으로 계산되었다. 중성의 헬륨 원자 2(2)는 전자 1개가 떼인 헬륨 이온 2(1)보다 거의 1.5배의 결합 에너지를 갖고 있어서, 그 만큼 더 견고하게 전자들을 원 궤도에 묶어 놓았다.

—리튬 원자는 기본 전하 3개의 원자핵과 전자 3개를 포함하여

3(3) 또는 3(2,1)의 전자 배열로 표시되었다. 3(3)의 배열은 3개의 전자가 원자핵을 중심으로 정삼각형을 이루며 한 원 위에 같은 간격을 두고 늘어선 형상이었다. 반면에 3(2,1)의 배열은 안쪽 원 위에서 2개의 전자가 서로 마주 보고, 바깥 원 위에서 1개의 전자가 별도로 놓인 모습이었다.

수소 원자 1(1)과 비교해서, 리튬 원자 3(2,1)은 16.02배, 리튬 원자 3(3)은 17.61배의 결합 에너지를 갖는 것으로 계산되었다. 보어는 결합 에너지의 계산보다 화학 성질을 먼저 고려해서 3(3)보다 3(2,1)의 전자 배열을 선택했다. 리튬 3(2,1)은 주기율표에서 같은 세로줄에 속한 수소 1(1)처럼 바깥 원 위에 전자 하나가 따로 배치된 원자였다.

보어는 전자들의 안정성을 유지하기 위해서 한 원에 배열된 전자 수가 7개보다 크지 않도록 계산해 나아갔다. 전자들은 7개보다 많으면, 결합 에너지가 양陽의 값을 갖게 되어서, 불안정해지기 때문이었다. 보어는 7개의 전자 수가 더 이상 화학 원소의 주기율과 일치하지 않는다는 것을 깨달았고, 한 원에 배열된 최대 전자 수를 7개에서 8개로 늘렸다. 소듐의 경우, 처음 계산되었던 전자 배열은 11(7,3,1)이었지만, 주기율표와 일치하도록 11(8,2,1)로 고쳐지기도 했다. 그 외에도, 원자번호 19에 해당하는 포타슘은 19(8,8,2,1)의 전자 배열로 표시되었고, 소듐{11(8,2,1)}과 리튬{3(2,1)}의 원자들과 함께 주기율표에서 같은 세로줄에 위아래로 나열되었다. 보어는 전자를 더해가면서 원자에서 전자 궤도를 채워 나갔다.

…가장 바깥 궤도에 있는 전자 수가 해당 원소의 원자가價 수와 일치하게 임의로 전자 배열이 이루어졌다.

보어가 원자번호 1에서 24까지 원소들을 절충의 방법을 사용하여 보여준 전자 배열의 형식은 눈에 보이지 않았지만 암시적으로는 주기율표를 따랐다. 그는 작성된 전자 배열의 규칙이 확정되었다기보다 일시적으로 정해져 있을 뿐이라고 말했다. 자신만이 사용하는 특유의 언어(두 번의 부정 단어를 사용해서 오히려 긍정을 강조하는 방식)로 만족을 표시했다.

"전자 배열 방식에 근거한 원자 구성이 원소에서 관측되는 특성과 꽤 잘 일치하지 않는 것 같이 보이지 않는다."

19세기에서 20세기로 들어서는 문턱에서 돌턴의 원자로부터 톰슨의 전자까지 과학의 눈도 더 작은 세상을 향해서 성큼 다가가고 있었다. 고전역학에서 건너뛰어 양자역학을 알리듯이, 오랜 질문이 새로운 대답을 기다리고 있었다. 그중 하나가 그동안 풀리지 않았던 '흑체黑體'에 관한 의문이었다.

유리뿐만 아니라 광택 나는 금속에 빛이 비추면, 안으로 흡수되지 않고 대부분 통과되거나 반사되어 버린다. 그러나 숯과 같이 검정색으로 입혀진 흑체라면, 물체는 모든 열 또는 빛을 흡수하거나 똑같이 방출한다. 흑체는 에너지 흡수나 방출을 설명하는 이상적인 물체이다.

음식을 만들기 위해 전기 화덕을 뜨겁게 달구었다고 가정해 보자. 어느 정도 시간이 지난 다음 화덕 벽이 뜨거워지면 열은 복사선이 되어 내부를 가득 채운다. 화덕을 채우는 복사선은 6천도의 태양 표면에서 방출되는 빛과 같이 전자기파의 형태로 나타난다.

물리학자들은 고전 물리학을 사용해서 흑체로부터 방출되는 복사 에너지를 계산했다.

…계산 결과에 따르면, 물체는 진동수 또는 파장의 전全 영역에서 복사선을 방출할 뿐만 아니라, 진동수가 증가할수록(또는 파장이 짧아질수록) 방출되는 에너지도 점점 더 커졌다.

매우 잘 정리된 레일리-진스의 고전 물리학 공식이 사용되더라도, 화덕 안에 있는 복사선이 모든 진동수별로 따로따로 더해져서 계산된 에너지는 터무니없고 불가능한 결과를 보였다. 예를 들면 섭씨 600도와 같이 일정한 온도에서도 화덕을 채우는 복사선의 총 에너지는 무한대의 크기였다! 무한히 큰 에너지를 지탱하는 화덕은 당연히 존재하지 않기 때문에, 일반 사람들도 흑체의 고전 물리학 결과가 잘못되었다는 것을 쉽게 알 수 있었다. 근본적으로, 복사선의 높은 진동수에서 에너지가 커지는 것이 문제였다. [이와 같이 높은 진동수에서 에너지가 커지는 문제를 과학자들은 "자외선 파국"이라고 부른다].

1901년, 독일 물리학자 막스 플랑크(1858-1947)는 고전 물리학 대신 '양자 가설'을 사용해서, 마침내 213)흑체 복사의 문제를 해결했다.

…양자 가설에 따르면, 흑체를 구성하는 입자가 주기적으로 진동해서 발생하는 에너지는 진동수에 비례하고, 그 양이 항상 일정하게 달라져서, 여러 기본 단위들을 모아서 묶은 꾸러미와 같이 양자量

子들로 표시된다.

양자는 물리적으로 측정이 가능한 사물의 성질, '속성'의 기본 단위로서 가장 적은 양量이다. 복사 에너지에서 가장 적은 양에 해당하는 양자는 진동수에 비례하고, 그 비례상수가 [214]플랑크 상수이다. 기본 단위들이 모여서 꾸러미를 형성하듯이, 주기적인 진동으로 입자에서 퍼져 나가는 복사 에너지는 '양자화'되어서, 양자의 정수배로 늘어난다. 광자 한 개는 빛의 양자이고, 물 분자 한 개는 물의 양자이다. 자연에서 전하電荷는 전자 전하의 음과 양 정수배로서, 항상 '양자화'되어 나타난다.

1910년, [215]오스트리아 비엔나 대학교 박사과정 학생이던 아르투어 하스(1884-1941)는 톰슨의 원자모형을 사용해서 플랑크 상수의 실제 값과 수소 원자의 반경을 계산했다. 계산은 간단했다. 그는 양전하가 균일하게 분포된 원자의 표면에서 전자가 움직인다고 가정하여(전기 힘과 원심력이 균형을 이룰 때) 전자 진동수를 구한 다음, 전기 에너지를 양자로 표시해서 원자 반경과 플랑크 상수의 관계식을 계산했다. 원자 반경은 플랑크 상수의 제곱에, 플랑크 상수는 원자 반경의 제곱근에 비례해서 나타났다.

네덜란드 물리학자 헨드릭 안톤 로런츠(1853-1928)는 하스의 계산에 주목했다.

"대담한 가설을 내세웠다......."

1910년에 개최된 괴팅겐 강연회에서, 로런츠는 하스의 결과를 추켜세우며 칭찬했다.

"양자의 숨은 비밀을, 톰슨 원자에서 양전하[원자핵]가 품고 있던 본질과 기능의 질문에 마침내 연결했다."

1911년, 복사 에너지와 양자의 시급한 문제를 해결하기 위해서 소집된 '솔베이 회의'에서, 로런츠는 플랑크 상수와 원자 크기의 관련성을 언급했다.

"원자 크기가 플랑크 상수를 결정하거나, 반대로 플랑크 상수가 원자 크기를 결정하거나......."

물론 하스는 "원자 크기가 플랑크 상수를 결정한다."를 따랐던 데 반해서, 독일 물리학자 아르놀트 조머펠트를 비롯해서 대부분은 "플랑크 상수에 따라서 원자 크기가 변한다."를 지지했다.

플랑크의 양자 가설을 바탕으로 원자 구조와 분광선 방출의 이론에 처음으로 다가갔던 아르투어 하스에 이어서, 이번에는 좀 더 야심차게 다른 과학자가 나타났다. 영국의 수리물리학자 존 윌리엄 니콜슨(1881-1955)이었다. 니콜슨은 맨체스터 대학교에서 공부한 후, 1904년에 케임브리지 대학교 트리니티 대학에서 수학 우등생으로 졸업했고, 1912년에 킹스 칼리지(런던) 수학과 교수가 되었다.

그 당시 과학자들 사이에서는, 별에서 관측된 물질들이 이미 알려진 화학 원자들보다 어쩌면 더 단순한 구조일지도 모른다는 믿음이 널리 퍼져 있었다. 니콜슨도 화학 원자들이 지구에서 발견되지 않는 '기본 원자'들의 복합물이라고 생각했다. 1802년에 영국 화학자와 물리학자 윌리엄 울라스튼(1766-1828)과 1814년에 독일 물리학자 요세프 폰 프라운호퍼(1787-1826)가 태양에서 방출된 빛의 분광선을 관측했고, 독일 물리학자 구스타프 키르히호프는 흑체 복사의 용어를 처음 사용하여 분광선 특성을 설명했다.
…분광선은 화학 원소를 식별하는 데 사용되는 원자의 흡수 또는 방출된 빛에 의해 생긴 띠들로 나타난다.

초기 천문학 관측은 주로 망원경에 의존해서 진행되었고, 구름의 형상으로 희미하게 드러나는 '안드로메다은하'는 별구름(성운星雲)이라는 이름으로 초기에 불렸다. 겨울에 남쪽 하늘에서 포착되는 '큰개자리 알파'라고도 불리는 '시리우스별'이 태양계로부터 점점 더 멀어져 가는 '적색 이동'을 계산해서 유명했던 영국 천문학자 윌리엄 허긴스(1824-1910)는, '고양이 눈 별구름'에서 두 녹색 분광선(파장이 495.9와 500.7나노미터)을 관측했고[216], 이 두 녹색 분광선이 지구에서는 발견되지 않은 새로운 원소일 것이라고 추측했다. 이어서 윌리엄 허긴스의 부인, 마거릿 린제이 허긴스(1848-1915)는 별들 사이에서 먼지와 기체로 구성되어 거대한 구름의 형상으로 보이는 별구름의 영어 단어를 따라서 두 녹색 분광선에 해당하는 원소의 이름을 "네불륨"이라고 불렀다.

1911년 8월 31일, 니콜슨은 영국 남부 햄프셔주 포츠머스에서 열린 〈제80차 과학협회 학술회의〉에서 '토성 모형'과 닮았지만 수학 분석과 역학 안정성 면에서는 '톰슨 모형'에 좀 더 가까운 원자 모형을 [217]발표했다. 논문 제목은 『원자량의 이론적 계산과, 원소들의 원자 구조』였고, 발표 내용은 화학 원소들의 내부 구조와 일반 이론에 맞춰졌다.
—원시 형태의 물질을 대표하는 네 개의 '기본 원자'는 각각 전자 2개의 "코로늄", 전자 3개의 "하이드로젠[우리가 알고 있는 수소와

다르다]", 전자 4개의 "네불륨", 전자 5개의 "프로토플로린"으로 구성된다.

니콜슨은 네 개의 기본 원자를 제안했다. 그중에서도 가장 흥미로운 것은 네불륨이었다. 바로 '고양이 눈 별구름'에서 발견된 두 녹색 분광선의 원자였다. 톰슨이 그의 원자모형에서 제시했었던 것처럼, 니콜슨은 전자 궤도에서 전자 진동수를 계산하여 별구름 분광선들 가운데 실체가 알려지지 않은 것들과 비교했다. 계산된 진동수는 원자핵 전하, 전자 궤도의 반지름과 전자 수에 따라서 달라졌다. 그는 네불륨 원자에서 전자 궤도 반지름을 바꿔가며 그동안 확인되지 않았던 '오리온 별구름'의 11개 분광선 중에서 9개의 진동수를 계산했다. [1927년, 미국 천체물리학자 이러 스프라그 보웬(1898-1973)은 두 녹색 분광선이 네불륨이 아니라 '이중 이온화된 산소 원자'로부터 관측된다고 보고했다.218) 두 녹색 분광선은 지구에서는 '금지된 전이'로 알려졌고, '이중 이온화된 산소'는 별구름에서와 같이 매우 희박한 기체 상태에서만 존재했다].

니콜슨의 계산에 감탄한 '솔베이 회의' 위원들은 그에게 '양자 규칙'을 사용해서 원자의 전자 진동수를 계산해 보라고 권유했다. 그는 기본 원자들의 에너지를 계산했다.
—모든 경우에 에너지와 진동수의 비율은 양자 정수였다.

그는 회전할 때 운동량도 확인했다.
—각운동량은 플랑크 상수를 반지름이 1인 원 둘레로 나눈 양의 정수배였다.

양자역학은 자연에서 너무 작아서 눈으로 볼 수 없고 만질 수도 없을 정도로, 미시적인 물질을 이해하는 개념의 틀이다. 원자뿐만 아니라 원자보다 작은 크기에서 양자역학의 수단으로 조사되는 물질의 성질은 우주 공간 어디에서나 똑같이 나타난다. 1965년 노벨 물리학상을 받은 미국 물리학자 리처드 파인만(1918-1988)은 양자역학 분야에서 가장 뛰어난 물리학자였는데도 불구하고 솔직하게 털어 놓은 적이 있다.

"있는 그대로 얘기하자면, 양자역학을 이해하는 사람은 없다고 나는 생각한다."[219]

파인만 교수의 고백은 59년이 지난 현재에도 여전히 적용된다. 그동안 여러 학문에서 전개되었던 이론, 원리, 법칙과 달리 양자역학의 규칙과 공식은, 그것을 일상생활처럼 활용하는 과학자들조차, "왜 작동이 잘 이루어지며 그리고 무엇을 의미하는지" 실제로 이해하는 데 어려움을 겪고 있다.

양자역학의 의미와 역할을 두고 미국 컬럼비아 대학교 물리학과와 수학과 교수인 브라이언 그린(1963년-현재)은 그의 [220]책에서 언급했다.

- 아주 작은 미시적 크기의 물질에 자연은 매우 애매하고 익숙하지 않은 방법으로 작동되어서, 인간이 "도대체 어떻게 돌아가고 있는 거야?"라고 말할 정도로, [양자역학은] 완전히 이해할 수 없도록 설계되었다.

- 그러나 확실한 것이 하나 있다면, 일상생활에서 매일 일어나는 익숙한 일들을 설명하는 여러 기본 개념(고전 물리학)이 막상 그

적용 범위를 좁혀서 미시의 세계로 들어갔을 때에는, 결국 실패한다는 것을 양자역학은 절대적이고 명확하게 우리에게 보여 주었다.

그린 교수는 미시 세계를 이해하는 필수 조건으로, 하나를 덧붙였다.

- 원자와 그 이하의 크기에서 자연을 이해하고 설명하기 위해서는, 우리 생각과 추리뿐만 아니라 언어까지도 반드시 바꿔야 한다.

5.5 보어의 원자모형

221)1912년 9월, 보어는 신혼여행을 마치고 코펜하겐에 돌아와서 북서쪽에 위치한 「공과 대학」[지금은 덴마크 공과 대학교]에서 강의 조교로서 학생들을 가르치고 있었다. '원자핵 원자'를 둘러싼 문제들을 해결하기에는 늘 시간이 부족했다. 서둘렀지만 진척은 더디었다. 보어는 러더포드에게 보고서용으로 작성했던 '맨체스터 비망록'에 기초해서, 신혼여행을 마치고 돌아온 후에 바로 논문을 제출하려고 했지만 아직도 해결해야 할 문제들이 산처럼 쌓여 있었다.

러더포드의 '원자핵 모형'에서 나타난 불안정도 그중 하나였다. …고전 전자기학에 따르면, 원자핵을 중심으로 원 궤도에서 회전하는 전자들은 연속으로 복사선을 방출했다.

끊임없이 방출되는 복사선은 에너지 손실로 이어져서 원 궤도의 반지름이 연속으로 줄어들고, 전자들은 나선형 곡선을 만들며 결국 원 중심의 원자핵과 정면으로 충돌해야만 했다.

사실 보어가 고민했던 것은 고전 전자기학이 아니라 고전역학의 '안정성'이었다. 태양 주위를 도는 행성들과 같이 원자핵 주위를 회전하는 전자들을 가정하면서, 러더포드는 아무런 조치도 취하지 않았었다. 원자핵을 중심으로 회전하는 전자들은, 자신들 사이에서 서로 밀치는 힘 때문에 불안정하다고 알려져 있었다. 그렇다고 중심에 있는 양전하의 원자핵에 끌어당겨져서, 전자들이 가만히 정지해 있는 것도 아니었다. 보어는 비망록에서 이 문제를 적었다.
- 원자에서 전자들은 아무런 운동 없이 평형 상태를 유지할 수 없다.

전자들은 원을 형성할 수 없었고, 정지해 있을 수 없었으며, 원자핵 주위를 마냥 돌 수도 없었다. 매우 작은 원자핵을 중심에 두고, 원자의 반지름을 고정시켜 놓은 러더포드의 '원자핵 모형'으로는 가망이 없어 보였다. 많은 이들이 러더포드의 '원자핵 모형'이 실패했다는 증거로 에너지 손실에서 보았던 원자의 불안정을 지적했지만, 보어는 종말이 예고되는 기존 물리학의 한계가 그 시작을 알렸을 뿐이라고 여겼다.

비록 원자의 불안정이 고전 전자기학이나 고전역학과 같은 기존 물리학의 무게를 견디어 낼 수 없었지만, 한편으로 전자들은 원자핵과 부딪쳐서 나타나는 붕괴 현상도 겪지 않았다.

왜 붕괴가 일어나지 않았을까?

보어는 이 질문에 대답했다.

"그동안 뉴턴의 고전역학과 맥스웰의 고전 전자기학이 완벽하게 적용되었지만, 결국에는 원자 안에서 전자들이 원자핵과 충돌하는 것으로 예측되었기 때문에, 불안정의 문제는 다른 관점에서 취급되어야 한다."

러더포드의 '원자핵 원자'를 유지하기 위해서는 급진적인 변화가 필요했고, 그래서 플랑크와 아인슈타인이 발견했던 양자로 눈을 돌려야 했다. 복사선과 물질 사이의 상호작용이 연속적이지 않고 기본 단위들을 모아서 묶은 꾸러미들과 같이, 일정한 양 만큼씩 크기가 달라지면서 에너지를 흡수하거나 방출한다는 사실은 유서 깊은 고전 물리학의 영역을 훨씬 뛰어넘어서 있었다.

거의 대부분 물리학자들이 아인슈타인의 '광양자光量子'를 믿지 않았지만, 원자가 양자로부터 조정 받는 모습이 명료하게 머릿속에 그려졌다.

…아직까지는 조정의 방법이 무엇인지 알 수 없었다.

평생에 걸쳐서 보어는 추리물을 좋아했다. 예리한 눈을 가진 형사처럼 범죄 현장에서 실마리를 찾았다. 첫 번째는 '불안정'의 문제였다. 그러나 러더포드의 '원자핵 원자'가 "실제로 안정된" 상태를 유지하고 있는 것이 확실했기 때문에 그는 현재 진행 중인 수사에 중요한 단서가 될 사안을 내놓았다.

…그것은 222)'꾸준(또는 정상定常) 상태'의 개념이었다.

보어는 원자 안에서 전자들이 더 이상 '자유 전자'가 아니고 복원력으로 얽매인 '속박 전자'이며, 알파 또는 베타 입자와의 충돌에서처럼 연속된(고전 물리학의) 양이 아니고 특별히 정해진(양자 물리학의) 에너지만 전달되어서 '꾸준(또는 정상) 상태'에 놓여있다고 깊이 생각했다. [사전에서, 정상定常은 "일정하여 늘 꾸준함 또는 한결같음"으로 해석된다. 공식적으로 "정상"의 용어가 쓰이지만, 다른 용어들과 혼동을 피하기 위해 이 책에서는 "꾸준"이 사용된다].

플랑크는 실험 자료를 설명하는 과정에서 '흑체 복사'의 이론을 세웠었다. 보어도 비슷한 전략을 채택했다. 그는 전자들이 원자핵 주위를 회전하면서도 복사선을 방출하지 않도록 러더포드의 '원자핵 원자'를 고쳐 짓기 시작했다.

…고전 물리학은 원자 안에서 전자 궤도에 대해 아무런 제약도 두지 않았지만, 보어는 규정을 두었다.

마치 건축가家가 고객의 엄격한 요구대로 건물을 설계하듯이, 보어는 전자들이 복사선을 연속으로 내놓지 않고, 나선형으로 원자핵을 향해서 나아가지도 않으며, 항상 정해진 '꾸준 궤도'에서만 움직이도록 제한했다. 그는 일부 물리학 법칙이 원자 세계에서는 유효하지 않다고 믿었다. 대신 전자 궤도가 띄엄띄엄 떨어져서 정수로 표시되어 양자화되었다. 플랑크가 흑체 복사 공식을 유도하려고 진동 입자의 흡수와 방출 에너지를 가상으로 양자화했던 것처럼, 보어도 기존 물리학의 통념을 버리고, 새로이 양자 궤도를 찾아냈다.

원자핵으로부터 '임의의' 거리만큼 떨어진 '모든 궤도'에서 전자 운동이 가능하다는 개념을 포기했다.

전자들은 꾸준히 늘어서서 일정하게 분포하는 특정한 상태, '꾸준 궤도'에 한동안 머물렀다.

전자들은 '꾸준 궤도'에서 복사선을 방출하지 않았다.

지구에서 관측하면 항상 똑같은 지점에 놓여서 마치 정지한 듯이 보이는 정지 궤도의 인공위성처럼, '꾸준 궤도'는 전자들이 비록 회전하기는 하지만 정지한 것과 같이 복사선을 방출하지 않는 특정한 경로를 의미했다.

1912년 11월이 돼서야 보어는 러더포드에게 [223]편지를 썼다.
- 앞으로 몇 주내로 논문 작성을 끝마치겠습니다.

러더포드는 편지를 읽고, 초조해 하는 보어의 모습을 머리에 그리며 곧 답장을 썼다.
- 비슷한 주제로 연구하는 사람들이 있을 것 같지 않으니, 출판을 너무 급하게 서두를 필요가 없다.

그래도 안심이 안 된 보어는 논문을 마치기 위해서 연구 휴가를 얻었고, 부인 마르그레테와 함께 시골에 조용한 별장을 마련했다. 그러나 예상되었던 것처럼 걱정스러운 일들이 벌어지기 시작했다. 다른 물리학자들이 그가 고안하던 원자모형에서 어려운 문제들을 하나 둘씩 풀어내기 시작했던 것이다.

1912년이 거의 끝나갈 즈음 보어는 자신이 했던 것과 같이, 니콜슨이 플랑크의 양자 가설을 사용하여 원자들로부터 분광선 진동수를 [224]계산했다는 사실을 알게 되었다. 케임브리지에서 박사후연구원으로 톰슨과 일하고 있을 때, 보어는 니콜슨을 처음 만났다. 니콜슨은 네 개의 '기본 원자'를 사용하여 모든 원소의 원자량을 계산했고, 천체의 미확인 분광선을 그의 이론에 맞춰서 설명하는 분광선 연구의 지지자였다. 천문학 관측 자료를 중심으로 연구가 이루어졌다는 점에서 그는 다른 연구자들과 크게 달랐다.

얼마 지나지 않아서 보어는 니콜슨이 그렇게 두려워할 상대가 아니라는 것을 알게 되었다. 니콜슨이 주장했던 네불륨은 한 개의 원에 4개의 전자들이 배열된 원자였다. 네불륨의 전자 분포는 원자번호 원칙에 따라 베릴륨과 같았다. 전자 4개의 원소는 멘델레프 주기율표에 이미 나타나 있었다. 보어의 전자 배열에 따르면 4(4)가 아니라 4(2,2)였으며, 톰슨도 전기양성 2가의 원소로서 그의 1904년 논문에서 앞서서 언급한 적이 있었다. 보어는 전자 4개의 네불륨이 주기율표에 새로이 들어설 자리가 없다는 것을 알았다.

니콜슨의 원자모형 소식을 듣고 나서, 보어는 단호하게 말했다. "나는 처음부터 내 것과 그의 것 중 하나는 완전히 틀렸다고 생각했다."

니콜슨과의 원자모형 경쟁은 오래 가지 않았다. 1913년 새해 첫날, 보어는 동생 하랄에게 편지를 썼다.[225)]

- 내 계산은 원자들의 마지막 화학 상태에 유효하지만, 니콜슨의 계산은 전자들이 마지막 위치를 점유하기 전에 에너지를 잃어버리는 과정에서 원자가 보내는 복사선을 처리하며, 방출 에너지가 가시광선에 대해서 너무 작거나 또는 자외선에 대해서 너무 크거나, 여전히 헤아리고 있을 것이다.

니콜슨의 논문을 읽고, 보어는 원자모형의 두 번째 단서를 발견했다. 물론 첫 번째 단서는 다윈의 논문에서 찾았던 "원자핵 원자가 역학적으로 불안정하다."라는 사실이었다.

'원자핵 원자'에서 고전역학이 아무런 제약도 두지 않았던 것과 다르게, 니콜슨의 원자는 몇 가지 규칙을 안고 있었다. 그중 하나가 각운동량이 플랑크 상수를 반지름이 1인 원의 둘레로 나누어서 간단히 226)'축소 플랑크 상수'로 표시된 양의 정수배 크기로 나타난다는 것이었다. 이것이 곧 보어가, 머지않은 장래에 각운동량이 항상 정해진 '꾸준 상태'를 서술하기 위해서, 니콜슨의 원자로부터 찾아낸 두 번째 단서였다.

보어의 원자에서 전자들은 각운동량이 축소 플랑크 상수의 정수배인 궤도에서만 허용되었다.

각운동량이 축소 플랑크 상수의 1배, 2배, 3배,...... 등의 항상 정해진 '꾸준 상태'에서, 전자는 더 이상 복사선을 방출하지 않았고, 원자핵을 중심으로 나선형이 아닌 원형 궤도를 그대로 유지했다. '꾸준 상태'인 궤도는 "허용"되었고, '꾸준 상태'가 아닌 궤도는 "금지"되었다.

…원자에서 전자의 각운동량은 '양자화'된 양이었다.

전자 궤도가 띄엄띄엄 양자화되어서, 마치 승강기가 빌딩의 1층, 2층, 3층,...... 등의 항상 정해진 정수 층에서만 머무르는 것처럼, 전자들도 1층, 2층, 3층,...... 등의 항상 정해진 '꾸준 상태'에서만 머무르는 것이 허용되었다.

보어는 양자 이론에 근거해서 원자모형을 구성한 다음, 러더포드에게 227)편지를 썼다.

- 저는 더 이상 가시광선 영역의 분광선 진동수 계산에 매달려 있

지 않습니다. 간단한 가정假定을 바탕으로, 한없이 오랫동안 머무르는 상태, 즉 '꾸준 상태'에서 원자와 분자 구조를 조사하는 일에 그동안 전념했습니다.
- 원자 구조를 주제로 작성한 논문을 교수님께 보냅니다. 제가 생각했던 것보다 훨씬 시간이 길어졌지만, 최근에는 꽤 진척도 보았습니다.

보어는 전자 궤도에서 '양자 각운동량'이 제각기 일정하게 지정된 '꾸준 상태'에서만 전자들이 머무르게 하여, '원자핵 원자'를 안정되게 만들었다. 러더포드에게 편지를 보낸 보어는 곧 세 번째와 네 번째 단서를 찾는다.

1913년 1월 솔베이 회의에는 모임에 어울리지 않는 안토니우스 반 덴 브로에크(1870-1926)라는 네덜란드 변호사가 원자번호의 원칙을 독자적으로 발견했다고 자처하며 나타났다. 228)그 원칙에는 두 가지 가정이 포함되어 있었다. 하나는 "전자 수가 대략 원자량의 절반이다"라는 러더포드의 실험 결과였고, 다른 하나는 "주기율표의 가로줄을 따라 한 원소에서 다음 원소로 건너뛸 때마다 원자량이 평균 2에 가깝게 차이가 난다"라는 것이었다. 각 원소마다, 원자량이 평균 2만큼씩 차이가 나고 전자 수가 대략 원자량의 절반이기 때문에, 결국 전자 수는 1씩 차이가 났다.
…주기율표의 가로줄을 따라 한 원소에서 다음 원소로 건너뛸 때마다 전자 수는 1씩 달라졌다.

브로에크는 톰슨의 양극선 실험 결과로부터 수소 원자의 전자

수가 1이고, 러더포드의 알파 입자 실험으로부터 헬륨 원자의 전자 수가 2인 점을 들어서, 각각의 원소가 전자 수에 해당하는 원자 내부 전하를 지니며, 여기서 전자 수는 원소의 특성을 결정하는 원자번호에 꼭 들어맞는다고 주장했다.

브로에크의 소식을 들은 보어는 생각했다.

'빨리 서둘러야겠다. [원자모형의] 문제가 뜨겁게 불타오르고 있어.......'

오래된 의문이 불에 타고 있을 때, 새로운 의문은 불이 붙고 있었다. 1913년 2월, 분광학 전문가인 한스 한센은 수소 원자에서 방출되는 가시광선 분광선의 진동수 관계식, 즉 '발머 계열' 공식을 설명하는 이론을 한번 만들어 보라고 보어에게 권했다. 한센은 보어보다 한 살 아래였고 코펜하겐에서 학생 시절부터 친구였다.

타오르는 불꽃이나 은은한 '불빛'의 전기 방전으로 들뜬 기체에서 화학 원소의 원자들이 방출하는 복사선은 분광기를 통해서 특별한 색깔 또는 파장별로 띄엄띄엄 떨어져서 선들의 집합으로 나타났다. 선들의 위치와 세기는 화학 원소의 특징이었다. 선들은 '분광선'이라는 이름으로 매우 정확하게 파장 또는 진동수를 표시했고, 과학자들은 그 규칙성을 찾고 해석하는 연구에 많은 노력을 기울였다.

1871년, 영국 과학협회가 주최한 학술회의에서 아일랜드 물리학자 조지 존스턴 스토니는 태양에서 관측되는 수소 분광선의 파수[파동 수를 뜻하고, 파장의 역수이다]를 정수의 배수 비율로 연속해서 나타내는 '조화 계열'의 장점을 설명했다. 수소 분광선 파수의 목록이 만들어졌고, 1878년 더블린 회의에서는 수소뿐만 아니라 다른 원소의 분광선을 측정한 결과가 보고되었다.

1879년, 헤르만 빌헬름 포겔과 윌리엄 허긴스는 태양보다 표면 온도가 뜨거운 섭씨 약 1만도 미만의 흰색 별들로부터 새로운 수소 분광선을 각각 5개와 12개씩 찾아내어 스토니에게 보고했다. 그중 3개는 이미 관측된 분광선들이었다. 이제 수소 분광선에 남은 질문은 한 가지뿐이었다.

"수소에서 관측되는 분광선을 한 가지 법칙으로 한꺼번에 표시할 수 있을까?"

스토니는 묵묵히 대답을 기다렸다. 그러나 포겔과 허긴스의 새로운 수소 분광선들을 한 개의 공식에 담아서 파장의 역수인 파수로 연속해서 표시하려던 노력은 실패했다. 그는 결론을 내렸다.

"수소 원자의 분광선을 연속해서 나타내는 조화 비율의 수학 법칙은 존재하지 않는다."

수소는 자연에 존재하는 화학 원소들 가운데 가장 단순한 원자였다. 여러 분광선들 중에서 가장 간단했다. 1885년, 60세의 스위스 수학자 요한 발머(1825-1898)는 스위스 바젤 대학교 교수 에두아르트 하겐바흐-비숍(1833-1910)의 권유로 수소 분광선을 순전히 수식으로 나타내어 '발머 계열'의 공식을 유도해 냈다. 그 당시 발머는 바젤에 있는 여학교에서 수학을 가르쳤다.

발머는 스웨덴 물리학자 안데르스 요나스 옹스트룀이 측정했던 가시광선 영역의 4개의 분광선을 분석해서, 분광선 파장이 공통인수를 갖고, 그 공통인수의 9/5, 16/12, 25/21, 36/32 배씩 일정하게 줄어드는 사실을 알아 차렸다. 그리고 정수의 제곱으로 구성된 네 개의 분수를 만들었다. 분수의 분자는 각각 3의 제곱, 4의 제곱, 5의 제곱, 6의 제곱이었고, 분모는 분자에서 2의 제곱을 각각 빼줘서, 분광선 파장이 공통인수에 각각 $3^2/(3^2-2^2)$, $4^2/(4^2-2^2)$, $5^2/(5^2-2^2)$, $6^2/(6^2-2^2)$를 곱해서 표시되었다. "발머 상수"라고 부르는 공통인수의 값은 364.50682나노미터였다. [1나노미터는 10억 분의 1미터이다].

발머 계열의 분수에서 분자 정수가 3, 4, 5, 6,...... 등으로 커질수록 분광선들 사이 간격이 점점 줄어들었고, 11에 가까워지면서 분광선들은 거의 이어진 것처럼 연속 분광선들로 나타났다. 이는 옹스트룀의 측정에서 가장 짧은 파장이 약 0.4마이크로미터이기 때문이었다. [1마이크로미터는 1,000나노미터 또는 1백만 분의 1미터이다]. 발머 계열에서 4개의 가시광선 영역 분광선은 정수 6까지 사용되었고, 더 큰 정수들 7, 8, 9, 10,...... 등의 경우에도 파장이 실제보다 조금씩 더 늘어나기는 했지만, 측정된 분광선들과 잘 일치했다. 정수 7에서 11까지의 분광선은 포겔과 허긴스가 측정한 자외선 영역에 해당했다.

…발머 계열의 파장은 항상 '정수' 제곱의 형태로 나타났다.

분광선의 계열 공식을 만든 후, 발머는 분모에 있던 2의 제곱항에서 정수 2를 대신해서 3, 4, 5, 6,...... 등의 정수도 가능한지 질문을 던졌다. 실제로 정수 1에 대해서는 1906년에 미국 물리학자 시어도어 라이만(1874-1954)이 '라이만 계열', 정수 3에 대해서는 1908년에 독일 물리학자 프리드리히 파셴(1865-1947)이 '파셴 계열', 정수 4에 대해서는 1922년에 미국 물리학자 프레드릭 브래킷(1896-1988)이 '브래킷 계열', 정수 5에 대해서는 1924년에 미국 물리학자 오거스트 푼트(1879년-1947)가 '푼트 계열'을 각각 실험에서 발견했다.

1888년, 스웨덴 물리학자 요하네스 뤼드베리(1854-1919)는 수소뿐만 아니라 알칼리 금속의 분광선 파장들 사이에서도 관련성을 [229]발견했다. 분광선들이 연속해서 이루어진, 파장 무리의 계열이, 파장의 역수인 파수의 단위에서 단순히 단일 함수의 형태로 나타났다.

…수소의 경우, 분광선 파수는 '계열 극한값'과, 4배의 '계열 극한값'을 정수 제곱으로 나눈 양의 차이였고, 4배의 계열 극한값은 뤼드베리 상수로 나중에 확인되었다.

1908년, 스위스 물리학자 발터 리츠(1878-1909)는 수소 원자와 알칼리 금속에 대한 [230]'뤼드베리 공식'을 일반화하여 모든 원자들에 적용되는 분광선 관계식을 만들었다. '뤼드베리-리츠 공식'이라고 불리는 이 규칙은 서로 다른 '두' 분광선의 파수 합 또는 차이로서 표시되었다.

…원자나 분자에서 방출되는 빛의 파수(파장의 역수)는 "공동 상수"와 [1/(마지막 정수)^2 - 1/(처음 정수)^2]의 곱이었다. 마지막 정

수는 라이만 계열에서 1, 발머 계열에서 2, 파셴 계열에서 3, 브래킷 계열에서 4, 푼트 계열에서 5였고, 처음 정수는 마지막 정수에 1, 2, 3,...... 등을 더한 수였다.

발머 계열을 수소뿐만 아니라 다른 원소들에도 적용하도록 만든 일반 계열의 관계식, '뤼드베리-리츠 공식'에서 원자번호가 1인 공동 상수는 '뤼드베리 상수'라고 불린다.

…뤼드베리 상수는 정수 4를 발머 상수로 나눈 양이고, 10,973,731.57/미터의 크기이다.

한센의 권유에 따라서 발머 공식을 확인하고, 231)보어는 말했다.

"발머 공식을 보자마자 나는 모든 것이 다 명확해 졌다."

보어는 과감하게, 원자핵을 중심에 둔 원 궤도에서 전자들이 복사선의 방출이나 흡수 없이 안정된 궤도를 유지하는 원자의 '보어 모형'을 구상했다.

전자들의 여러 궤도들이 원자핵으로부터 일정한 거리만큼 각각 떨어져서 고정되어 특정한 에너지로서 표시가 가능해 졌다. 원자에서 거리가 일정하게 고정된 전자 궤도를 '꾸준 궤도', 에너지를 '에너지 층層'이라고 부른다.

…고전 전자기학이 요구했던 전자들의 가속 운동이, '꾸준 궤도'에서는 더 이상 복사 에너지의 방출로 이어지지 않았다.

…전자들은 단지 한 궤도에서 다른 궤도로 건너뛰는 것이 허용될 때 한해서만, 에너지를 얻거나 잃게 되어, 특정한 진동수에 해당하

는 복사선을 흡수 또는 방출했다.

흡수 또는 방출된 복사선의 에너지는 건너뛰는 궤도들 사이에서 에너지 차이였고, 복사선의 진동수는 플랑크-아인슈타인 관계식에 따라서 주어졌다. 진동수와 원자 반지름의 계산은 아르투어 하스의 방식과 같았다. 하스는 수소 원자의 반지름과 에너지를 바닥상태로 제한했지만, 보어는 여러 '꾸준 상태'에서 양자화 궤도의 반지름과 에너지를 계산했다.

전자들의 원심력과 전기 힘은 균형을 이루었고, 양자 각운동량으로부터 간단한 계산을 거친 뒤에, 보어는 전자의 총에너지와 뤼드베리-리츠 공식의 정수 제곱의 항을 직접 비교했다. 전자의 궤도 반지름, 진동수, 에너지가 모두 양자 수에 맞춰서 표시되었다. 발머 계열에서 나타났던 그 정수들이 바로 양자수였고, 뤼드베리 상수는 전자의 질량과 전하량, 빛의 속도, 진공 유전 상수, 플랑크 상수로 구성된 '자연의 기본 상수'였다.
…파수의 단위를 갖는 뤼드베리 상수를 에너지 단위로 표시한 것이 곧 광자 에너지였고, 보어 모형에서 수소 원자의 이온화 에너지였다.

전자들은 양자 이론의 규칙에 따라서 '꾸준 상태'에서 더 이상 복사선을 방출하지 않았지만, '꾸준 상태'의 한 궤도에서 다른 '꾸준 상태'의 궤도로 이동할 때는 복사선을 방출하거나 흡수하여 그 이동을 완료했다. 보어의 계산에 따르면, 전자의 궤도 반지름은 양자수의 제곱에 비례했고, 원자 에너지는 양자수의 제곱에 반비례했으며, 전자의 회전 진동수는 양자수의 세제곱에 반비례했다. 그리고 원자에서 방출된 신호의 흔적, 분광선은 뤼드베리-리츠 공식에서와 같이 처음 궤도 양자수와 마지막 궤도 양자수의 차이에 따라서 다르게 나타났다.

보어는 양자수가 1인, 에너지가 가장 낮은 '바닥상태'에서 수소 원자의 속성을 계산했다. 원자 반지름은 1억 분의 0.529센티미터였고, 전자 속도는 빛의 1/137이었으며, 원자 에너지는 13.6전자볼트였다. 만약 수소 원자가 바닥상태보다 한 층 더 높은 '들뜬상태'에 있다면, 양자수는 2가 되어서 원자 크기와 에너지가 바닥상태의 4배로 늘어났다[실제 에너지는 음의 값으로 표시된다]. 수소 분광선은, 양자수가 4인 궤도에서 2인 궤도[발머 계열 2번째]와 양자수가 3인 궤도에서 2인 궤도[발머 계열 첫 번째]로 전자 전이가 일어날 때, 각각 487나노미터와 656나노미터의 파장에서 나타났다.

…수소의 양자수가 1인 궤도에서 전자 속도를 빛 속도로 나눈 양, 1/137은 "미세 구조 상수"라고 불리며, 차원(단위)이 없고 자연에서 항상 관측되는 기본 상수이다.

1전자볼트는 1볼트 전압이 만드는 전기장에서 전자 1개가 갖는 전기 에너지이다. 만약 수소 1그램에 포함된 전자들을 따로 모아서 1볼트의 전압을 가한다면, 우리는 약 23킬로칼로리의 에너지를 얻는다. 이 양은 일반인이 마시는 원두커피 한두 잔 정도의 열량과 비슷하다.

보어가 그동안 고안해온 원자모형은 세 가지 가설을 그 안에 담고 있었다.

-전자는 원자핵 주위의 '꾸준 궤도'에서 복사선의 방출 없이 회전을 거듭한다.

-'꾸준 궤도'는, 원이 반지름의 거리에서 이루어지듯이, 회전하는 전자의 각운동량이 '축소 플랑크 상수'의 정수 배(양자화된)인 거리에서 이루어진다.

-전자는, 한 허용된 궤도에서 다른 허용된 궤도로 건너뛸 때, 그 두 궤도 에너지 차이에 해당하는 진동수의 복사선을 흡수하거나 방출한다.

1913년 3월 6일, 보어는 3부작이라고도 불리는 세 편의 긴 논문 중 한 편을 러더포드에게 보내서 〈철학 잡지〉에 실어 달라고 요청했다. 그 당시 보어와 같이 독립된 연구를 막 시작한 신진 과학자가 영국에서 논문을 빨리 출판하기 위해서는, '교신저자'에 러더포드와 같이 명성 있는 과학자가 필요했다. 이러한 관습은 100년이 지난 현재도 여전히 적용되고 있다.

논문을 보낸 뒤에 보어는 다시 러더포드에게 [232]편지를 썼다.

-교수님께서 논문 내용을 어떻게 생각하시는지 무척 알고 싶습니다.

논문에서 양자 물리학과 고전역학이 함께 뒤섞여 있는 부분에 러더포드가 어떻게 반응할는지 보어는 미리부터 염려하고 있었다.

걱정했던 것과 달리 [233]답장이 빨리 도착했다.

-수소에서 방출되는 복사선의 근본 원인을 따지고 밝힌 네 생각은 독창적이고 올바르다. 그러나 플랑크 가설과 고전 물리학을 함께 혼용해서 만든 결과여서 둘 중 어느 것이 기초가 되었는지 명확하게 구분할 수 없으며, 물리학에서 원자 개념을 바로 세우는 일에는 단점으로 작용할 수밖에 없다.

보어의 염려가 그대로 러더포드의 답장에 담겨 있었다. 수소 원자에서 전자가 에너지 층들 사이를 어떻게 건너뛰는지 다른 과학자들처럼 러더포드도 이해하기 어려웠다. 사실, 보어는 고전 물리학 규칙을 위반하고 있었다. 원 위에서 회전하는 고전 물리학의 전자는 일종의 진동자振動子여서 1초당 회전 횟수에 해당하는 진동수의 복사선을 외부에 방출해야 했지만, 고전 물리학에서 급진적으로 벗어난 보어의 전자는 두 에너지 층들 사이에서 '양자 건너뛰기'를 치루는 동안에만 그 차이에 어울리는 진동수의 복사선을 밖으로 내보내고 있었다.

러더포드는 두 에너지 층들 사이를 전자가 건너뛰며 방출하는 복사선의 진동수와 고전 물리학에서 1초당 회전 횟수에 해당하는 진동자 진동수 사이에 아무런 관련이 없다는 점을 불편해 했다. 러더포드는 다른 문제점도 234)지적했다.

-너도 정확히 문제점을 깨닫고 있겠지만, 전자가 처음 '꾸준 상태'에서 마지막 '꾸준 상태'로 건너뛸 때, 진동할 횟수의 크기를 어떻게 앞서서 결정하는지 그 과정을 나로서는 정말 이해하기가 어렵다.

-전자는 건너뛰기를 하기도 전에 도착할 장소를 미리 알고 있었

던 것처럼 내게는 비쳤다.

예를 들면, 전자는 양자수가 3인 에너지 층에서 양자수가 2 또는 1인 에너지 층으로 건너뛰기가 모두 가능했다. 그렇지만 전자는 건너뛰기를 하면서 정확히 정해진 진동수의 복사선을 방출하여, 마치 향하고 있는 에너지 층을 미리 알고 있었던 것처럼 보였다. 이 점은 보어도 대답할 수 없었던, 원자에서 양자가 가졌던 약점이었다. 그 외에도 러더포드는 사소한 비판을 235)서슴지 않았다.

- 긴 논문은 독자가 깊이 읽고 충분히 그 안으로 파고 들어가서 이해할 시간의 여유를 주지 않고, 경우에 따라서는 위협으로까지 느껴지기 때문에, 가능하면 논문 길이를 짧게 잘라야 한다.

러더포드는 필요하다면 영어도 수정해 주겠다며 약속했고, 간단하게 236)덧붙였다.

- 내가 네 논문에서 불필요하다고 생각하는 것들을 임의로 삭제해도 이의가 없는지 답장해 주었으면 좋겠다.

러더포드의 답장을 받은 뒤 보어는 고민에 빠졌다. 고민이라기보다 공포라는 표현이 더 적합했다. 그동안 초안과 수정을 끝없이 거듭했고 단어들의 선택도 세밀하게 따져가면서 작성했던 논문을, 다른 사람이 아닌 러더포드더라도, 임의로 수정하겠다는 제안은 보어에게 커다란 충격이었다. 보어는 2주에 걸쳐서 논문을 수정했고, 내용도 첨가하여 새로 작성한 긴 논문을 러더포드에게 보냈다. 237)수정된 논문을 본 러더포드는 다시 답장을 보냈다.

- 내용이 매우 좋고, 이치에도 잘 들어맞는다. 그렇지만 논문이 여전히 길다. 좀 더 짧았으면 좋겠다.

이 편지가 도착하기도 전에, 보어는 휴일을 택해서 맨체스터를 향해 떠나기로 마음먹었다.

보어가 러더포드의 집 문을 뚜드렸을 때, 러더포드는 그의 친구를 만나고 있었다. [238]러더포드는 즉시 그 가냘파 보이는 젊은 이를 자신의 서재로 데려가며, 부인 메리와 친구에게 말했다.

"젊은 덴마크 인이 방문했고, 그가 하는 일은 매우 중요하다."

이후 며칠에 걸쳐서 보어는 자신의 논문을 방어하는 데 몰두했고, 러더퍼드는 인내심을 갖고 그것을 일일이 듣고 있었다. 지친 러더퍼드는 마침내 굴복했고, 그의 친구들과 동료들에게 그날 있었던, 논문 작성 때 일을 들려주기 시작했다. 수년 후에, 보어는 당시의 일을 [239]얘기했다.

"러더포드의 말대로 논문 내용을 좀 더 줄였어야 했다."

5.6 원자와 분자의 구성

3부작 논문은 『원자와 분자의 구성』이라는 제목으로 〈철학 잡지〉에서 첫 번째는 1913년 7월, 두 번째와 세 번째는 1913년 9월과 11월에 각각 출판되었다. 두 번째와 세 번째 논문은 주기율표와 원소의 화학 특성을 설명하기 위해 양자 원자의 개념을 사용했고, 향후 10년간 보어를 사로잡을 '원자 내부에서 전자 배열'의 개념을 제시했다.

1913년 9월 10일부터 17일까지, 영국 과학협회에서 주최한 [240]〈제83차 학술회의〉가 버밍엄에서 열렸다. 학술회의는 수학 및 물리과학, 화학, 지질학, 동물학, 지리학, 경제 및 통계학, 공학, 인류학, 생리학, 식물학, 교육과학, 농학의 12개 분과로 나누어졌다. 수학 및 물리과학 분과에는 특별히 초대 받은 닐스 보어를 포함하여, 영국 과학자로서 존 윌리엄 스트럿 레일리, 조지프 존 톰슨, 조지프 라모어, 어니스트 러더포드, 윌리엄 헨리 브래그, 존 헨리 포인팅, 제임스 진스, 등이 참석했고, 외국 과학자로서 마리아 퀴리, 헨드릭 안톤 로런츠, 에른스트 프링샤임, 스반테 아레니우스, 로버트 윌리엄스 우드, 그리고 영국 과학자 협회 회장인 올리버 로지와 수학 및 물리과학 회장인 헨리 프레더릭 베이커가 자리를 같이 했다.

9월 11일 목요일, 올리버 로지(1851-1940)의 협회 회장 연설이 끝나고, 찰스 글로버 바클라의『엑스선 특성』, 조지프 존 톰슨의『원자 구조』, 헨드릭 안톤 로런츠의『엔트로피와 확률의 관계』의 논문 발표가 있었다.

9월 12일 금요일, 제임스 진스(1877-1946)가 "복사선 성질"을 주제로 무척 세련되고 간결한 방식으로 회의를 진행했다. 토론은 지금까지 신뢰해온 자연의 궁극적인 '복사선 법칙'이 타당한지에 맞춰졌다. 그는 가장 간단한 예로서 '흑체 복사'와 '고체 열熱' 계산을 들었고, 그 두 계산에 이르는 길은 오직 플랑크의 양자 가설을 통해서만 가능하며, 앙리 푸앵카레가 아주 완벽하게 고전 물리학의 상징인 '연속성'에서 새로운 양자 물리학의 '불연속성'으로 건너뛰기를 241)증명했다고 힘줘서 말했다.

—물질과 주위 사이의 에너지 교환이 일정한 양, 양자 에너지의 정

수배씩 건너뛰며 일어나고, 이는 [242]루머와 프링샤임, 그리고 [243] 디바이 실험에서 각각 증명되었다.

제임스 진스는 "좀 더 보수적인 사람들은 푸앵카레의 정리에 기초해서 복사선 법칙의 타당성에 도전해 보고 싶겠지만, 이미 푸앵카레가 그것을 예견했다."라고 언급하며, 프랑스 수학자 앙리 푸앵카레의 프랑스어로 직접 참석자들에게 전달했다.

"양자 가설은 플랑크 복사 법칙을 이끄는 유일한 길입니다. 어떤 복사선 법칙이든지 상관없이, 특정한 파장에서 주어지는 복사선 평균 에너지는 양자 가설에서와 같이 불연속 함수로서 나타날 것입니다."

푸앵카레의 증명은 다른 양자 가설의 연구와 비교해서 매우 특별했다. 그것은 상호작용 체계(원자 충돌)의 명확한 분석을 기반으로 진동자子의 열역학 평형 상태가 고유하게 존재하는지를 구체적이고 물리적으로 이해하게 만든 최초 사례였다. 그뿐만 아니라 양자 가설이 플랑크 복사 법칙을 설명하는 유일한 가정이라는 것을 최초로 확실하게 보여주었다.

무한하지 않은 '유한' 에너지의 증명은 양자 불연속성이 자연의 동역학 법칙에 필수적이라는 사실을 확인해 주었다. 그것은 가장 보편적인 증거이기도 했다. 이 사실을 증명하기 위해서 푸앵카레는 '역逆 통계역학'을 발명했다. 역 통계역학의 방식은 전통 통계역학의 방식을 역으로 작동하게 하여, 거시 열역학에서 미시 역학이 유도되게 만들었다.[244]

이어서 제임스 진스는 고전역학으로 설명되는 어떤 것과도 완전히 다르며, 설득력 있고 직접 확인이 가능한 증거로서 양자 이론의 사실성을 우리가 합리적으로 요구할 수 있다고 설명했다.
—그러므로, 뢴트겐 광선(엑스선)의 파장은 광선이 때리는 에너지를 측정하여 결정되고, 빛이 물질을 통과할 때 발생하는 에너지 손실은 빛의 진동수를 낮추는 효과(형광)를 만든다. 이러한 원칙에 따라서, 보어 박사는 가장 독창적이고 매우 도발적인 영역으로 우리를 인도했다.

그는 보어 원자를 "양전하의 원자핵 주위를 회전하는, 전자-위성" 모형으로 소개했고, 분광 계열의 법칙[예를 들면, 발머 법칙]에 설득력 있는 설명이 추가되었다고 강조했다.
—고전역학에 따르면, 전자 하나가 이중의 연속된 무한급수를 이루며 매우 많은 궤도들을 형성하지만, 보어 박사가 전개한 새로운 역학에 따르면, 이중의 연속된 무한급수는 단일의 불연속 무한급수로 줄어들며 오직 특정 궤도들만 형성한다.
—새로운 역학에서 특정 궤도들이 형성될 조건은, 첫째, 전자 궤도들이 원형圓形이어야 하고, 둘째, 전자 각운동량이 '플랑크 상수를 반지름이 1인 원 둘레로 나눈 양(축소 플랑크 상수)'의 정수배이어야 한다.

보어가 분광 계열의 법칙을 설명하는 일에 마침내 성공했다고 최근 연구 자료를 인용하며 제임스 진스는 덧붙였다.
"보어 박사가 제시한 두 가지 가정의 유일한 당위성은 성공 중에서도 매우 큰 성공이다."

다음 발언에 나선 로런츠 교수도 제임스 진스가 설명한 '복사선'의 견해에 대체로 동의한다고 말했다.

—복사선의 실체를 설명하기 위해서, 그것이 어떤 종류이든지 '불연속' 개념이 소개되어야 한다. 현재로서는, '일정한 양, 양자 에너지'의 가정보다 더 나은 가설은 없어 보인다.

그는 복사선이 물질 입자와 진동자[스스로 진동수를 갖는]와 매질에 따라서 각각 다른 형태로 나타나고, 특히 진동자는 매질에서 전파되는 전자기電磁氣 진동을 일으키며[진동수 또는 파장으로 표시되며] 전하를 운반한다고 설명했다.

—진동자는 충돌을 거치거나 입자와 에너지를 교환하여 물질과 주위를 연결한다. 그래서 물질 입자와 진동자의 구별은 그렇게 인위적이라고 볼 필요가 없다.

—중성 전기의 분자들이 모인 기체는 '물질 입자'들로 이루어지고, 평형 상태에서 정해진 위치에 정렬된 원자들의 집합체인 결정結晶은 '진동자'들로 구성된다고 말할 수 있다.

—플랑크 복사 법칙은 낮은 진동수(또는 긴 파장)의 영역에서 고전역학에 기초를 둔 레일리-진스 법칙과 동일하게 나타난다. '일정한 양, 양자 에너지를 열 에너지(볼츠만 상수와 절대온도의 곱)로 나눈 '차원 없는(무차원)' 양은 결국 두 공식에서 동일한 의미를 지닌다. 이것은 디바이의 '고체 열'에도 똑같이 적용된다.

—그러므로 진동자(복사선) 이론에 양자 개념을 도입하는 것이 아직 충분하지는 않겠지만, 제임스 진스의 제안처럼, 전하들이 존재하는 공간에서 맥스웰 방정식은 부분적으로 수정돼야 할 것이다.

로런츠가 순서를 마치자, 보어는 로런츠가 언급했던 물질 입자와 진동자의 견해가 새로운 원자모형의 관점에서 이해되어야 한다고 245)지적했다.

—원자는 전자가 양전기의 원자핵을 중심으로 '꾸준 궤도'에서 움직일 때 '물질 입자'에 속하지만, 한 궤도에서 다른 궤도로 건너뛰기가 일어나서 동시에 복사선을 방출할 때에는, '원자가 바로 진동자'입니다.

옥스퍼드의 수학자 아우구스투스 에드워드 허프 러브(1863-1940)는 양자 가설에 반대하는 의견을 내놓았다.

—복사선을 설명하기 위해서 지금 사용하고 있는 역학 및 전자기동역학 이론이 양자 이론의 수단으로 보완되어야 한다는 의견을 받아들이기 어렵습니다. 수렴 이론에 기초하면 플랑크 복사 법칙과 같이 실험과 일치하는 복사 이론의 공식들은 수없이 많기 때문에, 플랑크 공식을 자연 법칙이라고 간주하기 어렵습니다.

아우구스투스 러브의 반대 의견에 제임스 진스는 대답했다.

—저는 러브 교수의 무한급수 수렴성이 고려되어야 한다고 생각하지 않습니다. 우리는 수백만 또는 수천만 년이 경과할 때까지 유한급수의 항들을 가질 것이고, 물리학의 문제도 더 이상 수렴 여부에 관계없이 유한급수로서 완전하게 표현될 것입니다.

로런츠 교수도 러브 교수의 의견에 대답했다.

—흥미로운 말씀이지만, 흑체 복사 에너지가 왜 수렴되어야 하는지 설명하는 것이 바로 복사 이론의 목표라고 명확하게 말씀드리고

싫습니다. 고전 물리학 이론들이 다른 결과를 이끈다고 해서, 이것이 본질에서 물리학적으로 모순이 되거나 불가능하다고 말할 수 없습니다. 결국에는 모든 에너지가 주위에 전달되겠지만 진정한 의미에서의 마지막 상태에는 결코 도달하지 않는, 점점 더 짧은 파장의 파동 형태로 남아 있을 것입니다.

양자 원자는 영국 밖에서도 깊은 반향을 일으키고 있었다.[246] 보어의 첫 번째 논문이 발표된 직후, 취리히에 있는 스위스 연방공과대학교의 물리학 연구회 콜로퀴움에서 독일 물리학자 막스 폰 라우에가 큰 목소리로 외쳤다.[247]

"이건 다 말도 안 되는 소리야! 맥스웰 방정식은 항상 모든 상황에서 정당한 근거를 제공하고 있어. 원 궤도에서 움직이는 전자는 복사선을 밖으로 내보내야만 돼!"

1913년 8월 25일, 보어의 논문을 읽은 파울 에렌페스트(1880-1933)는 헨드릭 로런츠에게 [248]편지를 썼다.

-발머 공식을 다시 양자 이론으로 고쳐서 작업한 보어 원자는 저를 절망에 빠트렸습니다. 만약 보어 원자가 목표에 이르는 길이라면 저는 물리학을 포기해야만 할 것 같습니다.

에렌페스트는 양자 이론에 매우 익숙했지만, 그 개념을 원자 구조에 적용했던 보어의 방식은 한동안 그를 매우 당혹스럽게 만들었다. 그것은 전혀 마음에 들지 않아서, 받아들이기까지 몇 해가 더 지나야 했다.[249]

뮌헨 대학교 물리학 교수인 아르놀트 조머펠트는 보어로부터 논문 복사본을 받았다. 7월에 출판된 보어의 첫 번째 논문을 이미 읽은 뒤였다. 1913년 9월 4일, 조머펠트는 보어에게 250)엽서를 보냈다.

- 이미 읽은 뒤였지만, 매우 흥미로운 〈철학 잡지〉 논문을 보내 주어서 고맙습니다. 플랑크 상수를 사용해서 새롭게 표시된 뤼드베리-리츠 상수는 오랫동안 내가 하고 싶었던 일입니다. 현재로서는 여전히 원자모형에 회의적이지만, 그 계산은 의심할 여지없이 대단한 업적입니다....... 오는 10월 1일에 러더포드 교수를 만날 예정이고, 보어 박사의 계획은 그때 좀 더 자세히 알아보겠습니다.

괴팅겐에서 동생 하랄도 닐스 보어에게 251)편지를 보냈다.

- 사람들은 네 논문을 굉장한 흥밋거리로 여기고 있어. 막스 보른과 에르빈 마델룽과 같은 젊은 물리학자들은 네 이론에서 객관성과 정확성을 믿으려 하지 않는다. 그들은 네 이론에서 보이는 가정들이 너무 대담하고, 환상에 차 있다고 판단하고 있다.

보어는 수소 원자에 적용된 원자모형을 다른 원소에까지 확장하기 위해서, 뤼드베리-리츠 공식의 공동 상수에 원자번호의 제곱 그리고 전자 질량 대신 전자와 원자핵의 환산 질량을 포함했다. 헬륨 이온에 적용된 뤼드베리-리츠 공식의 공동 상수는 수소와 비교해서 4.00163배로 늘어났다. 실제로 분광선에서 측정된 헬륨 이온과 수소의 뤼드베리-리츠 공식의 공동 상수 비율도 4.0016배로 확인되었고, 유효숫자 5자리까지 보어의 계산과 정확하게 일치했다. 보어는 그의 3부작 첫 번째 논문에서, '제타 퍼피스' 항성으로부터 에드워드 찰스 피커링(1846-1919)이 측정했던 252)'피커링 분광 계열'이 반半정수의 양자수로 표시된 "원시 수소"가 아니라, 전자 하나가 빠진 헬륨 이온의 결과라고 설명했다. [원시 수소는 화학적 진화에서 마지막 단계의 수소로서, "우주 수소"로도 불린다].

—피커링 계열의 파수는 뤼드베리 상수와 $\{1/2^2 - 1/(정수 + 0.5)^2\}$의 곱으로 표시되어, '반정수'의 항을 포함했다. 이는 발머 계열의 파수가 뤼드베리 상수와 $\{1/2^2 - 1/(정수 + 1)^2\}$의 곱으로 표시되어, '정수' 항만 포함했던 것과 달랐고, 이 때 정수는 항상 2, 3, 4,...... 등으로 주어졌다.

—보어 이론에 기초해서 피커링 계열의 파수가 반半정수 없이 정수만 허용된다면, "수정된 피커링 계열"의 파수는 4배의 뤼드베리 상수와 $\{1/4^2 - 1/(정수 + 1)^2\}$의 곱으로 다시 표시되었고, 이 때 정수는 4, 5, 6,...... 등으로 주어졌다. [파수는 파장의 역수이다].

처음 관측된 피커링 계열은 양자수가 5/2, 7/2, 9/2,...... 등의 에너지 상태에서 2의 에너지 상태로 전자 전이가 일어나는 수소 원자에 가까워 보였다. 그러나 반정수 대신 정수만 허용된다면, 양자수가 5, 6, 7,...... 등의 에너지 층에서 4의 에너지 층으로 전자 전이가 일어나는 헬륨 이온에 오히려 적합해 보였다.

—보어 모형에 기초해서 수소 원자보다 헬륨 이온으로 재해석된 '수정된 피커링 계열'의 분광선이 계산되면, 양자수가 홀수인 5, 7, 9,...... 등의 에너지 층에서 양자수가 4인 에너지 층으로 일어난 전자 전이는 바로 피커링 계열의 10123, 5411, 4541 옹스트

롬,...... 등에 해당했다.
—'수정된 피커링 계열'의 분광선에서, 양자수가 짝수인 6, 8, 10,...... 등의 에너지 층에서 양자수가 4인 에너지 층으로 일어난 전자 전이는 6560, 4859, 4339 옹스트롬으로서[헬륨 이온], 수소 원자에 대한 발머 계열의 첫 번째(3→2)인 6563, 두 번째(4→2)인 4861, 세 번째(5→2)인 4340 옹스트롬,...... 등과 거의 구별 없이 나타났다.
—'수정된 피커링 계열'의 분광선에서, 양자수가 4, 5, 6, 7,...... 등의 에너지 층에서 양자수가 3인 에너지 층으로 일어난 전자 전이는 알프레드 파울러(1868-1940년)가 수소-헬륨 혼합 기체에서 헬륨 이온 분광선을 수소 분광선으로 "잘못" 발견했던 4686, 3203, 2733, 2511 옹스트롬,...... 등의 분광 계열과 일치했다.[253]

피커링 분광 계열은 결국 수소가 아닌 헬륨 이온으로부터 측정된 분광선들이었다. 전자를 하나만 갖는 헬륨 이온은 수소 원자와 화학 성질에서 매우 비슷했지만, 수소 원자보다 4배 무거웠고 2배 전하를 포함하여 분광선들에서 무척 다르게 나타났다.

완전하지 못한 역학의 이론을 기반으로, 세밀한 조정調整을 거쳐서, 비非역학의 양자 가설을 확인하게 만든 이 특별한 사건은 맨체스터에서 러더포드와 함께 일했고 보어도 만난 적이 있었던 헝가리 화학자 게오르크 드 헤베시(1885-1966)가 보어에게 보낸[254]편지에서 생생하게 드러난다.
- 아인슈타인은 눈이 점점 더 커지더니 나에게 말했다. "이것은 가

장 위대한 발견 중 하나다.”

- 아인슈타인은 보어의 원자모형이 피커링 분광 계열의 근원을 수소가 아니라 헬륨 이온으로 정확하게 예측했다는 소식을 듣고 깜짝 놀라면서, “빛의 진동수가 원자의 전자 회전 진동수와 아무런 관련이 없다니....... 이것은 정말 엄청난 사건이다. 보어 이론은 틀림없이 사실일 것이다.”라고 큰 소리로 내게 외쳤다.

5.7 양자 물리학의 시작

보어의 성공은 다른 새로운 발견으로 이어졌다. 그중 하나가 영국 물리학자 헨리 모즐리(1887-1915)의 특성 엑스선 실험이었다. 보어의 3부작 중 세 번째 논문이 출판된 뒤였다. 특성 엑스선은 파장이 가시광선보다 수천 배나 짧은 전자기파의 한 형태이고, 높은 에너지의 전자가 금속에 충돌해서 발생한다는 사실이 이미 알려진 상태였다. 보어 이론에 따르면, 안쪽 에너지 궤도에 있던 전자 하나가 원자 바깥으로 떨어져 나가고, 더 높은 에너지 궤도에 있던 다른 전자 하나가 빈자리를 메우기 위해 이동하면서 특성 엑스선이 방출되었다. 전자 이동이 일어난 두 에너지 층들 사이에서 방출된 양자들이 바로 특성 엑스선이었다.

모즐리는 옥스퍼드 트리니티 대학을 졸업한 후에 맨체스터 대학교에서 학생들을 가르치고 러더포드의 연구를 도우면서, 네덜란드 변호사 안토니우스 반 덴 브로에크가 주장했던 “원자번호 순서의 화학 원소 구성”을 시험하기 위해서 특성 엑스선 분광 방법을 사용했다.

브로에크는 원자번호 50의 원소까지는 올바르게 주기율표를 채웠지만, 원자번호가 74인 텅스텐을 78로, 79인 금을 83으로, 92인 우라늄을 96으로 잘못 기입했다. 그 당시 모즐리 외에는 아무도 원자핵 전하를 측정하여, 오류를 바로 잡는 일을 알지 못했다. 모즐리는 보어의 원자 이론을 깊이 이해했고, 보어보다 두 살 아래였지만, 러더퍼드의 노력, 추진력, 업적에 비교되는 결과를 가져올 과학자라고 이미 주위로부터 높은 평가를 받고 있었다.

1913년 12월과 1914년 4월, 모즐리는 『원소들의 높은 진동수 스펙트럼들』의 제목으로 〈철학 잡지〉에서 두 논문을 발표했다. 255)첫 번째는 칼슘(원자번호 20)과 아연(원자번호 30) 사이(21인 스칸듐은 제외하고)에서 '케이' 계열[양자수가 1인 에너지 층으로의 전이] 스펙트럼들이 관측된 보고였다. 이어서 발표된 256)두 번째 논문은 알루미늄과 은 사이에서 21개 원소들의 '케이' 계열, 그리고 지르코늄과 금 사이에서 24개 원소들의 '엘' 계열[양자수가 2인 에너지 층으로의 전이] 스펙트럼들을 측정했다. 스펙트럼 진동수가 높아지는 순서대로 그래프 종이 위에 점들이 표시되고 선들로 연결되어, 소위 '모즐리 법칙'이 발견되었다.

—특성 엑스선 '케이-알파' 계열(양자수 2 → 양자수 1의 전이)의 경우, 스펙트럼 진동수는 순서대로 매겨진 정수, 즉 '원자번호'에서 1을 빼준 값의 제곱에 비례했고, 그 비례 상수는 3/4과 뤼드베리 상수의 곱이었다.

—특성 엑스선 '엘-알파' 계열(양자수 3 → 양자수 2의 전이)의 경우, 스펙트럼 진동수는 '원자번호'에서 7.4를 빼준 값의 제곱에 비

례했고, 그 비례 상수는 5/36와 뤼드베리 상수의 곱이었다.

화학 원소들의 특성 엑스선 진동수를 측정함으로써 원자번호가 결정되었다. 모즐리 법칙에서, 3/4과 5/36는 이미 뤼드베리 공식의 $(1/1^2-1/2^2)$과 $(1/2^2-1/3^2)$에서 나타났었고, 1과 7.4는 원자 속(안쪽 궤도) 전자들이 바깥 궤도 전자들로부터 '원자핵 가로막기 효과'에 따라 결합력이 줄어들면서 나타나는 상수였다. 모즐리 법칙은 발머 공식과 비슷했고, 원자번호가 원자핵의 기본 전하 수와 같게 취급한 보어 모형의 관점에서 충분히 그 설명이 가능했다.

모즐리가 원자핵 전하를 측정했던 획기적인 실험이 보어 원자의 지위를 높이는 데 큰 역할을 하는 동안, 더욱 중요한 전환점이 다가왔다. 1914년 4월, 독일 물리학자 제임스 프랑크(1882-1964)와 구스타프 헤르츠(1887-1975)는 『전자와 수은 증기 분자의 충돌, 그리고 수은 분자의 이온화 전압』의 [257]논문에서 수은 증기의 이온화 전압이 4.9볼트이고, 이 전압에서 전자들이 갑자기 비탄성 충돌(에너지 손실)을 시작한다고 발표했다.

그들이 사용한 실험 장치는, 전자들이 생성되는 백금 도선의 음극이 중앙을 지나갔고, 그 주위를 반지름이 4센티미터인 원통형 백금 철사 그물의 그리드가 둘러쌌으며, 1에서 2밀리미터 더 떨어져서 얇은 원통형 백금 은박지의 양극이 유리관 안에서 음극과 그리드를 에워싸며 검류계에 연결되어, 정밀하게 전류와 전압을 측정했다. 검류계로 전류가 새는 것을 방지하기 위해서 백금 도선들이 유리에 끼워졌고, 나머지 도선들도 모두 녹은 유리로 절연되었다.

그리고 실험 장치가 전기 가열된 석랍 통에 담겨서 수은 진공 펌프에 연결되었고, 장치 바닥에 수은이 놓여서 섭씨 110도와 115도 사이에서 수은 1밀리미터의 압력(1/760 기압)을 유지했다.
—그리드와 양극 사이에서 감속 전압이 일정하게 고정되었고, 그리드와 음극 사이에서 가속 전압이 증가하면서, 검류계 전류가 측정되었다.
—가속 전압이 감속 전압보다 적으면, 검류계 전류가 0이다.
—가속 전압이 감속 전압보다 크다면, 이온화 전압에 가까워질 때까지 검류계 전류가 계속 증가하고, 같아지는 순간에 전자들은 비탄성 충돌을 겪으며 이온화를 일으킨다.
—가속 전압이 이온화 전압을 넘으면, 즉시 검류계 전압은 0으로 되돌아온다. 그러므로 비탄성 충돌 후에 남은 전자들은 가속 전압과 이온화 전압의 차이에 해당하는 운동 에너지를 갖는다.
—가속 전압과 이온화 전압 차이가 감속 전압을 넘으면, 전자들은 운동 에너지를 갖게 되어, 다시 검류계 전류가 올라가고 이온화 과정에서 총전자 수가 늘어나서, 전보다 더 크게 증가한다.
—검류계 전류가 다시 최대로 증가하여 두 번째 이온화 전압이 나타나고, 전자들은 두 번째 비탄성 충돌을 겪는다.
—가속 전압이 증가하여 이온화 전압의 배수일 때마다 동일한 현상이 반복되어 일어난다.
—두 연속된 검류계 전류 최댓값의 간격은 4.8과 5.0 볼트 사이에서 측정되었고, 그 중간인 4.9볼트에서 수은 증기의 이온화 전압이 확인되었다.

—수은 증기에서 관측된 4.9볼트의 전자 에너지는 253.6나노미터 분광선에 해당하는 양자 에너지이다. [1나노미터는 10억 분의 1미터이다].

거의 4.9볼트씩 이온화 전압이 증가할 때마다 그리드와 양극 사이의 검류계 전류가 눈에 띄게 증가한 다음, 다시 갑자기 줄어들었다.
…연속으로 이어지지 않고 불연속으로 전자 에너지가 증가하여, 띄엄띄엄 떨어진 양자화 에너지의 모습이 뚜렷이 드러났다.

프랑크와 헤르츠는 그들의 실험에서 수은 증기의 이온화를 관측했다고 생각했기 때문에, 그때 측정된 가속 전압을 '이온화 전압', 전자의 운동에너지를 '이온화 에너지'로 각각 표시했다.

프랑크와 헤르츠 실험에서, 전자를 방출하는 음극에 "방출체(또는 영어로 이미터)", 전자를 모우는 양극에 "모우개(또는 영어로 컬렉터)"의 용어가 쓰이기도 한다. 방출체, 그리드, 모우개는 전자공학 기술을 이끈 '진공관 트랜지스터'의 구성 3요소였다. 1947년에 발명된 '반도체 트랜지스터'는 그리드 대신 "베이스"(최근에는 "소스, 게이트, 드레인")의 용어를 사용한다.

마치 경사진 산을 오를 때 능선을 따라 잇달린 산봉우리들이 울퉁불퉁 출렁거리며 나타나듯이, 검류계 전류가 일정하게 정점에 도달한 다음에 다시 감소하는 모습을 반복했다. 전자들은 수은 원자들과 충돌했을 때, 운동 에너지가 4.9전자볼트보다 낮으면 아무런 일도 일어나지 않는 탄성충돌을 보였지만, 그보다 높으면 비탄성 충돌을 보이며 그만큼 에너지를 잃었고, 수은 원자는 파장이 253.6나노미터인 자외선을 방출했다.

그들은 수은 원자에서 전자를 끄집어내기 위해 필요한 '이온화 에너지'를 측정하는 데 성공했다고 단단히 믿었다. 당시 독일에 널리 퍼져 있던 "보어 원자에 대한 회의懷疑" 때문에, 보어의 논문을 그들은 읽지도 않았었다. 그들의 실험 자료를 제대로 해석하는 일은 이제 전적으로 보어에게 달려 있었다.

실험 자료를 들여다본 보어는 설명했다.

…전자가 4.9볼트에서 잃어버린 에너지, 즉 4.9전자볼트는 수은 원자의 258)바닥상태와 첫 번째 들뜬상태의 에너지 차이였다.

…수은 원자에서 전자가 두 에너지 사이를 건너뛰었고, 보어 모형이 그 에너지 차이를 정확하게 예측했다.

…전자가 들뜬 상태에서 처음 출발했던 상태로 다시 건너뛰어 내려오면서, 수은 원자도 바닥상태로 되돌아왔고, 파장이 253.6나노미터인 자외선의 양자를 밖으로 내보냈다.

프랑크와 헤르츠가 "전자를 원자 바깥으로 끄집어내는 데 필요한 에너지"라는 의미에서 이름을 붙였던 이온화 에너지를, 보어는 "전자가 가장 낮은 두 에너지 층 사이를 건너뛰는 일에 필요한 에너지"로서 '들뜨기 에너지'라고 새로이 해석했다.

…원자는 259)들뜨기가 충분히 이루어지기 전까지 충돌 전자와 에너지를 교환하지 않는다.

…들뜨기 에너지가 연속적이지 않고 띄엄띄엄 분리되어서, 마치 별개인 것처럼 산봉우리 모양으로 떨어져서 나타나는 결과 자체가,

바로 양자수로 표시되는 불연속 전자 궤도, 곧 에너지가 항상 정해진 '꾸준 상태'들이 존재한다는 증거이다.[260]

프랑크와 헤르츠는 보어가 설명한 양자 이론의 도움을 받아서, 『전자가 원자에 미치는 효과를 결정하는 법칙의 발견』의 공헌으로 보어에 뒤이어서 3년 후에 노벨 물리학상을 받는다. 구스타프 헤르츠는 전자기파를 실험에서 처음 선보였던 하인리히 헤르츠의 조카였다. 지금도 '프랑크-헤르츠 실험'은 대학교 물리학 교과서에서 양자 이론의 근거를 제공하고 있다.

모즐리의 특성 엑스선 측정과 프랑크-헤르츠 실험에 이어서, 보어 이론은 새로운 도전을 받는다. 1913년 12월 4일, 독일 물리학자 요하네스 슈타르크(1874-1957)가 강한 외부 전기장을 통과한 기체 원자나 분자의 양陽극선에서 분광선이 몇 가닥으로 분할된 현상, 즉 '슈타르크 효과'를 처음 찾아냈고, 『전기장에서 분광선 분리의 관측』의 [261]논문을 〈네이처〉에서 발표했다.

슈타르크 효과는, 1896년에 네덜란드 물리학자 피터르 제이만이 발견했던 '제이만 효과'와 비슷했다. 제이만 효과는 외부 전기장 대신 자기장에서 원자 또는 분자들이 빛을 방출하여 측정된 분광선이 자기장 세기에 비례해서 몇 가닥으로 쪼개져 분할된 현상이었다. 자기장에 이어서 전기장에서도 분광선 분할이 가능한지 조사되었다. 1901년, 독일 수리물리학자 볼데마르 포크트(1850-1919)는 소듐 원자가 1센티미터당 300볼트의 전기장에서 일어나는 효과를 계산했다. 결과는 자기장 효과보다 5십만 분의 1

정도로 작아서 분광선 관측이 전기장에서는 불가능하다고 결론이 내려졌다.

분광선은, 우리가 운동을 하며 에너지를 땀으로 배출하는 것처럼, 보어 모형에 따르면 전자들이 한 에너지 궤도에서 다른 에너지 궤도로 건너뛰면서 그 차이의 에너지를 빛으로 방출하여 색깔별로 관측된다. 이는 마치 제각기 다른 여러 색깔의 선들을 줄줄이 아래로 내려트린 색동 띠의 모습과도 유사하다. 전기장 또는 자기장에서는 분광선의 모습도 크게 달라져서 나타난다. 분광선 수가 증가하고 그 분할 폭이 넓어진다.

슈타르크는 양극관의 음극에 작은 구멍을 뚫어서, 그 뒤 가까이 매우 좁은 수 밀리미터 간격의 평행 전극을 설치했다. 같은 전압이 가해지더라도 전극 간격이 좁아지면 그것에 반비례해서 전기장 세기가 증가했다. 이온들로 구성된 양극선은 음극의 작은 구멍을 통해 나온 뒤에, 좁은 평행 전극에서 강한 전기장의 영향으로 그만큼 더 크게 분광선 분할로 이어져서 관측 또한 수월해 졌다.

—수소의 두 번째[양자수 4 → 양자수 2]와 세 번째[양자수 5 → 양자수 2] 분광선들이 전기장에 수직인 방향에서 관측되었다. 각각 5개씩 분할되었고, 그들 중, 가운데 3개는 전기장에 수직 편광된 성분들이었고, 바깥 2개는 전기장에 평행 편광된 성분들이었다.

—헬륨에서도 447.2나노미터와 402.6나노미터 파장의 분광선들이 전기장에서 관측되었다. 각각 6개씩 분할되었고, 전기장에 수직과 평행 편광된 성분들이 각각 3개씩이었다.

분광선의 분할 폭은 1차 어림값이 에너지 또는 진동수 단위에서 전기장에 비례해서 나타났다.[262]

슈타르크의 논문이 발표되자, 즉시 양자 이론이 확인에 나섰다. 고전 물리학은 일찍이 분광선의 전기장 효과를 관측하는 것이 불가능하다고 결론을 내렸었다. 슈타르크 효과를 설명하기 위해서 가장 먼저 대답을 내놓은 과학자는 67세의 독일 물리학회 회장인 베를린 대학교 교수 에밀 바르부르크(1846-1931)였다. 그는 보어 모형에 기초해서, 전기장이 원 모양의 전자 궤도를 찌그러트린다고 가정했다. 그의 [263]계산 결과에 따르면, 분광선의 분할 폭이 전기장 세기와 '처음 궤도 양자수의 제곱'에 각각 비례했다.

계산은 정확하지 않았지만 발머 계열에서 나타난 실제 분광선의 분할 수치와 대략 일치했다. 바르부르크의 계산에는 플랑크 상수가 포함되어 있었고, 이를 근거로 '전기장에서 분광선 분할'이 고전 물리학으로 설명할 수 없는 양자 현상이라고 그는 주장했다.

1913년 12월 5일, 베를린에서 열린 〈독일 물리학회〉에서 바르부르크는 '새롭지만 독일 과학자들에게는 잘 알려지지 않은' 보어 이론을 사용하여 최근 수소 원자의 슈타르크 효과를 계산해 보았다며 자신의 논문을 읽었다. 그 자리에 있었던 독일 물리학자 로베르트 비샤르 폴(1884-1976)은 당시 일을 [264]기억했다.

"바르부르크는, 보어의 논문이 매우 중요하고,...... 대단히 진보된 물리학을 담고 있다, 라고 보고했다. 발표회에 참석한 수백 명의 물리학자들도 즉시 그 중요성을 알아차렸으며,...... 나는 플랑크 상수가 원자를 이해하는 핵심 요소라고 믿었다."

바르부르크는 제이만 효과에도 보어 모형을 적용하여 계산했고, 그 결과를 보어에게 알렸다. 보어는 바르부르크에게 [265]답장을 썼다.

-교수님과 같이, 저도 제 이론을 사용하여 수소 분광선의 제이만 효과와 슈타르크 효과를 계산해 보았습니다. 교수님 결과와는 조금 달랐습니다. 원자들이 통과할 때 전자들이 전기장에 평행 또는 반反평행인 방향으로 움직이는 것을 고려하면, 분광선의 진동수 분할 폭은 '전기장 세기', 그리고 '나중 궤도 양자수 제곱과 처음 궤도 양자수 제곱의 차이'에 비례하는 것으로 나타났습니다.

보어가 슈타르크 효과의 소식을 처음 들은 것은 1913년 12월 11일에 러더포드가 보낸 편지에서였다. 1914년 봄에 보어는 바르부르크에게 보냈던 편지의 내용을 바탕으로 [266]논문을 제출했지만 슈타르크 효과를 제대로 설명하지는 못했다. 그 당시에 보어는 수소 원자의 전자 궤도에서 왼쪽과 오른쪽의 두 방향으로 움직이는 전자를 가정하여, 원자핵과 전자 사이 거리와 전자 전하와 외부 전기장 세기를 곱한 전기 에너지를 더해서 슈타르크 효과를 계산했다. [원자핵과 전자 사이 거리와 전자 전하를 곱한 양은 전기 쌍극자에 해당하고, 전기장에서 원자의 전하 분포가 찌그러진 모습을 나타낸다].

사실, [267]보어의 원자모형은 전기장과 자기장에서 분광선 분할을 해석하는 일에 근본적이고 새로운 환경을 갖추지 못했었다. 허용된 전자 궤도의 에너지는 어떤 형태로든지 외부 전기장과 자기장에 의해서 영향을 받아야 했기 때문이었다. 만약 한 궤도에서 에너지 변화가 양자 건너뛰기를 한 다른 궤도에서의 것과 동일하지 않다면, 한 궤도에서 다른 궤도로 양자 건너뛰기를 하면서 방출된 복사선의 에너지나 진동수에도 새로운 변화가 따라와서, 원래의 선은 몇 개의 선들로 더 세밀하게 나누어진 분광선 분할로 이어져야 했다.

어떻게 그 현상을 설명할 것인가?

이 질문의 대답을 보어 이론에 기초해서 찾는다면, 그 유일한 선택은 외부 마당(전기장이나 자기장)의 효과가 올바르게 나타나도록 전자 궤도의 방향이 제대로 설정되게 만드는 작업에 맞춰져야 했다.

…보어 모형을 벗어나서 분광선 분할을 설명하는, 새로운 원자모형이 제시되었다.

조머펠트는, 보어가 '원' 모양의 전자 궤도를 채택하여 1개의 양자수(궤도 반지름)를 사용했던 것과 다르게, '타원' 모양의 전자 궤도를 선택하여 2개의 양자수(궤도 반지름과 방위각)를 활용했다.

…그가 새로 소개했던 핵심 내용은 현대 용어로, 에너지 층들이 겹쳐서 이루어진 상태들을 뜻하는 "겹침"이었다.

허용된 케플러식[케플러의 태양계 행성 궤도] 타원 궤도의 집합은, 허용된 원 궤도의 원래 집합과 정확히 동일한 에너지 값의 집합에 해당하지만, 에너지 값과 건너뛰기(전이) 진동수가 양자수에 따라 결정되는 방식은 두 경우에서 전혀 다르게 나타났다.

조머펠트는 타원 궤도에서 '이심률'과 '각운동량'을 양자화하지 않는 한, 허용된 타원 궤도의 에너지 값들이 양자화되어 나타날 수 없다고 생각했다.

- 양자화된 타원 궤도를 추가하면서, 발머 계열의 분광선 수가 늘어나지 않았지만, 선명함은 더 이상 줄어들지 않았다. 이심률이 양자화되기 전에 논의되었던 뿌옇게 나타난 분광선들이, 이번에는, 겹침이 풀리면서 새로이 드러난 분할 선들의 수가 훨씬 더 증가했다.[268]

수소 원자에서 나타난 여러 에너지 층들은 보어의 원 궤도보다 조머펠트의 타원 궤도에서 훨씬 더 다양한 방법으로 해석이 가능해 졌다.

…조머펠트 이론은 슈타르크 효과와 제이만 효과를 설명하는 새로운 수단을 제공했다.

조머펠트가 소개한 겹침의 개념은 전기장과 자기장에서 전자 궤도의 겹침 상태를 올바르게 그 위의 단계로 들어 올리고, 그리고 풀어 헤쳐서 그 두 효과를 제대로 보여 주었다. 설령, 눈에 보이는 증거는 없더라도, 조머펠트가 제공한, 원 궤도에서 타원 궤도로 수정한 일반화는 거대한 잠재력을 그 안에 간직하고 있었다.

플랑크, 보어, 조머펠트가 소개한 양자 이론은 "고전 양자론" 또는 "준準 양자론"으로 불리고, 10년 후에 슈뢰딩거와 하이젠베르크가 완성한 "양자역학"과 구분된다. 조머펠트는 타원 모양의 전자 궤도를 설명하기 위해서 각운동량의 '공간' 또는 '방위각' 성분을 포함하여 새로운 3개의 양자수를 사용한다. 고전 양자론은 완전하고 합리성이 보장된 이론이라기보다 오히려 실제 문제의 해결에 일시적이고 어림에 초점이 맞춰진 방법의 틀이었다.

1916년 3월, 독일 물리학자 카를 슈바르츠실트(1873-1916)와 러시아 출신의 미국 물리학자 폴 소푸스 엡스타인(1883-1966)은 조머펠트가 내세웠던 겹침의 개념을 사용하여 슈타르크 효과를 설명하는 계산을 전개하고 있었다. 슈바르츠실트는 조머펠트가 제안했던 양자 조건들이 '작용-각' 변수들과 '해밀턴-야코비' 이론을 연결한다고 판단했다. 그는 조머펠트에게 보낸 편지에서, 위상 적분과 작용-각 변수 사이의 관계를 계산했고 이를 이용하면 슈타르크 효과와 제이만 효과를 충분히 설명할 수 있다, 라며 소식을 알렸다. 그 당시, 슈바르츠실트는 제1차 세계대전에 참전하여 러시아 전선에서 감염된 펨피구스 병病을 앓고 있었다.

조머펠트의 학생이었던 엡스타인도 하빌리타치온 논문으로 슈타르크 효과를 계산하고 있었다. 그때까지 엡스타인은 슈타르크 효과에 답할 참신한 생각을 찾지 못했었다. 그러던 중 그는 슈타르크 효과를 주제로 작성된 슈바르츠실트의 논문을 읽었고, 마침내 전기장 효과를 계산했다.

1916년 3월 21일, 그는 계산 결과를 조머펠트에게 보냈다. 그날 조머펠트는 슈바르츠실트로부터도 거의 동일하게 계산된 결과를 받았다. 엡스타인은 슈바르츠실트가 〈베를린 아카데미〉에 논문을 [269]제출하기 하루 전인 3월 29일, 독일 논문집 〈물리학 잡지〉에 예비 논문을 [270]보냈다. 엡스타인의 논문은 4월 15일 자로, 슈바르츠실트의 논문은 5월 11일 자로 각각 출판되었다. 카를 슈바르츠실트는 논문 출판 날에 세상을 떠났다. 그의 마지막 논문 제목은 『양자 가설』이었다. 일반 상대성 이론에서 아인슈타인 장場 방정식의 완전 해解로서, '슈바르츠실트 매트릭(계량計量)'은 단일 구의 비非회전 질량 한계, 블랙홀 반지름(슈바르츠실트 반지름)을 계산한다. 블랙홀의 반지름은 질량에 비례하며, 태양은 3킬로미터, 목성은 2.8미터, 지구는 8.8밀리미터, 달은 0.11밀리미터보다 작아야만 블랙홀로 붕괴된다.

엡스타인과 슈바르츠실트는 전자의 타원 궤도를 포물선 좌표로 전환했고, 위상位相 공간에서 운동량과 일반화 좌표의 적분을 플랑크 상수의 정수배로 표시해서 양자 규칙을 적용했다. 작용-각 변수들은 세 양자수로 표시되었고, 세 양자수의 합은 외부 전기장이 적용되지 않는 보어 모형의 양자수와 그 크기가 같았다.
—전기장에서 에너지 분할 폭은 전기장 세기, 보어 모형(외부 전기장이 없는 상태)의 양자수, 타원 궤도(외부 전기장이 있는 상태)의 첫 번째와 두 번째 양자수의 차이에 각각 비례했다.

엡스타인이 계산했던 에너지 분할 폭이 전기장에 비례하는, 1차 슈타르크 효과의 예를 보면, 보어 모형(외부 전기장이 없는 상태)에서 양자수가 3인 경우, 타원 궤도(외부 전기장이 있는 상태)에서 양자수는 그 합이 3을 만족하는 6(2,0,1), 3(1,0,2), 0(1,1,1), 0(0,0,3), -3(0,1,2), -6(0,2,1)의 상태로 겹침이 풀리며 에너지 분할을 보였다. 그리고 보어 모형에서 양자수가 2이면, 타원 궤도에서 양자수는 그 합이 2를 만족하는 2(1,0,1), 0(0,0,2), -2(0,1,1)의 상태로 겹침이 풀리며 에너지 분할을 보였다. ( )의 안에 있는 숫자들은 타원 궤도(전기장이 존재하는)에서 첫 번째, 두 번째, 세 번째 양자수를 가리켰고, ( )의 바깥에 있는 숫자는 보어 모형(전기장이 없는 상태)의 양자수에 첫 번째와 두 번째 양자수의 차이를 곱한 양이었다. 발머 계열의 첫 번째 분광선[양자수 3 → 양자수 2]의 경우, 6(2,0,1)에서 2(1,0,1)까지 건너뛰기 진동수는 4단위, 3(1,0,2)에서 2(1,0,1)까지 건너뛰기 진동수는 1단위, 3(1,0,2)에서 -2(0,1,1)까지 건너뛰기 진동수는 5단위의 크기를 가지며 각각 전기장에 평행 편광된, 수직 편광된, 그리고 금지된 성분들에 해당했다. 여기서 1단위의 크기는 비례 상수와 전기장 세기의 곱을 플랑크 상수로 나눈 양이었다.

그들의 계산은 보어의 원자 이론보다 훨씬 더 관측 결과에 가깝게 슈타르크 효과를 설명했다. 발머 계열의 첫 번째 분광선[양자수 3 → 양자수 2]의 경우, 전기장에서 '겹침' 상태들이 해제되고, 양자수가 3인 5개의 에너지 층에서 양자수가 2인 3개의 에너지 층으로 양자 건너뛰기가 일어나서, 총 분할된 분광선들의 수는 15개(전기장이 0일 때 1개를 포함하여)로 계산되었다. 계산된 15개의 분광선 중에서 6개가 양자 규칙에 따라서 금지되어 제외되었고, 나머지 9개의 분광선은 슈타르크의 실험 결과와 일치했다. 이들 중 6개가 전기장에 평행 편광된, 3개가 전기장에 수직 편광된 빛을 각각 만들었다.

1916년에 엡스타인과 슈바르츠실트가 시도했던 슈타르크 효과의 계산은 소위 '고전 양자론'의 승리였다. 고전 물리학은 슈타르크 효과를 설명하는 데 완전히 실패했지만, 고전 양자론은 빛의 편광을 포함하여 자세하게 관측 결과를 재현하는 데 성공했다. 하지만 보어-조머펠트의 이론은 여전히 슈타르크 효과에서 심각한 균열을 드러내고 있었다. 그 효과를 제대로 서술하기 위해서는 특정 궤도들을 배제하는 보어-조머펠트의 양자 조건 외에도 몇 가지 임의의 가정을 더 만들어야 했다. 무엇보다도 고전 양자론이 예측하는 실제 궤도들이, 양자 조건을 떠맡기 위해 선택된 좌표에 지나치게 의존한다는 사실은 깊은 우려를 남겼다. 이러한 문제들은 1926년에 슈뢰딩거와 엡스타인이 새로운 파동역학을 이용하여 그 문제를 해결할 때까지 좀 더 기다려야 했다.[271][272]

슈뢰딩거와 엡스타인이 파동역학을 사용하여 슈타르크 효과의 공식을 유도한 일은 10년 일찍 슈바르츠실트와 엡스타인이 고전 양자론을 사용하여 시도했던 일과 매우 강한 유사성을 보여 주었다. 고전 양자론은 오직 슈타르크 효과의 1차 에너지 분할(전기장에 비례하는)만 제대로 예측했지만, 파동역학은 1차뿐만 아니라 2차 에너지 분할(전기장 제곱에 비례하는)까지 매우 정확하게 계산했다.

1913년 〈철학 잡지〉에서 소개된 닐스 보어의 양자 이론은 현대 물리학의 세계관을 바꿔 놓았다. 3년 후에 슈타르크 효과를 설명한 [273]보고서의 결론에서, 엡스타인은 보어가 계산했던 '보어 모형'의 중요성을 언급했다.
—보고된 결과만으로도 보수적인 동료들조차 그 타당성을 부인할 수 없을 정도로 보어 모형은 놀랄만한 물증을 보여 주었다. 보어 모형의 예에서 볼 수 있듯이, 양자 이론의 잠재력은 대단하고, 무궁무진해 보인다.

1922년, 보어의 원자모형이 발표되고 9년이 지난 뒤, 『원자 구조와 원자에서 방출된 복사선 연구의 공헌』으로 노벨 물리학상이 보어에게 수여되었다. 조지프 존 톰슨은 그의 274)자서전 『회고와 성찰』에서, 보어가 발표한 논문들을 평가했다.
- 혼돈을 질서로 바꾸었다.

슈타르크 효과의 발견은 보어 모형을 지극히 싫어했던 독일 과학자들이 오히려 심각하게 받아들이는 계기를 만들었다. 역설적이게도 그것을 훨씬 뛰어넘어서, 독일 과학자들은 보어-조머펠트의 고전 양자론을 거치며 양자역학이라는 새로운 학문을 앞장서서 일깨우며 열어준다. 슈타르크 효과를 설명하기 위해서 사용된 보어-조머펠트 이론은 매우 잘 정리된 이론이었고, 그 이후에 슈뢰딩거 파동역학과 하이젠베르크 행렬역학의 양자 이론을 출발시킨다.

물리 상수 및 단위

빛 속도 299,792,458 미터/초
플랑크 상수 6.62×10^{-34} 줄/초
볼츠만 상수 1.38×10^{-21} 줄/켈빈
양성자-전자 질량 비율 1,836
아보가드로 수 6.02×10^{23}/몰

단위
전자 전하 1.60×10^{-19} 쿨롬
보어 마그네톤 927.40×10^{-34} 줄/테슬라
원자핵 마그네톤 5.05×10^{-27} 줄/테슬라
미세구조 상수 1/137
뤼드베리 상수 10,973,731/미터 또는 3.29×10^{15} 헤르츠 또는 2.18×18^{-18} 줄 또는 13.6 전자볼트
보어 반경 0.53×10^{-10} 미터
전자 질량 9.11×10^{-31} 킬로그램
전자 전하질량 비 -1.76×10^{11} 쿨롬/킬로그램
양성자 질량 1.67×10^{-27} 킬로그램

10,000 가우스 1 테슬라
1 정전기 단위 3.335×10^{-10} 쿨롬
1 전자기 단위 10 쿨롬
1 전자볼트 1×10^{-19} 줄
1 원자 질량 단위 1.66×10^{-27} 킬로그램
1 기압 101,325 파스칼
1 파스칼 1 뉴턴/미터^2
1 나노미터 1×10^{-9} 미터
1 옹스트롬 0.1 나노미터
1 마이크로미터 1×10^{-6} 미터
1 인치 2.54 센티미터
1 피트 12 인치 또는 30.48 센티미터
1 리터 1,000 입방 센티미터
3.14 라디안 180 도

참고 문헌

1) Stephen Hawking, "On the Shoulders of Giants", IX, Running Press (2002).

2) Brian Greene, "The Elegant Universe", 87, Vintage Books, A Division of Random House, Inc. (New York) (1999).

3) Lucretius, "On the Nature of the Universe" (translated by Ronald Melville), Vol. 2, 114-141, Oxford University Press (2008).

4) Robert Brown, Phil. Mag. 4, 161 (1828), Phil. Mag. 6, 161 (1829).

5) A. Einstein, Ann. Phys. 17, 549 (1905).

6) Richard P. Feynman, Robert B. Leighton, Matthew Sands, "The Feynman Lectures on Physics", 1-2, Addison-Wesley Publishing Company (1963).

7) Leon Lederman, "The God Particle", Delta (1994).

8) Hermann Helmholtz, "On the Physiological Causes of Harmony", Popular Scientific lectures, transl. of Alexande J. Ellis, 22-58, New York (1862),

9) '구리(II) 탄산염 수산화물'로도 부른다.

10) Joseph Louis Proust Ann. Chim. 32, 26 (1799). 영어번역: Henry M. Leicester and Herbert S. Klickstein, A Source Book in Chemistry, 1400-1900 (Cambridge, MA: Harvard, 1952).

11) 산화제2구리 또는 산화구리(2).

12) Joseph Louis Proust, Journal de Physique, de Chimie, et d'Histoire Naturelle, 2, 334 (1794).

13) Joseph Louis Proust, J. Phys. 45, 334 (1794).

14) 실제로는 화합물이 아니고 둘 이상의 물질이 균일하게 섞인 혼합물이다.

15) Joseph Priestley, Phil. Trans. Roy. Soc. 65, 384 (1775).

16) Bertrand Pelletier, Ann. Chim. 12, 225 (1792).

17) J. G. Crowther, British Scientists of the Nineteenth Century, p.15 Routledge & Kegan Paul Ltd. (2009).

18) F. F. Cartwright, Proc. Roy. Soc. Med. 43, 571 (1950).

19) Norman A. Bergman, JAMA 253, 675 (1985).

20) J. Priestley, "Experiments and observations relating to various branches of natural philosophy; with a continuation of the observations on air", Vol. 3, 324, Birmingham: Pearson (1776).

21) H. Davy, "Researches, chemical and philosophical, chiefly concerning nitrous oxide, or dephlogisticated nitrous air, and its respiration", Biggs and Cottle, Bristol (1800).

22) 1세제곱인치는 16.39세제곱센티미터이다.

23) 참조 21)과 동일.

24) Emile Alglave, J. Boulard, "The Electric Light: Its History, Production, and Applications", D. Appleton and Company (1884).

25) J. Dalton, Memoirs and Proceedings of the Manchester Literary and Philosophical Society, 1, 271 (1805).

26) F. Greenaway, John Dalton and the Atom, Heinemann, London (1966).

27) 영국 서북부의 도시이고, 런던에서 북쪽으로 약 400킬로미터 떨어져 있다.

28) H. E. Roscoe, "John Dalton and the Rise of Modern Chemistry", Cassell, London (1895); J. Dalton's letter (from Kendal, dated April 12th 1788) to his friend Peter Crosthwaite of Keswick.

29) 영국 성공회에 대한 반대교도를 의미한다.

30) 화학자 조지프 프리스틀리가 학생들을 가르쳤던 '워링턴 학교'가 '뉴 대학교'로 바뀌었고, '맨체스터 학교'로도 불렀다. 비국교도 학교는 옥스퍼드 대학교나 케임브리지 대학교에 종교적인 차별로 입학이 금지된 학생들을 교육하는 학교였다.

31) W. C. H. Henry, "Memoirs of the life and Scientific Researches of John Dalton", The Cavendish Society, London (1854).
32) J. Dalton, Memoirs of the Literary and Philosophical Society of Manchester. 1, 244 (1805).
33) 논문에서는 '측정'이라는 단위를 사용했는데, 부피를 의미했다.
34) J. L. Proust, Ann Chim. 28, 213 (1798).
35) 산화주석(II).
36) 산화주석(IV).
37) 산화구리(I).
38) 산화구리(II).
39) J. Dalton, "A New System of Chemical Philosophy", Vol. 1, Pt. 2, 312, Manchester, R. Bickerstaff, Strand, London (1808).
40) J. Dalton, "A New System of Chemical Philosophy", Vol. 1, Pt. 2, 370, Manchester, R. Bickerstaff, Strand, London (1808)
41) J. Dalton, "A New System of Chemical Philosophy", Vol. 1, Pt. I, Manchester, R. Bickerstaff, Strand, London (1808).
42) 데모크리토스의 주장처럼, 더 이상 나눌 수 없기 때문에 원자를 파괴할 수 없다고 여겼다.
43) 현대 주기율표에 수록된 원자량에 비해서 부정확한 수치를 보였고, 화합물의 경우에는 분자 개념 없이 표시되었다.
44) Jacob Berzelius, Ann. Phil. 2, 443 (1813).
45) William Prout, Ann. Phil. 6, 321 (1815).
46) 참조 37)과 동일.
47) Michael Faraday, Phil. Trans. Roy. Soc. 124, 77 (1834).
48) R. Feymann, "The Feynman's Lectures On Physics", Vol. 2, 16-8, Basic Books (2000).
49) Michael Faraday, Phil. Trans. Roy. Soc. 123, 23 (1833).
50) Michael Faraday, Phil. Trans. Roy. Soc. 124, 77 (1834).
51) Michael Faraday, Phil. Trans. Roy. Soc. 128, 125 (1838).
52) Thomas Martin, Nature 126, 812 (1930).

53) Eric A. Croddy (Ed.), James J. Wirtz (Ed.), "Weapons of Mass Destruction: An Encyclopedia of Worldwide Policy, Technology, and History", Vol. 1, 86, ABC-CLIO (2005).
54) Michael Faraday, Phil. Trans. Roy. Soc. 128, 125 (1838).
55) Robert Boyle, "New Experiments Physico-Mechanical, Touching the spring of the Air, and its effects" (Oxford, 1660).
56) F. Hawksbee, "Physico-mechanical experiments on various subjects", London (1709).
57) J. A. Bennett, "Science at the great Exhibition", Whipple Museum, Cambridge (1983).
58) Humphry Davy, Phil. Trans. Roy. Soc. 111, 425 (1821).
59) J. Plücker, Ann. Phys. 103, 151 (1858).
60) J. Plücker, Phil. Mag. 16, 119 (1858).
61) W. Hittorf, Ann. Phys. 16, 1 and 197 (1869).
62) J. Plücker, Phil. Tran. Roy. Soc. 14, 53 (1865).
63) H. Minkowski, Phys. Z. 10, 75 (1908).
64) W. Crookes, Phil. Trans. Roy. Soc. 163, 277 (1873).
65) C. H. Gimingham, J. Soc. Chem. Ind. 3, 83 (1884).
66) E. Goldstein, Monthly reports of the Royal Prussian Academy of Science in Berlin, 279 (May 4, 1876).
67) William Crookes, Phil. Trans. Roy. Soc. 170, 135 (1879).
68) William Crookes, Phil. Mag. 7, 57 (1879).
69) Richard P. Feynman, Robert B. Leighton, Matthew Sands, "The Feynman Lectures on Physics", 1-1, Addison-Wesley Publishing Co. (1977).
70) Jarrett Leplin, Scientific Realism, University of California Press (1984).
71) P. Kyle Stanford, Paul Humphreys (Eds.), The Oxford Handbook of Philosophy of Science, 318, The Oxford University Press (2016).

72) A. Franklin, “The Neglect of Experiment”, Cambridge University Press (1986).
73) H. Hertz, Ann. Phys. Chem. 19, 809 (1883).
74) Stuart M. Feffer, "Historical Studies in the Physical and Biological Sciences", 20, 33, University of California Press (1989).
75) A. Schuster, Proc. Roy. Soc. 20, 484 (1872).
76) 1880년 오웬스 대학을 시작으로 여러 대학과의 합병을 통해서 영국 북부의 연방 대학교로 확대되었고, 1904년에 빅토리아 맨체스터 대학교, 2004년에 맨체스터 대학교로 명칭이 바뀌었다.
77) Robert Kargon, “Science in Victorian Manchester”, 221 (1977).
78) D. B. Wilson, "Experimentalists among the mathematicians: Physics in the Cambridge Natural Science Tripos, 1851-1900", HSPS, 12, 325-371 (1982).
79) J. J. Thomson, “Treatise on the motion of vortex rings”, MacMillan and Co. (London, 1883).
80) 결국에는 쿨롱 상수와 자기 상수의 비율이고, 1/(유전율誘電率과 투자율透磁率의 곱)으로 빛의 속도의 제곱으로 표시된다.
81) R. Sviedrys, "The rise of physical science at Victorian Cambridge", HSPS, 2, 127-151 (1970).
82) Arthur Schuster, Proc. Roy. Soc. 37, 317 (1884).
83) John David Jackson, Classical Electrodynamics 3rd Edition, 34, John Wiley & Sons, Inc. (1999).
84) Arthur Schuster, Progress of physics (London), 66 (1911).
85) H. F. Newall, "1885-1894 in a History of the Cavendish Laboratory 1871-1910", 150, Longmans, Green and Co. (London) (1910).
86) J. J. Thomson, Proc. Roy. Soc. 42, 343 (1887).
87) J. J. Thomson, R. Threlfall, Proc. Roy. Soc. 40, 329 (1886).
88) J. J. Thomson, Phil. Mag. 32, 321 (1891).

89) Hermann von Helmholtz, Nature 23, 535 (1881).
90) A. Schuster, Proc. Roy. Soc. 47, 526 (1890).
91) Stuart M. Feffer, "Historical Studies in the Physical and Biological Sciences", 20, 50, University of California Press (1989).
92) W. Crookes, Phil. Trans. Roy. Soc. 170, 135 (1879).
93) H. Hertz, Wied. Ann. Phys, 19, 782 (1883).
94) J. J. Thomson, Phil. Mag. 38, 358 (1894).
95) J. J. Thomson, Phil. Mag. 40, 151 (1896).
96) Howard H. Seliger, Phys. Today 48, 25 (1995).
97) Robert W. Nitske, "The Life of W. C. Röntgen, Discoverer of the X-Ray", University of Arizona Press (1971).
98) W. Crookes, Proc. Roy. Soc. 28, 103 (1878).
99) P. Lenard, Wied. Ann. Phys. 51, 225 (1894).
100) Jon Agar, "Science in the Twentieth Century and Beyond", 18, Polity Press (2012).
101) Gottfried Landwehr, A. Hasse (Eds.), "Röntgen centennial: X-rays in Natural and Life Sciences", 7, World Scientific Publishing Company, (1997).
102) 참고문헌 101).
103) Wilhelm Röntgen, Sitzungsberichte der physikalisch-medicinischen Gesellschaft, Würzburg, 137, 132 (1895).
104) Nicholas Bakalar, "First Mention X-Rays, 1896", New York Times (June 15, 2009).
105) P. K. Spiegel, AJR, 164, 241 (1995).
106) J. J. Thomson, Proc. Roy. Soc. 59, 274 (1896).
107) H. Hertz, Wied. Ann. Phys. 45, 28 (1892).
108) Jean Perrin, Comptes Rendus, 121, 1130 (1895).
109) E. Goldstein, Wied. Ann. Phys. 24, 79 (1885).
110) Henri Becquerel, Comptes Rendus, 122, 420 (1896).

111) J. J. Thomson, Phil. Mag. 44. 293 (1897).
112) 빛의 속도는 30만 킬로미터이다/초.
113) P. Lenard, Ann. Phys. 64, 279 (1898).
114) E. Goldstein, Sitzungsbeicht der Berl. Akad. 25 (1886).
115) W. Wien, Ann. Phys. 65, 440 (1898).
116) W. Kaufmann, Phys. Z. 4, 54 (1902).
117) R. A. Milikan, Phys. Rev. 2, 109 (1913).
118) J. J. Thomson, Phil. Mag. 44. 293 (1897).
119) Richard Reeves, "A Force of Nature The Frontier Genius of Ernest Rutherford", 13, W. W. Norton & Company (2008).
120) Wilhelm Röntgen, Sitzungsberichte der physikalisch-medicinischen Gesellschaft, Würzburg, 137, 132 (1895).
121) Henri Poincare, Revue Générale des Sciences 7, 52 (1896).
122) Wilhelm Conrad Röntgen, Nature 53, 274 (1896).
123) Henri Becqerel, Comptes Rendus 122, 420 (1896).
124) Henri Becqerel, Comptes Rendus 122, 501 (1896).
125) J. J. Thomson, Proc. Roy. Inst. 15, 419 (1897).
126) John Campbell, Phys. Tod. 75, 11 (2022).
127) J. J. Thomson, E. Rutherford, Phil. Mag. 42, 392 (1896).
128) 자연로그의 역함수.
129) Ernest Rutherford, Phil. Mag. 47, 109 (1899).
130) 단위는 cm-1이다.
131) Marelene F. Rayner-Canham, Geoffrey W. Rayner-Canham, "Harriet Brooks: Pioneer Nuclear Scientist", Mcgill-Queens University Press (1992).
132) A. S. Eve, "Rutherford: Being the Life and Letters of the Rt. Hon. Lord Rutherford, O.M.", 50, Macmillan (1939).
133) Ernest Rutherford, Phil. Mag. 49, 1 (1900).
134) L. Merricks, "The World Made New: Frederick Soddy, Science, Politics and Environment", Oxford University Press

(1996).
135) E. Rutherford, F. Soddy, Phil. Mag. 4, 370 (1902).
136) E. Rutherford, F. Soddy, Phil. Mag. 4, 569 (1902).
137) P. Villard, Comptes rendus. 130, 1010 (1900).
138) E. Rutherford, Phil. Mag. 5, 177 (1903).
139) E. Rutherford, E. N. da C. Andrade, Phil. Mag. 6, 27, 854 (1914).
140) H. G. Wells, ""The World Set Free: A Story of Mankind", Macmillan & Co (1914).
141) Sci. Am. Feb. 13, 2020.
142) Frederick Soddy, "The Interpretation of Radium and the Structure of the Atom", John Murray (1909).
143) F. Soddy, "Wealth, Virtual Wealth and Debt: The Solution of the Economic Paradox", Allen & Unwin (1926).
144) E. Rutherford, "Radio-activity", Cambridge University Press (1904).
145) David Wilson, "Rutherford: Simple Genius", 155, The MIT Press (1984).
146) Arthur Schuster, Nature 58, 367 (1898). Arthur Schuster, Nature 58, 618 (1898).
147) Jeff Hughes, "William Kay, Samuel Devons and memories of practice in Rutherford's Manchester laboratory", Notes and Records of the Royal Society, 62, 97 (2008).
148) E. Rutherford, T. Royds, Phil. Mag. 17, 281 (1909).
149) Hans Geiger, Ernest Marsden, "On a Diffuse Reflection of the α-Particles". Proceedings of the Royal Society of London A. 82 (557): 495-500. (1909).
150) 라돈-222이다. 라듐-226이 알파붕괴에 의해서 형성되고, 반감기는 3.8일이다.
151) Ruth W. Chabay, Bruce A. Sherwood, "Matter and Interactions", 396, John Wiley & Sons, Inc. (2011).

152) John A. Ratcliffe, Joseph Needham(Ed.), Walter Pagel (Ed.), "Background to Modern Science (Ernest Rutherford, Forty Years of Physics)", Cambridge University Press (1938).
153) Hans Geiger, Ernest Marsden, Proc. Roy. Soc. A82, 495 (1909).
154) Lawrence Badash, "Rutherford and Boltwood: Letters on Radioactivity". New Haven, Yale University Press (1969).
155) 조지프 존 톰슨의 첫 글자를 딴 약칭.
156) David Wilson, "Rutherford: Simple Genius", The MIT Press (1984).
157) Ernest Rutherford, Phil. Mag. 21, 6 & 669 (1911).
158) Hans Geiger, Ernest Marsden, Phil. Mag. 25, 604 (1913).
159) I. Angeli, K.P. Marinova, Atomic Data and Nuclear Data Tables, 99, 69 (2013).
160) 실제로는 '1910년 사절단'이지만, 줄여서 썼다.
161) Lawrence Badash, Phys. Tod. 20, 4, 55 (1967).
162) 정보통신기획평가원, "2021년 한국의 과학기술논문 발표 및 피인용 현황 [KISTEP 브리프]" (2023).
163) 네덜란드 물리학자 카메를링 오너스(1853-1926)는 저온에서 초전도 현상을 관찰해서 1913년에 노벨 물리학상을 받았다. 저온 물리학을 처음 시작했던 물리학자로서 액체 공기, 액체 수소, 액체 헬륨을 만드는 방법을 개발했다.
164) 액체 헬륨의 끓는점은 절대 온도 4.222도, 섭씨 영하 268.928도이다.
165) 그 당시 나가오카 한타로는 방사능과 복사선의 차이를 구별하기 어려웠다.
166) 나가오카 한타로는 뮌헨 대학교에서 루트비히 볼츠만(1844-1906년)의 기체 이론에 관한 과목을 공부했다.
167) 지금은 전자기파의 용어를 사용하지만, 그 당시에는 전기파와 자기광선으로 나누어 사용했다.
168) H. Nagaoka, Phil. Mag. 7, 445 (1904).

169) Ernest Rutherford, John Mitchell Nuttal, Phil. Mag. 26, 702 (1913).
170) Richard Reeves, "A Force of Nature: The Frontier Genius of Ernest Rutherford", W. W. Norton & Co. (2008).
171) Galileo Galilei, Letter to Belisario Vinta, Padua (1610).
172) Christiaan Huygens, Systema Saturnium (in Latin). The Hague, Netherlands: Adriaan Vlacq. 47 (1659).
173) Robert Hooke, Phil. Tran. Roy. Soc. 5, 2093 (1670).
174) Gian Domenico Cassini, "New observations concerning the globe and the ring of Saturn", Mémoires de l'Académie Royale des Sciences (in French), 10, 404 (1677).
175) A. F. Cook, F. A. Franklin, Astron. J. 69, 173 (1964).
176) 1860년에 이웃의 킹스 칼리지와 함께 애버딘 대학교로 합병되었다.
177) J. C. Maxwell, On the Stability of the Motion of Saturn's Rings, Macmillan and Co. (London) (1859).
178) C. G. Pendse, Phil. Trans. Roy. Soc. A234, 145 (1935).
179) J. J. Thomson, “A Treatise on the Motion of Vortex Rings”, MacMillan and Co. (London) (1883).
180) 원자의 질량을 원자 질량 단위로 표시한 양. 1원자 질량 단위는 탄소-12의 1/12이다.
181) E. A. Davis, I. J. Falconer, “J. J. Thomson and the Discovery of the Electron”, 195, Taylor & Francis (London) (1997).
182) W. Thomson, Nature 18, 13 (1878).
183) A. M. Mayer, Amer J. Sci. Arts 15, 276 (1878). Nature 17, 487 (1878).
184) J. J. Thomson, Phil. Mag. 7, 237 (1904).
185) Robert Eisberg, Robert Resnick, "Quantum Physics of Atoms, Molecules, Solids, Nuclei, and Particles", 2nd Edition, 86, John Wiley & Sons, (1985).
186) Johann Jacob Balmer, Ann. Phys. Chem. 25, 80 (1885).

187) 시간이 지남에 따라 전류 세기가 변하지 않는다.
188) 1913년 출판된 닐스 보어의 3개 논문: 1) Phil. Mag. 26, 1 (1913). 2) Phil. Mag. 26, 476 (1913). 3) Phil. Mag. 26, 857 (1913).
189) John L. Heibron, Phys. Tod. 30, 23 (1977).
190) Léon Rosenfeld, J Rud Nielsen (Ed.), "Niels Bohr Collected Works" Vol. 1. Early Work (1905-1911), 527 (1972).
191) Arthur S. Eve, "Rutherford: Being the Life and Letters of the Rt Hon. Lord Rutherford, O.M.", 15, Cambridge University Press (1939).
192) John L. Heilbron, Thomas S. Kuhn, "Historical Studies in the Physical Sciences", Vol. 1, 223 (1969).
193) C. G. Darwin, Phil. Mag. 23, 901 (1912).
194) H. Geiger, Proc. Roy. Soc. A83, 505 (1910).
195) Neils Bohr, "On Absorption of Alpha and Beta Rays", Danish Physical Society (1912).
196) H. Bethe, Ann. Physik, 5, 325 (1930).
197) F. Bloch, Ann. Phys., 16, 285 (1933).
198) Léon Rosenfeld, J Rud Nielsen (Ed.), "Niels Bohr Collected Works", Vol. 1. Early Work (1905-1911), 555 (1972).
199) David J. Griffiths, "Introduction to Electrodynamics", 289, Prentice-Hall (1999).
200) N. Bohr, Phil. Mag. 25, 10 (1913).
201) T. S. Taylor, Phil. Mag. 18, 604 (1909).
202) Clive Cuthbertson and Maude Cuthbertson의 실험 자료. 1펨토초는 1천조 분의 1초이다.
203) R. Whiddington, Proc. Camb. Phil. Soc. 16, 326 (1910-1912).
204) Léon Rosenfeld, J Rud Nielsen (Ed.), "Niels Bohr Collected Works", Vol. 1. Early Work (1905-1911), 561 (1972).
205) John L. Heibron, Phys. Tod. 30, 23 (1977).

206) N. Bohr, Phil. Mag. 25, 10 (1913).
207) Margrethe Bohr, Aage Bohr, Léon Rosenfeld, Archives for History of Quantum Physics (AHQP) interview, 30 January 1963.
208) 나선형 궤도와 달리, 열려있지 않은 궤도. 예를 들면 원 궤도.
209) M. Planck, Ann. Phys. 309, 564 (1901).
210) A. Einstein, Ann. Phys. 17, 132 (1905).
211) John L. Heilbron, Phys. Tod. 30, 23 (1977).
212) A.v.d. Broek, Z. Phys. 14. 32 (1913).
213) M. Planck, Ann. Phys. 309, 553 (1901).
214) 항상 똑같은 크기를 갖으며, 그 크기는 $6.62607015 \times 10^{-34}$ joule second이다.
215) Jonh L. Heilbron, Phys. Tod. 38, 32 (1985).
216) William Huggins, William, William A. Miller, Philosophical Transactions of the Royal Society of London. 154, 437 (1864),
217) J. W. Nicholson, Report of the Eightieth Meeting of the British Association for the Advance of Sciences, 320, (1912).
218) Ira Sprague Bowen, Nature 120, 473 (1927).
219) Richard Feynman, "The Character of Physical Law", 129, Cambridge, Mass. MIT Press (1965).
220) Brian Greene, "The Elegant Universe", 87, Vintage Books, A Division of Random House, Inc. (New York) (1999).
221) Manjit Kumar, "Quantum: Einstein, Bohr and the Great Debate about the Nature of Reality", W. W. Norton & Company (2010).
222) 공식적으로 “정상”의 용어가 사용되지만, 다른 용어들로부터 혼동을 피하기 위해서, 이 책에서는 “꾸준”이 사용된다.
223) Niels Bohr, Léon Rosenfeld, Archives for History of Quantum Physics (AHQP) interview, 31 October 1962.
224) John W. Nicholson, Monthly Notices of the Royal

Astronomical Society, 72, 49 (1911).
225) Léon Rosenfeld, J Rud Nielsen (Ed.), "Niels Bohr Collected Works", Vol. 1. Early Work (1905-1911), 426 (1972).
226) 영어로는 "에이치 바" 또는 "디랙 상수"라고 불리며, 플랑크 상수를 거의 6.28로 나눈 양이다.
227) Léon Rosenfeld, J Rud Nielsen (Ed.), "Niels Bohr Collected Works" Vol. 2. Early Work (1905-1911), 597 (1972).
228) A. van den Broek, Nature 87, 78 (1911).
229) J. R. Rydberg, Proceedings of the Royal Swedish Academy of Science. 2nd series (in French). 23, 1 (1889).
230) W. Ritz, Ann. Phys. 330, 660 (1908).
231) Niels Bohr, "Essays 1958-1962 on Atomic Physics and Human Knowledge", John Wiley (New York) (1963).
232) Léon Rosenfeld, J Rud Nielsen (Ed.), "Niels Bohr Collected Works" Vol. 2. Early Work (1905-1911), 582 (1972).
233) Arthur S. Eve, "Rutherford: Being the Life and Letters of the Rt. Hon. Lord Rutherford, O.M.", 221, Cambridge University Press (1939).
234) Arthur S. Eve, "Rutherford: Being the Life and Letters of the Rt. Hon. Lord Rutherford, O.M.", 221, Cambridge University Press (1939).
235) Léon Rosenfeld, J Rud Nielsen (Ed.), "Niels Bohr Collected Works" Vol. 2. Early Work (1905-1911), 583 (1972).
236) Léon Rosenfeld, J Rud Nielsen (Ed.), "Niels Bohr Collected Works" Vol. 2. Early Work (1905-1911), 584 (1972).
237) Léon Rosenfeld, J Rud Nielsen (Ed.), "Niels Bohr Collected Works" Vol. 2. Early Work (1905-1911), 585 (1972).
238) Arthur S. Eve, "Rutherford: Being the Life and Letters of the Rt. Hon. Lord Rutherford, O.M.", 218, Cambridge University Press (1939).
239) David Wilson, "Rutherford: Simple Genius", 333, Hodder

and Stoughton (London) (1983).
240) Report of 83rd Meeting of the British Association for the Advancement of Science:1913 September 10-17, 367 (1914).
241) Henry Poincare, Journ. de Phys. 2, 5 (1912).
242) O. Lummer, E. Pringsheim: VhDPG 2, 163 (1900).
243) Peter Debye, Ann. Phys. 39, 789 (1912).
244) Jeffrey J. Prentis, Am J. Phys. 63, 339 (1995).
245) Paul P. Ewald, Z. Phys. 14, 1298 (1913).
246) A. Pais, "Niels Bohr's Times", Oxford University Press (1991).
247) Max Jammer, "The Conceptual Development of quantum Mechanics", 86, McGraw-Hill (New York) (1966),
248) Martin J. Klein, "Paul Ehrenfest: The Making of a Theoretical Physicist", Vol. 1, 278, North-Holland (1970).
249) Michael Eckert, Karl Märker (Eds.), "Arnold Sommerfeld, Wissenschaftlicher Briefwechsel", Vol. 1, Verlag für Geschichte der Naturwissenschaften und der Technik. 555 (2000).
250) Léon Rosenfeld, J Rud Nielsen (Ed.), "Niels Bohr Collected Works" Vol. 2. Early Work (1905-1911), 603 (1972).
251) Léon Rosenfeld, J Rud Nielsen (Ed.), "Niels Bohr Collected Works" Vol. 1. Early Work (1905-1911), 567 (1972).
252) E. C. Pickering, Harvard College Observatory Circular, 12, 1 (1896).
253) A. Fowler, Nature 92, 95 (1913).
254) Léon Rosenfeld, J Rud Nielsen (Ed.), "Niels Bohr Collected Works" Vol. 2. Early Work (1905-1911), 531 (1972).
255) Henry G. J. Moseley, Phil. Mag. 26, 1024 (1913).
256) Henry G. J. Moseley, Phil. Mag. 27: 703 (1914).
257) J. Franck, G. Hertz, Verh. Dtsch. Phys. Ges. 16, 457 (1914).
258) 수은의 바닥상태는 6s6s $^1S_0$, 첫 번째 들뜬상태는 6s6p $^3P_1$으로 각각 표시한다. 바닥상태는 에너지가 가장 낮은 상태이고, 첫 번째 들뜬

상태는 두 번째로 에너지가 낮은 상태이다.
259) 실제로는 가장 낮은 두 에너지 층 사이를 건너뛰는, 전자의 들뜨기.
260) 보어는 그대로 이온화 퍼텐셜이라고 불렀다.
261) J. Stark, Nature 92, 401 (1913).
262) J. Stark, and J. Wendt, Ann. Phys. (Berlin) 348, 983 (1914).
263) E. Warburg, Verh. Deutsch. Phys. Ges. 15, 1259 (1913).
264) Abraham Pais, "Niels Bohr's Times - in Physics, Philosophy, and Polity", 154, Clarendon Press (1991).
265) Léon Rosenfeld, J Rud Nielsen (Ed.), "Niels Bohr Collected Works" Vol. 2. Early Work (1905-1911), 591 (1972).
266) N. Bohr, Phil. Mag. 27, 506 (1914).
267) A. Duncan, M. Janssen, Hlege Kragh (Eds.), "One Hundred Years of the Bohr's Atom: Proceedings from a Conference", Royal Danish Academy of Sciences and Letters, 217 (2015).
268) Arnold Sommerfeld, "The theory of the Balmer series", Royal Bavarian Academy of Sciences to Munich, Mathematical-Physical Class, Meeting Reports, 440 (1915).
269) K. Schwarzschild, Sitz. ber. Preuss. Akad. Wiss. 548 (1916).
270) P. S. Epstein, Ann. Phys. 355, 489 (1916).
271) Erwin Schrödinger, Ann. Phys. 80, 437 (1926).
272) Paul Epstein, Phys. Rev. 28, 695 (1926).
273) P. S. Epstein, Phys. Z. 17, 148 (1916).
274) J. J. Thomson, "Recollections and Reflections", Macmillan, New York (1937).

찾아보기

원자를 만지다: 스핀. 2권